사별을 경험한
아동·청소년 상담하기

이 도서의 국립중앙도서관 출판예정도서목록(CIP)은 서지정보유통지원시스템 홈페이지(http://seoji.nl.go.kr)와
국가자료공동목록시스템(http://www.nl.go.kr/kolisnet)에서 이용하실 수 있습니다.
CIP제어번호: CIP2016026909(양장), CIP2016026887(학생판)

사별을 경험한
아동·청소년 상담하기

Working with Bereaved Children and Young People

브렌다 맬런 지음

안병은·서청희·백민정·김미숙·문현호 옮김

수원시자살예방센터 기획

한울
아카데미

Working with Bereaved Children and Young People
by Brenda Mallon

차 례

옮긴이의 말 7
머리말 10

제1장 초기 애착과 회복탄력성 형성: 사별 상담의 이론적 기초 15

애착이론 17 | 엘리자베스 퀴블러 로스 20 | 윌리엄 워든의 과제 모델 21 | 콜린 머리 파크스 23 | 계속되는 결속 23 | 이중 과정 모델 26 | 이야기 접근법 27 | 신체가 인간 초기 발달에 미치는 영향 30 | 회복탄력성, 그리고 아동기의 사별 경험 32 | 성찰 연습 39

제2장 사별의 충격 41

들어가는 말 41 | 연령과 단계 50 | 5세 미만 51 | 7~11세 아동 54 | 청소년기: 11세 이상 59 | 예상하는 애도 64 | 부모의 죽음 67 | 형제자매의 사별 68 | 성찰 연습 72

제3장 사별 상담의 핵심 기술 74

애도 상담과 지원의 목표 75 | 시작 단계: 핵심 상담과 지원 방법 77 | 성별의 차이 84 | 사별 지지 그룹 86 | 그룹 활동 91 | 지지 활동가의 자기 인식과 애도 상담의 영향 93 | 성찰 연습 95

제4장 죽음 이해시키기
취약 아동의 정신 건강 이슈: ADHD, 자폐, 그리고 특수교육이 필요한 아이 96

취약 아동 보호하기 97 | 학습 장애가 있는 아동과 청소년 지지하기 101 | 지폐 스펙트럼 장애 103 | 보호시설의 아이 105 | 사납난한 청소년과 범죄 106 | 보호 감찰원에서 생활하는 아이 107 | 아이를 전문가에게 의뢰하기 110 | 성찰 연습 112

제5장 학교의 역할: 사별과 상실에 대한 학교 전체의 접근법 113

학교의 역할 113 | 치명적으로 중요한 사건들 121 | 치명적인 사건에 대응할 때 고려 사항 123 | 교장의 역할 124 | 교직원의 상호 지원 129 | 교직원에 대한 배려 130 | 한순간에 벌어진 일 131 | 추모 행사 132 | 성찰 연습 133

제6장 슬픔과 애도에 대한 창조적 접근 방식 134

글쓰기 136 | 일기와 일지 139 | 전기 또는 인생 기록 140 | 시 142 | 이야기 143 | 독서 치료 145 | 이야기를 슬라이드처럼 만들기 146 | 이야기 연극 147 | 선으로 그리기와 색칠해 그리기 148 | 사진과 비디오 149 | 안전한 공간 조성하기 150 | 스크랩북 151 | 진흙 놀이 151 | 가면 152 | 추억 상자 152 | 추억 정원 153 | 기억하는 돌멩이 154 | 조개껍데기 155 | 단추 상자 156 | 길가 추모 표지 156 | 몸의 지도 그리기 156 | 표정에 나타난 감정들 157 | 꼭두각시놀이 158 | 콜라주 158 | 헝겊 조각들을 담은 보물 상자 158 | 풍선 159 | 과도기의 물품 159 | 조약돌 기법 160 | 인형 160 | 갖가지 기법 163 | 성찰 연습 164

제7장 온라인으로 지원받기 165

제8장 트라우마를 남기는 죽음과 그 영향 179

트라우마로 남을 상황에서의 죽음 180 | 큰 재난 185 | 자살 187 | 교통사고로 인한 죽음 195 | 살인과 과실치사 196 | 전쟁, 테러, 내전 197 | 폭력적인 죽음, 폭력에 노출된 삶 200 | 성찰 연습 202

제9장 꿈 직업으로 애도 과정을 수월하게 만들기 203

꿈의 보편적인 주제 206 | 자기가 죽는 꿈을 꾸는 아동과 청소년 208 | 다른 사람이 죽는 꿈 210 | 질병 212 | 방문하는 꿈 213 | 아동의 심리적 외상 215 | 고통스러운 꿈과 악몽에 시달리는 아동을 어떻게 도울까 219 | 꿈과 지속적인 유대감 221 | 꿈의 영적 차원 223 | 성찰 연습 225

제10장 애도의 영적 차원 227

통증 완화 치료 233 | 사후세계에 대한 아동과 청소년의 관점 234 | 여러 의례 238 | 추모 의식 241 | 전 세계의 애도 의식 244 | 성찰 연습 247

부록 1 사별 아동을 지원하는 사람들을 위한 자료: 아동과 청소년을 위한 책 249

어린 독자를 위한 책 250 | 십 대 독자를 위한 책 253

부록 2 저자 인터뷰 259

참고문헌 264
찾아보기 300

옮긴이의 말

저는 학교 현장이나 진료실에서 수많은 아이들을 만나고 있습니다. 면담을 하면서 꺼려지는 질문들이 있는데, 그중 하나가 성性에 관한 질문이 아닐까 싶습니다. 정신과 수련 당시 성과 관련한 것에 대해 명확히 물어봐야 한다고 배웠지만, 성관계에 대한 경험이나 성폭력에 관한 것들을 묻는 일이 쉽지만은 않았습니다. 그러나 이러한 질문을 통해서 아이들의 상처나 아픔을 이해하는 데 큰 도움이 된다는 것을 알게 된 후로는 성에 관한 질문을 하는 일이 꺼려지지는 않습니다.

성에 관련된 질문보다 더 꺼려지면서도, 때로는 꼭 물어볼 필요가 있을까 라고 생각했던 질문이 있습니다. 그것은 바로 죽음에 대한 생각과 태도, 그리고 소중한 사람을 죽음으로 떠나보낸 적이 있는지 묻는 일입니다. 죽음은 우리 모두에게, 상담 전문가에게조차 무겁고 두려운 주제입니다. 저 또한 죽음이 두렵습니다. 중학교 1학년 무렵, 삶이 유한하고 인간은 모두 죽을 수밖에 없다는 사실이 너무나 두렵게 다가왔습니다. 정신과 의사가 된 지금도 죽음이 두렵습니다. 이런 이유 때문인지 모르겠지만 죽음에 관한 이야기를 아이들과 그리 쉽게 공유하지 못했던 것 같습니다.

죽음과 관련해서 아이들과 나눈 이야기 중에 기억나는 몇 가지가 있습니다. 키우던 강아지가 죽었는데 다른 강아지를 사주겠다는 말로 위로하는 부모님에게 더욱 화가 나 심한 우울감을 보인 아이, 친한 친구의 장례식에 참석하지 못하게 한 부모님 때문에 폭력적 행동을 보인 아이, 아버지와 친척 몇 분이 암으로 돌아가셨기 때문에 자신도 곧 암으로 죽을 거라고 믿은 아이가 생각납니다.

우리 사회는 죽음을 슬퍼하고 서로 위로하는 일에 서툴러진 것 같습니다. 특히 아이들에게는 죽음을 이야기하지 않는 경향이 있습니다. 죽음은 단지 빨리 처리되고 무덤 속으로 신속히 옮겨져 살아 있는 자들을 괴롭히면 안 되는 전염병이 되어버린 것 같습니다. 이 '전염병'에서 아이들을 격리해 보호하려는 우리 사회의 목적이 어쩌면 아이들을 더욱 혼란스럽고 아프게 만들 수도 있습니다.

누구나 죽게 되고, 누구나 죽음으로 누군가를 잃는 경험을 하지만, 특별히 그러한 경험을 한 아이들은 슬픔을 혼자 극복할 수 없습니다. 혼자서는 생존이 불가능한 나이, 아직은 누군가와 만나고 헤어지는 일 자체가 새롭고 어려운 나이에 소중한 사람을 상실하는 경험은 직접 겪어보지 않으면 설명하기 어려울 것입니다. "세상의 절반이 날아간 기분", "벌을 받고 버려진 것 같은 경험", "답이 없는 질문을 홀로 반복하는 외로움"…… 그동안 만난 유가족 아이들은 이러한 먹먹한 표현들로 자신의 이야기를 들려주었습니다. 마음에 돌을 앉힌 듯 무거운 이야기들을 나누며, 사실은 어떻게 도와줄 수 있을지 막막하다는 생각을 했습니다. 주로 고인에 대한 벅찬 감정들을 가슴속에 꾹꾹 눌러 담아놓았다가 폭발 직전에 털어놓는 아이들의 이야기는 들을 때마다 낯설고 지난하며 도전적인 일이었습니다.

그러던 어느 날, 외국의 학회에서 이 책을 만났습니다. 사별을 경험한 아이들을 도울 수 있는, 아이들과 함께 사별, 그리고 이후의 과정을 이해하며 수용할 수 있는 기본적인 내용과 다양한 방안을 제시한 책이었습니다. 그리고 현장의 사업에 접목시키게 되었습니다. 유가족 아이들과 상담할 때, 자조집단 프로그램을 구성할 때, 여름 캠프를 계획할 때 등 구체적 내용과 선구적 경험들을 기반 삼아 우리 상황과 개인적 특성에 맞게 적용해 큰 도움을 받았습니다. 그리고 역자들과 비슷한 고민과 관심을 품고 비슷한 분야에 종사하는 실무자들이나 관련자들과도 같은 해갈의 기쁨을 나누고자 번역을 하게 되었습니다. 아직은 집필의 단계에 이르지 못해 우리 문화와 현실에 적합한 내용을 공유할 수 없음을 아쉬워하며 이 책을 내어놓습니다.

마지막으로, 이 책의 저자 브렌다 맬런Brenda Mallon과 인터뷰한 내용 중 한 부분으로 서문을 갈음합니다.

"사람들은 의미나 답을 찾길 원하지만 그 과정을 거쳐갈 수 있도록 하는 것이 중요합니다. 죽음보다 더 힘든 경험은 없기 때문에 같은 인간으로서 유감을 표하고 애도하는 것이 우리가 할 일입니다."

슬픔을 치유하는 것은 슬퍼하는 것입니다.

2016년, 그리운 사람이 생각나는 가을에
옮긴이들을 대신하여
안병은

머리말

이 책은 사별을 경험한 아동의 세계에 대한 새로운 조사·연구들을 망라하고 있다. 앞으로 전개될 내용에서 우리는 사별당한 아이와 청소년의 이야기를 듣게 될 것이다. 우리가 탐구할 쟁점은 회복탄력성, 정신 건강상의 어려움, 학습 장애, 영성, 트라우마의 영향, 자살이다. 또한 청소년의 삶에 나타나는 집단(갱) 문화, 삶이 무너진 청소년을 우리가 지원할 수 있는 방법을 탐구할 것이다. 이 책은 이런 쟁점들을 통해서 읽은 것을 성찰해볼 기회를 제공할 것이며, 이런 청소년을 잘 돌보려고 할 때 아주 중요한 부분인, 돕는 자가 자기 인식을 증가시키도록 도와주는 연습도 할 수 있을 것이다.

사별은 개인적이며, 사회적이고, 문화적인 일이다. 애도 과정에서 개인의 태도와 신념과 지식, 사별한 이가 이용할 수 있는 사회적 자원, 그를 둘러싼 문화가 모두 작용하기 때문이다. 이런 것들이 그 사람이 겪은 상실의 의미를 알게 도와준다. 특히 사별당한 아이의 경우는 더욱 그렇다. 그들은 상실에 어떻게 반응해야 하는지 인도해줄 주변의 어른들을 바라보고 있기 때문이다.

사별 이후 외부의 개입이 필요하지 않은 가족들도 있다. 그들에게는 가족, 친구, 공동체를 통한 활발한 지지망이 있기 때문이다. 어떤 가족은 그런 지지망이 별로 실질적이지 못하거나 아예 없을 수도 있다. 후자의 경우, 친구 되어주기나 자원봉사자 또는 사별 상담자를 통한 더 많은 지원이 필요할 수도 있다. 아이에게 필요한 것은 낙인찍히지 않는 지원이다. 말하자면 "사별당한 그 아이가 아픈 것이 아니라 슬퍼하고 있는 것임을 인정하는" 일이 요구된다(Willis, 2004: 4). 슬퍼하는 아이에게 무엇이 필요한지 지레짐작하지 않는 것이 중요하다.

사실상 우리는 사별하는 아이가 어느 정도로 많은지 인식하지 못하고 있다. 영국에서는 30분마다 18세 미만*의 아이 한 명이 아버지나 어머니와 사별한다(Ross and Hayes, 2004). 이 말은 하루에 53명의 아이, 즉 해마다 2만 명의 아이가 부모 중 한 사람과 사별한다는 의미이다(Meltzer, 1999). 아동사별 네트워크Children Bereaved Network에 따르면 영국의 1~19세 아동과 청소년 중 매년 3000명 이상이 질병이나 사고로 죽는다. 자살로 인해 유가족이 되는 가족은 해마다 5000가구 정도이다(Williams, 2004).

조지프 로운트리 재단The Joseph Rowntree Foundation은 상실과 사별이 청소년에게 미치는 영향에 관한 문헌들을 검토했다. 이 검토 보고서가 부각시킨 사실은 살면서 어떤 불이익을 당할 때, 한 번 이상 사별을 겪은 청소년이 부정적 결과를 경험하기가 더 쉽다는 통계였다. 이런 일들은 교육에서 장애, 자존감 감소, 우울증, 위험을 감수하는 행위 증가 등으로 나타났다.

하버드 사별 연구The Harvard Bereavement Study의 발견에 따르면 사별하고 2년이 지난 뒤 조사 대상 아이들의 4분의 1이 충분한 애도를 보이지 않는다

---

* 이 책에 쓰인 나이는 모두 서양식 나이(만 나이)임을 밝힌다.

고 훈계를 받았으며, 다른 4분의 1은 그만 슬퍼하라는 말을 들었다. 후자에 속한 아이와 청소년은 사별한 뒤 2년이 되었어도 여전히 많이 울고 있었다 (Worden, 1996). 여기서 요점은 애도에 정해진 길이 없고 시간제한도 없다는 것이다. 사람마다 자기 방식대로 자기 느낌을 표현하는 것이다. 우리가 사별을 경험한 아이를 도와주려면 그 아이나 청소년이 가고 있는 나름의 애도 여정을 염두에 두고 사별에 관한 이론과 기법을 볼 필요가 있다.

로버트 니마이어Robert Neimeyer는 "애도 치유는 우리가 누구인지로부터 시작해 우리가 무엇을 하는지까지 확대된다"라고 말했다(Trinder, 2008: 1). 이 책은 아이와 청소년을 지원하는 데 사용되는 이론, 기술, 개인적인 태도를 탐구한다. 사별당한 사람들과 일하는 사람이 공식적인 상담 훈련을 받지 않았을 수도 있지만, 그런 경우에도 '내장內裝된embedded 상담'은 제공할 수 있다. 이는 핵심적인 상담 기술을 자기 역할의 중심으로 삼는다는 뜻이다. 이런 사람들은 훈련된 상담사가 아니지만 이 기술들이 "그들 일에 이미 담겨 있다. 가령 간호사, 교목校牧〔학교의 목사〕,* 응급처치사, 장의사 같은 사람이다. '내장된 상담'은 유연함을 허용하므로 상담실 바깥에서도 상담적인 대화를 하는 경우가 있을 수도" 있다(McLeod, 2008: 14).

상실을 경험한 아동과 청소년의 이야기를 경청하는 것은 매우 중요한 일이다. 경청을 제대로 할 수만 있다면, 우리 생각에서 필요한 것이 아니라 그들에게 실제로 필요한 것을 제공해줄 수 있다. "슬퍼하는 아이가 고쳐져야 하는 것은 아니다. 슬픔은 치료되어야 할 질환이 아니기 때문이다. 이것은 규정할 수 있는 과제이거나 순차적 단계를 갖출 수 있는 과제도 아니다. 이는 또한 건너야 할 다리, 짊어져야 할 짐, 극복해야 할 경험도 아니다. 슬픔

---

* 문장 끝의 출처 주를 제외한 대괄호는 모두 옮긴이 주이다.

은 상실에 대한 정상적이고, 건강하며, 예측 가능한 반응이다. 슬퍼하는 일이 필요할 때는 감정을 표현할 수 있게 해주고 경청하는 것이 더 나은 기술인데, 우리는 고치고 지시하는 일에 몰두할 수도 있다"(Schuurman, 2002: 9). 또한 사별을 경험한 청소년과 작업할 때는 그 이야기를 듣는 사람이나 상담자에게 미치는 영향을 자각할 필요도 있다. 그것이 바로 상담자가 정기적으로 꾸준히 감독받는 일이 전문적 명료함과 정서적 건강을 유지하는 데 본질적인 이유이다.

윌리엄 워든William Worden은 하버드 아동 사별 연구The Harvard Child Bereavement Study에서 만난 아이들에 대해 "결국 경험에서 나온 그 아이들의 지혜가 우리 모두를 위한 최고의 '상담'"이라고 했다(Worden, 1996: 171). 나는 이 책이 사별을 경험한 아이를 머리와 가슴으로 이해하는 데 도움을 줄 수 있기를 바란다. 이 과정에서 우리가 돕고 있는 아이들의 인생이 그들 경험을 통해 바뀌듯이 우리 자신의 인생도 바뀔 수 있다고 생각한다. 내가 만난 아이들의 지혜와 용기, 그리고 커다란 슬픔과 상실 앞에서 그들이 보여준 회복 탄력성은 나에게 아주 많은 것을 가르쳐주었고, 그만큼 나는 그들에게 빚을 졌다. 그 아이들의 이야기 중 일부분을 이 책을 통해 나눔으로써 사별당한 사람들과 일하는 당신의 역할에 도움이 되기를 바란다.

여기에 나오는 모든 이름과 누군지 알 수 있을 내용은 익명성을 지키기 위해 수정되었다.

성찰 연습

각 장마다 마지막에는 복습할 문제들이 있다. 스스로 인식하도록 하는 이 연습으로 당신은 자신에 대해 더 많이 알 수 있게 될 것이며, 임종과 죽음, 그리고 사별에 대한 당신의 느낌과 신념에 관해서도 더 많이 알 수 있다. 이 부분은 당신을 위한 것이지만 다른 사람들과 함께 이야기해도 된다. 특히 당신이 사별 지원 훈련의 일부로 그 물음들을 완성한다면 더욱 그렇다. 만일 그 연습이 당신에게 스트레스를 주거나 예상치 못한 감정, 또는 괴로운 느낌이 들도록 만든다면, 그때마다 그것을 나눌 수 있는 누군가가 있어야 한다. 당신은 이런 감정들을 그 당시에 다루는 것이 중요하다. 그렇지 않으면 사별 당한 아이나 청소년과 함께할 때 나타날 수도 있기 때문이다.

이 연습을 할 노트를 마련해 문제와 답을 기록하라. 시간을 따로 내어 각각의 연습 문제를 완성하되, 연습 문제마다 한 시간 정도를 잡고 하라. 어떤 연습은 한 시간이 안 걸릴 수도 있다. 한 시간에 맞추어 당신이 쓴 것을 돌이켜 생각하고, 그것이 당신과 당신의 일에 무슨 의미를 지니는지 생각해보라. 각각의 연습은 사나흘 간격으로 하면서 그동안 일어나는 생각과 느낌을 생각해볼 시간을 가지라.

제**1**장

초기 애착과 회복탄력성 형성

사별 상담의 이론적 기초

슬픔을 감추려고 하면 목이 더 아파져요. 내가 우는 건 나 같지 않기 때문이에요. 내가 완전히 달라졌어요. 내 큰 덩어리가 없어졌어요. 내 안에 큰 구멍이 뚫려버린 것처럼요. 아빠는 학교에 가라고 소리 지르지만 난 아빠가 있어야 돼요. 아침마다 어지럽고 아주 슬프거든요. 내 심장이 약해진 것 같아요. _ T(11세, 엄마가 오랜 투병 끝에 사망)

지난 세기 동안 사별 상담의 이론적 토대는 많이 달라졌다. 이는 많은 점에서 사회의 변화를 반영한다. 지그문트 프로이트Sigmund Freud의 1917년 논문 「애도와 우울증Mourning and Melancholia」과 애착이론에 관한 존 볼비 John Bowlby의 중대한 연구에서 시작해, 엘리자베스 퀴블러 로스Elizabeth Kübler-Ross, 콜린 머리 파크스Colin Murray Parkes, 윌리엄 워든을 거쳐, 카리 뒤레그로브Kari Dyregrov와 아틀레 뒤레그로브Atle Dyregrov의 가장 최근 연구 (Dyregrov and Dyregrov, 2008)에 이르기까지 변해왔다. '애도의 직선적 과제와 단계'로부터 우리가 옮겨가는 곳은 데니스 클라스Dennis Klass, 필리스 실버먼Phyllis Silverman, 스티븐 닉먼Steven Nickman의 '계속되는 결속의 발달'(Klass, Silverman and Nickman, 1996)과 마거릿 스토로브Margaret Stroebe와 헹크 슈트Henk Schut의 '역동적 이중 과정 모델'(Stroebe and Schut, 1999)이다. 21세기에는 삶과 죽음이 가족과 사회, 그리고 문화적 요소들의 지지를 받는다. 문화적 요소들은 우리가 사별을 경험한 아동·청소년과 작업할 때 역할을 한다(Klass, 1999b). 우리는 우리 지식의 토대를 형성하는 이론들의 중요성을 인정하지만, 모든 사별의 경우와 마찬가지로 아이나 청소년은 각자 사별에 대해 자기 나름의 독특한 반응을 한다(Alexander, 2002).

프로이트와 같은 초기 학자들은 정신분석의 전통에 서 있다. 정신분석의 전통에서는 개인과 그 개인이 애통함에 대해 보이는 반응, 그리고 그 애통함이 내면의 심리 세계에 미치는 영향력에 초점을 둔다. 더 근래의 이론들은 체계이론systems theory에 영향을 받고 있는데, 체계이론은 개인의 관점을 덜 중시한다. 죽음에 대해 반응할 때 사별한 개인, 그의 가족과 친구들, 더 큰 공동체의 상호관계들이 모두 통합적으로 작용한다고 본다. 이는 존 던John Donne의 말로 섬세하게 요약될 수 있다.

그 누구도 섬이 아니고 혼자 온전하지 않다. 모든 사람이 대륙의 한 조각이며 본토의 일부다. 한 덩이 흙이 바닷물에 씻기면 유럽은 그만큼 줄어든다. 곶(串)이 그리되어도, 그대의 친구와 내 친구의 영지(領地)가 그리되어도 마찬가지다. 그 누구의 죽음이라도 나를 줄어들게 한다. 내가 인류에 포함되기 때문이다. 그러므로 누구를 위해 조종(弔鐘)이 울리는지 알고자 사람을 보내지 마라. 종은 그대를 위해 울리는 것이니(「명상록(Meditation) XVII」).

존 던은 모든 사람이 영적인 결속뿐 아니라 사람들이 속한 공동체의 결속에 의해서도 서로 연결되어 있다고 믿었다. 한 사람에게 불행한 일이 생기면 같은 사회에 살고 있는 사람들이나 동일한 체계로 연관된 사람들 모두에게 영향을 미친다.

애착이론

영국의 정신과 의사였던 존 볼비(1907~1990)는 아동-엄마 애착이나 아동-양육자 애착이 아동 발달에서 의미심장하게 중요함을 알아본 선구자였다. 그가 자기 아동기의 경험에서 영향을 받았을 수도 있다. 중상층 가정에서 자란 그의 최초 양육자인 사랑하는 유모는 그가 네 살 때 그만두었다. 그는 훗날 이 일을 자기 엄마가 죽은 것처럼 비극적인 일이었다고 묘사했다. 이 경험은 그가 일곱 살 때 기숙학교에 보내진 경험과 더불어, 아동의 삶에서의 상실에 관한 그의 깊은 관심을 설명해줄 수도 있다.

메리 에인스워스Mary Ainsworth와 연구하면서 볼비는 아동의 행동을 이해하려면 아동의 환경부터 이해해야 한다고 결론 내렸다(Wiener, 1989). 그는 초기 가족 환경이 아동의 정서적·신체적 발달에 어떤 영향을 미치는지 보여주었고, 1950년대 초에는 애착이론의 개념을 뚜렷하게 세웠다.

엄마는 아기의 삶에서 가장 중요한 사람이다. 아기를 신체적·심리사회적으로 돌보기 때문이다. 그리고 엄마와 아기 사이의 심리사회적 상호작용은 신체적 접촉과 수유만큼 중요하며, 아기가 보내는 신호에 엄마가 반응하지 않을 때 아기는 스트레스를 받게 된다(Graham and Orley, 1998: 272).

제2차 세계대전 이후 세계보건기구WHO는 전쟁고아의 삶에 관한 보고서를 만들기 위해 볼비를 초청했다. 〔그 결과〕『엄마의 돌봄과 정신 건강Maternal Care and Mental Health』이 1951년에 출판되었는데, 여기서 그는 "아이를 돌보는 가장 적절한 형태는 가정이며, 아이들도 어떤 특정 기관에서 생활하는 것보다 가정에서의 돌봄을 훨씬 좋아했다"라고 결론 내렸다(Graham and Orley, 1998: 268). 그는 감정적 박탈과 잦은 분리가 비행非行 및 정신 질환에 주요한 기여 요소가 된다고 결론 내렸다. 이는 공공 기관에서 돌봄을 받는 아동과 청소년에 해당되는데, 4장에서 더 다룰 것이다. 엄마나 주 양육자, 또는 애착을 느끼는 중요한 인물에게서 이른 분리가 아기와 어린아이에게 어떻게 역반응을 일으키는지 밝히며 그가 당시에 유행하던 관점과 반대로 주창한 것은, 엄마가 병원에 있는 동안 아기와 접촉해야 애착이 유지된다는 점이었다. 시간이 흘러 병원에서 출산 후 엄마와 아기를 떼어놓는 관행은 강력하게 비판받았다. 볼비는 모든 아이에게 각기 안전한 토대가 필요하고 그 토대가 있어야 그 위에서 세상을 탐구해볼 수 있다고 강조했다.

그 시대의 다른 분석가들과는 달리 아이들에 대한 장기간의 조사·연구와 관찰 후 볼비가 믿게 된 것은, 지나친 분리 불안이 가족과의 부정적인 경험의 결과라는 점이다. 그런 경험에는 버린다는 위협, 부모의 거부, 부모나 형제의 질병과 사망이 포함된다. 그는 아이가 이러한 가족의 일로 스스로를 비난하는 경우도 많다는 사실을 알아냈다. 그는 엄마에게서 잠시 떨어진 아이들이 받은 영향들을 연구한 조이스 로버트슨Joyce Robertson과 제임스 로버트슨James Robertson이 만든 영상물에 영향을 받았다. 그들은 보육원에 있는 아이들과 위탁 시설에 맡겨진 아이들을 찍었다. 그 영상에서 아이들은 엄마(또는 엄마 같은 이)와 분리될 때 불안 증세를 보였지만, 양육 대리모가 있을 경우에는 그 시설에 적응했다(Shapland, 1976). 영상물 중 하나인 〈두 살배기 병원 가다A Two Year Old Goes to the Hospital)는 일차적 양육자와 분리된 어린 아이가 겪는 상실감과 고통의 충격을 기록했다. 이 영상물의 영향을 받아 병원에서 부모가 자기 자녀와 함께 있도록 허가하는 정책으로 변화되었다.

볼비의 관점은 폭행당하고 거부되며 박탈당한 아이들을 위한 자선단체 '어린이 재단Kids Company'의 설립자 카밀라 배트맹겔리지Camila Batmanghelidjh의 글에 강력히 반영되어 있다. 그녀는 "만약 애착이 일관성 없고 예측 불가능하며 유아의 욕구에 맞추어지지 않는다면, 그 아이는 양가적兩價的 애착이나 불안정한 애착을 발달시킨다"라고 말한다(Batmanghelidjh, 2007: 25).

애착은 정서적 안정과 회복탄력성 발달에 본질적으로 중요하다(Frayley and Shaver, 1999; Huertas, 2005; Machin, 2009). 자기에게 중요한 의미를 지닌 한 사람(보통 부모이거나 지속적으로 돌보는 사람)과의 애착이 형성되지 않으면 아이는 잘 자라지 못할 수도 있고, 남과 관계를 잘 맺지 못할 수도 있으며, 남에게 공감을 느끼지 못하게 될 수도 있다. 반면 애착 관계가 활발하고 세심하게 형성된다면, 아이는 역경에서도 자신을 유지할 수 있는 안정감을 얻는다.

볼비와 파크스는 애도 과정의 주요 네 단계를 다음과 같이 정의했다(Bowlby and Parkes, 1970).

① 무감각, 충격, 부정의 단계로 비현실감을 느낄 수도 있다.
② 그리움, 서향의 국면에는 슬픔이 울음, 한숨, 불안으로 파도처럼 몰려올 수도 있다. 어린이나 청소년의 경우에는 죽은 이가 함께 있는 것처럼 느낄 수도 있다.
③ 혼란, 저조한 기분, 절망감
④ 애착을 떠나보내고 앞날에 시간을 투자하는 재정돈의 국면

많은 사람이 이 모델을 단선적으로 해석하며, 사별한 사람들의 반응을 왔다 갔다 움직일 수 있는 것으로 보지 않았다.

최근 린다 머친Linda Machin(2009)의 연구는 애착에 대한 우리의 이해를 확장해주었으며, 사별을 겪었을 때의 회복탄력성이나 취약성, 안정성이나 불안정성에서 애착의 기능뿐 아니라 성인이 되어 여러 관계에서 겪는 애착의 기능에 관한 이해까지 넓혀주었다. 초기 애착과 사별 반응 사이의 연관성이 계속 연구되지만, "분명한 것은 관계와 관계의 의미, 자아 인식으로 나온 결과가 애도 반응의 본질을 이해하는 관건이라는 점이다"(Machin, 2009: 39).

엘리자베스 퀴블러 로스

평화롭게 죽어가는 사람을 지켜보는 것은 유성 하나를 보는 듯하다. 거대한 하늘에 있는 수많은 빛 중 하나가 잠시 반짝이다가 끝없는 밤 속으로 영원히 사라질 뿐이다(Kübler-Ross, 1969: 276).

스위스 출신의 내과 의사이자 정신과 의사였던 엘리자베스 퀴블러 로스(1926~2004)는 시한부 환자에 관해 광범위한 조사·연구를 진행한 선구자였다. 그녀는 독창적인 책 『죽음과 죽어감에 관하여On Death and Dying』(1969)에서 죽음을 맞이하는 이들이 어떤 단계를 지나가는지 그렸다.

- 부정: 그 환자는 불치병에 걸린 사실을 받아들이지 않는다.
- 분노: 몸이 말을 듣지 않아 자기 자신에게 분노한다. 자기가 어떤 점에서 실패했다는 느낌 때문에 의료진을 비롯한 타인에게 화를 낸다.

- **타협**: 생명이 연장되거나 다시 건강을 되찾게 해달라고 신이나 어떤 다른 보이지 않는 힘과 타협할 수도 있다.
- **우울**: 자신이 죽을 수밖에 없는 존재라는 사실 앞에서 의기소침해지고 낙담할 수도 있다.
- **수용**: 슬퍼할 기회를 얻고 다가오는 마지막을 받아들이며 명상이나 성찰의 시기를 지낼 수도 있고, 자기 상황의 불가피함을 수용할 수도 있다.

퀴블러 로스는 사별을 겪은 이들에 대해서도 이 단계를 적용했다.

그녀는 시한부 환자와 사별에 대한 우리 이해의 폭을 더욱 넓혔다. 그녀의 모델은 널리 받아들여져 애도의 패턴을 설명할 때 사용되었으며, 의료인 훈련에도 포함되었다(Kübler-Ross, 1975). TV [만화] 프로그램 〈심슨 가족The Simpsons〉에서도 '다브다Denial, Anger, Bargaining, Depression, Acceptance: DABDA'로 외우기 쉽게 언급되어 아주 유명해졌다(DeSpelder and Strickland, 2002). 그러나 이 모델에 대한 선호는 나중에 시들해졌다. 연구자들은 이 단계들을 뒷받침할 증거를 찾지 못했고, 죽음을 앞둔 이들이나 그 가족에게 상반되는 반응들이 공존함을 발견했다(Stroebe and Schut, 1999). 이 모델은 볼비와 파크스의 모델과 더불어 단선 모델로 해석되었고, 따라서 그 모델들은 사별 경험이 유동적이라는 점을 허용하지 않기 때문이다. 사별한 사람은 이 단계들을 오락가락할 수 있고, 해결이나 수용 단계를 결코 느끼지 못할 수도 있다.

윌리엄 워든의 과제 모델

심리학자이자 애도 전문가인 윌리엄 워든은 필리스 실버먼과 함께 하버드 아동 사별 연구의 공동 책임자였다. 그것은 장기간의 변화를 비교하는 종단적縱斷的, longitudinal 연구로, 1987년에 시작되었다. 연구에서 밝혀진 것은 부모와 사별 후 그다음 해 말까지는 사별을 경험한 아이에게 부정적인 결과들이 나타나지 않는 경우가 많았다는 점이다. 이 연구를 기반으로 저술한 그의 책『아동과 애도: 부모 한 명이 죽었을 때Children and Grief: When a Parent Dies』(1996)는 아이와 사별의 관계에 대한 우리의 인식을 바꾸어놓았다.

윌리엄 워든의 4단계 과제 모델은 사별 후 거쳐야만 하는 일련의 심리적 과제들이 있다는 생각을 기반으로 만들어졌다(Worden, 1991). 그는 이런 식으로 애도가 사별한 이들이 완수해야 할 일이라고 보는 프로이트의 개념을 지속시킨다. 완수해야 할 단계들은 다음과 같다.

- 상실당한 것이 현실임을 수용한다.
- 슬픔의 고통을 뚫고 나간다.
- 그 사람이 죽어서 더 이상 존재하지 않는, 변화된 이 환경에 적응한다.
- 죽은 그 사람을 자신의 감정 안에 다시 자리 잡게 하고 자기 인생을 살아 나간다.

이 모델은 나중에 심리학자 테레즈 랜도Therese Rando가 확대했다. 랜도는 앞의 네 단계에 '재적응' 단계를 추가했다. 이는 예전의 애착을 잊지 않으면서도 새로운 정체성을 형성하고 삶에 재투자하는 것을 말한다(Rando, 1993).

워든과 실버먼의 하버드 사별 연구로부터 '계속되는 결속continuing bonds'이라는 이론이 발달했는데, 나중에 논의될 터이지만 이는 요즈음 사별 연구에서 강력한 주제가 되고 있다. '계속되는 결속'은 그들이 인터뷰한 아이들에게서 뚜렷하게 널리 나타났다(Hospice Foundation, 2010).

콜린 머리 파크스

콜린 머리 파크스는 그의 많은 저서가 보여주듯이 사별에 관한 조사·연구에서 매우 중요한 인물이다. 그의 가장 최근 연구는 애도를 재구성 과정으로 보는 데 집중되어 있다. 재구성 과정 속에서 사별당한 자가 '심리사회적 전환psychosocial transition'을 이룬다는 것이다(Parkes, 1996). 이런 주장은 '가정된 세상assumptive world'이라는 용어를 도입한 그의 초기 개념에서 발전된 것이다(Parkes, 1988). 우리는 자기가 늘 살아온 대로 큰 변화 없이 살아갈 것이라고 '추정하는' 세상에서 산다. 아이는 자기가 가족과 함께 살고, 학교에 가며, 숙제를 하고, 친구가 있는 삶을 살 것이라 추정한다. 그러나 이 '가정된 세상'은 부모의 죽음으로 부서질 수도 있다. 아이의 안전은 산산조각 나고, 가정의 경제적 형편이 바뀌어 이사를 할 수도 있으며, 전학을 가 친구들과 헤어질 수도 있다. 그들의 삶은 갑자기 바뀌게 되고, 그들은 새로운 세상에 적응해가는 법을 배워야만 한다. 바로 이러한 전환이 슬퍼하고 애도해야 할 '일'이 된다. 아동과 청소년은 지도 한 장 없는 이 영역을 어떻게 통과할지, 또 그것으로부터 어떤 의미가 나올 수 있는지 배우려고 어른들을 바라보게 될 것이다(Neimeyer, 2005).

계속되는 결속

죽은 사람은 산 사람이 의지하게 될 능동적이고 긍정적인 자원이다(Riches and Dawson, 2000: 37).

'계속되는 결속'이라는 이론은 클라스, 실버먼, 닉먼에 의해 1996년에 처음 소개되었고, 하버드 아동 사별 연구에서 발견된 것들을 통해 발전했다. 이 이론은 사별당한 사람이 죽은 자와 계속 연결되어 있으며, 그 연결은 시간이 흘러도 계속된다고 주장한다. 이런 유대가 사별자의 장래 삶으로 이어진다(Holland, 2001). 이 모델이 말하는 바는 많은 사람이 느끼는 것이 무엇이든 그것이 바로 슬픔의 실재라는 사실이다. 즉, 슬픔은 단련되거나 해소되는 대상이 아니다. 슬픔이 실제로 쉽게 해소되지 않기 때문이다. 앞에서 말한 애도의 단계 모델에서는 사람들이 수용이나 해소의 마지막 단계에 도달할 수 없으면 그 때문에 자기가 뭔가 부적절하다고 느낀다. 하지만 '계속되는 결속' 모델은 사별당한 사람의 실제 경험을 반영해준다. 즉, 그들은 현실의 경험 속에서 계속 살아나가는 자기 삶에 사랑하는 고인을 포함시킨다(Stroebe et al., 1995). 이는 뒤에 언급할 '이중 과정 모델Dual Process Model'과 유사하다.

아이도 기억이나 자기가 간직한 물건, 사진 등을 통해 고인과의 연결을 유지한다(Silverman et al., 1995). 아이는 또 죽은 부모나 형제자매가 자기에게 무엇을 하라고 충고할지 생각하며, 고인이 인정하리라고 생각되는 방식으로 행동한다. 많은 아이가 잊고 싶어 하지 않으며, 고인에게 작별 인사를 하고 싶어 하지 않는다. "안녕이라고 말할 필요가 없단다. 그냥 '나중에 봐요'라고 말하렴. 넌 늘 생각이 날 테지만 괜찮단다"라는 말이 열한 살 난 여자아이에게는 희망을 주는 조언이 되었다(Worden, 1996: 172).

많은 문화권에서 고인과의 '계속되는 결속'이 그 문화의 바탕에 짜여 있다(Deeken, 2004; Valentine, 2009). 소센 스하이祖先崇拜라는 일본의 전통에서는 산 자와 죽은 자 사이에 계속되는 유대를 제례의 복합적인 체계를 통해 조성한다. 그 제례들이 망자가 조상의 세계로 무사히 옮겨가도록 보장해준다. 이 제례에 포함되는 것은 장례 의식, 추모 제사, 성묘, 부쓰단佛壇이라고 알려진 사당 건립이다. "이런 애착들은 호혜성互惠性과 상호 의존성에 기반을 두고 있다. 즉, 살아 있는 자들이 망자에게 돌봄과 위로를 제공하고, 그 대신 그 망자들은 살아 있는 자들을 지켜준다"(Valentine, 2009: 7).

이 '계속되는 결속'은 특히 일본 문화에서 중요하다(Ishii, 2008). 이시이 지카코石井千賀子는 애도의 주요한 양상 네 가지를 설명한다. 첫째, 사당이나 벽감壁龕에 매일 음식을 바치고 1년에 한 번 무덤을 방문한다. 둘째, 사당과 무덤에서 고인과 대화한다. 셋째, 사당과 무덤은 직계가족뿐 아니라 확대가족을 위한 것이다. 넷째, 살아 있는 자는 고인이 죽은 후 오랜 기간 그를 위해 불교 예식들에 참여한다. 이 연결고리들은 전통적인 방식으로 유지된다. 그리고 "사별당한 일본인에게 〔슬픔을 표현할〕 안전한 길을 제공한다. 일본인은 자기 느낌을 보여주고 감정을 표현하길 꺼리는 것으로 유명한 민족이다"(Ishii, 2008: 11). 이 문화적 전통은 사별당한 일본 아이의 행위에 영향을 줄 수도 있다. 예를 들어 그 아이들은 슬픔을 보여주기보다는 등교 거부처럼 학교와 관련된 어려움들을 보여줄 수도 있다.

삶에 대한 아프리카인의 믿음은 조상을 통해 이어지는 연속성과 관련된다. 따라서 그들에게 죽음은 하나의 삶에서 또 다른 삶으로 건너가는 것을 의미하고, 남은 아이를 돌보는 책임은 대가족 체계를 통해 누군가에게 맡겨진다(Richter, 2008). 이 친족 관계망은 사별당한 아이와 청소년을 위한 일차적 안전망도 제공해준다. 그러나 아이가 살고 있는 문화의 전통을 이해하는 것은 매우 중요하다. 예를 들어 호주 원주민은 죽은 이의 이름을 입에 담지 않으므로 회고록을 이용하는 것은 큰 문제가 될 수가 있다(Lansdown, 1999).

프로이트를 포함해 초기 이론가들이 제안한 것은 사별당한 자는 망자와 분리되기 위해 노력해야 한다는 점이었다. 하지만 프로이트 자신도 자기 친구 루트비히 빈스방거Ludwig Binswanger의 아들이 죽었을 때 말했다. "우리는 이런 상실 후에 애도의 찌르는 듯 애통한 상태가 누그러지리라는 것을 알지만, 우리가 위로받을 수 없이 남으리라는 것, 그 누구도 결코 대신할 수 없으리라는 것 또한 알고 있다. 그 무엇이 그 빈자리를 채우든, 설사 완전히 채워진다 할지라도 그것은 다른 존재이다. 그리고 실제로 그렇게 다른 존재여야 하며, 그것이 우리가 지워버리고 싶지 않은 사랑을 영속시키는 유일한 방법이다"(Freud, 1960: 386). 우리는 사랑하는 사람과의 결속을 유지하며 상실을 '극복'하거나 '마무리'한다기보다는 그 상실과 함께 살아가는 법을 배운다. 죽은 이의 목소리가 현재의 선택에 계속 영향을 미칠 수도 있다. 비록 그 사람이 몸을 지닌 채 옆에 있는 것은 아닐지라도 말이다(Hedtke, 2001).

낸시 호건Nancy Hogan은 연구에서 만일 가능하다면 죽은 형제자매들에게 무엇을 묻고 싶은지 사별당한 청소년들에게 질문했다. 응답자의 81%는 "널 사랑해, 보고 싶어"라고 말할 것이라 했다. 현재 시제의 이 말이 지적해주는 바는 그들이 죽은 형제자매들과 계속되는 결속을 유지하고 있었다는 점이다(Hogan, 2006). 그 이전의 조사 · 연구(Hogan and DeSantis, 1994)에서 이는 '지속하는 애착'으로 묘사되었다.

이중 과정 모델

마거릿 스트로브와 헹크 슈트는 1999년 사별 대처에 관한 '이중 과정 모델 Dual Process Model'을 처음 발표했다.* 이 모델은 사람이 사별에 어떻게 대처

---

* 심리학에는 이중 과정 이론이 있다. 한 가지 현상이 어떻게 다른 두 가지 방식으로 나타나거나 다른 두 가지 과정을 낳게 하는지에 관해 설명해주는 이론인데, 이 이론을 스트로브와 슈트가 사별 대처 모델로서 차용하는 논문을 발표했다. M. Stroebe and

하는가에 초점을 맞추며, 단계를 정의 내리기보다는 사별을 다루는 과정·스타일·기법에 관한 것이다. 그들은 이 모델을 역동적 모델이라고 서술했는데 '진동 모델Oscillation Model'이라고도 알려져 있다. 이는 애통해하는 사람이 상실을 향한 행위와 회복을 향한 행위 사이를 어떻게 오락가락하는지 말해준다. 상실을 마주하면 슬픔이 밀려오고 유대가 깨진 것을 느끼며 과거에 초점을 두지만, 회복을 향할 때는 슬픔을 피하고 장래에 초점을 맞추며, 상실과 상실을 피하느라 생기는 스트레스로부터 한숨 돌린다(Abdelnoor and Hollins, 2004b). 이는 애통해하는 이가 애도의 초점과 인생 변화를 다루는 것 사이를 어떻게 오락가락하는지 보여준다(Stroebe and Schut, 2008). 애도에 관한 최근 개념은 죽은 자와의 결속을 푸는 것과 애착을 유지하는 것 둘 다를 포함한다(Klass et al., 1996).

스트로브와 슈트는 이 모델이 아이의 애도함에 어떻게 반영되는지 말해준다. "아이는 슬픔과 일상생활 사이를 오락가락한다. 즉, 상실 경험의 다양한 양상을 다루고 처리하는 '상실을 향함loss orientation'과 상실에 따른 변화 요구에 적응하며 일상의 많은 활동을 해내려 노력하는 '회복을 향함restoration orientation'의 '이중 과정'을 오락가락한다"(Stroebe and Schut, 1999: 216).

이야기 접근법

죽은 이들이 우리를 도와 그들의 이야기를 쓴다. 우리 이야기도 쓸 수 있게

H. Schut, "The Dual Process Model of Coping with Bereavement: Rationale and Description," *Death Studies*, Vol.23, pp.197~224. ─ 옮긴이

도와준다. 어떤 의미에서 모든 이야기에는 '숨어 있는 작가(ghost writer)'가 있다(Becker and Knudson, 2003: 714).

멤피스 대학교의 심리학 교수 로버트 니마이어는 애도 이론의 새로운 패러다임을 발전시켰는데, 그 패러다임 안에서는 의미의 재구성이 중심을 이룬다(Neimeyer, 2005). 이는 구성주의 접근법 또는 이야기 접근법에 속한다고 말할 수 있다. 이 사회구성주의 모델이 기반을 두는 관점은 한 개인의 '가정된 세계'가 중요한 상실을 겪은 후 철저히 변한다는 것이다. 우리가 아는 세계가 변해버렸다. 의미가 상실되었다. 그러므로 우리 삶을 위해서 이용할 수 있는 모든 자원을 통해 의미를 다시 세우고 구성할 필요가 있다. 아이나 청소년은 이 재구성 과정에서 자기를 도와줄 직계가족이나 그 이상의 공동체에 속한 사람들이 필요하다. 니마이어는 자신의 관점을 이렇게 말한다. "사람이 의존하는 이야기는 자서전만큼이나 다양하고 겹치는 문화적 신념 체계만큼이나 복합적이다. 그 체계들이 삶의 의미를 부여하려는 그들의 시도가 어떤 것인지 정보를 준다"(Neimeyer, 2005: 28).

아이나 청소년은 사랑하는 사람이 죽을 때, 인생 이야기가 바뀐다. 이전에 살던 세상이 변해 그 이야기의 등장인물들이 역할을 바꾸고, 죽은 그 사람은 없어진다. 이 시점에서 줄거리도 바뀌며, 그 상실이 말이 되도록 아이와 가족은 이 변화의 의미를 만들어내야 한다. 의미를 만들어내는 과정에서 죽음의 이야기, 죽음으로 이끈 사건들과 그렇게 해서 나온 일들을 반복해 말하게 될 수도 있다. 사회학자인 토니 월터Tony Walter에 따르면 우리가 애도하며 전기傳記나 이야기를 이용할 때 죽은 그 사람에 관해 가족과 친구에게 말하면, 말하는 그만큼 우리는 그 사람을 '간직'하게 된다(Walter, 1996). 더구나 식구끼리는 함께 나누는 이야기 속에서 죽음의 의미를 만들어내려고 노력한다(Nadeau, 1997).

아이는 생각보다 더 많은 것을 기억한다고 지적해주는 조사·연구가 있다(Gopnik et al., 1999). 죽은 이에 관해 함께 말하고 시간을 보내는 가족은 아이에게 고인에 대한 기억과 유대를 쌓도록 해줄 수 있다(Traylor et al., 2003). '윈스턴의 소망Winston's Wish'이라는 사별 재단의 설립자 줄리 스토크스Julie Stokes는 그녀의 책『그때, 지금, 그리고 영원히Then, Now and Always』(2004)에서 기억 작업의 중요성을 서술하며 이를 빵 반죽 과정에 비유한다. 즉, 따뜻함을 함께 나눌 때 기억들이 부풀어올라 애도하는 과정을 돕는다는 것이다. 기억을 다시금 꺼내는 것은 아이에게 크게 유익하다(Monroe, 2001; Kraus, 2010). 이야기가 발전되면서 죽음 때문에 흐트러져 버린 아이의 삶에 의미가 생겨날 수 있다(Eakon, 1999; Neimeyer, 2001). 이야기 치유는 힘, 회복탄력성, 희망 갖기, 감사라는 주제들을 포함할 뿐 아니라 고인과의 지속적인 연결고리도 포함시킨다(Hedtke, 2001).

이것은 싸움이야. 그렇지만 넌 이겨낼 수 있어. 추억이 들어오고 슬픔이 나가면서 더 쉬워질 거야. _ 아버지를 여읜 지 2년이 된 12세 소년(Worden, 1996: 172).

그 아이에게는 "고인의 '목소리'가 현재의 선택과 행동에 계속 영향력이 있다"라고 할 수 있다(Hedtke, 2001: 5). 죽음을 앞둔 사람이 죽음 이후에 자기가 어떻게 기억되고 싶은지 그 이야기와 기억에 관해 생각해둔다면〔남는 자들에게〕도움이 될 수도 있다. 이런 식으로 결속감이 적극적으로 키워지면 죽음은 더 이상 관계의 종말을 의미하지 않을 수 있다(Stokes, 2004). 사별당한 자에게는 계속되는 결속이 위로를 준다. 명예교수인 토머스 아티그Thomas

Attig는 『슬픈 심장: 죽음 그리고 잊히지 않는 사랑 찾기The Heart of Grief: Death and the Search for Lasting Love』에서 다음과 같이 말한다.

사랑했던 이가 돌아오길 원하는 유가족은 헤어졌지만 사랑할 수 있는 다른 방법을 찾아야 한다. 절망적인 그리움은 다른 방법의 사랑을 찾지 못하게 만든다. 몸으로 함께하는 것을 내려놓기란 고통스럽지만 반드시 필요하다. 하지만 이는 완전히 놓아버리는 것과 다르다. 우리는 여전히 그가 준 선물, 그의 삶에서 발견한 가치와 의미를 간직한다. 그에 대한 기억과 그가 우리의 실제 삶, 혼과 정신에 남긴 귀한 것을 간직하며 여전히 그와 함께할 수 있다(Attig, 2000: xii).

이론은 중요하다. 그러나 카를 융Carl Jung은 "이론들을 잘 배우라. 하지만 살아 있는 영혼의 현실에 접할 때는 그 이론을 제쳐놓으라"(Schuurman, 2008: 2)라고 말했다.

신체가 인간 초기 발달에 미치는 영향

자궁에서, 그리고 생후 몇 년간의 초기 경험은 아이의 '사회적 두뇌'와 정서적 성격과 감정 반응을 형성한다(Gerhardt, 2004: 3). 정서, 인지, 신체의 이러한 발달이 중요한 까닭은 아이나 청소년이 사별을 겪었을 때 이 초기 경험이 역할을 한다는 데 있다. 수 거하트Sue Gerhardt가 "바로 아기일 때 우리는 처음으로 느끼고, 우리 느낌들로 무엇을 하는지 처음으로 배운다. 우리가 우리 경험과 사고력을 조직하기 시작했던 것도 그때이다"(Gerhardt, 2004: 10)라고 말한 것도 그래서이다.

애착에 대한 초기의 이론으로 돌아가 최근의 조사·연구를 보면 애착이 두뇌 발달에 어떤 영향을 끼치는지 보인다. "새로운 이론들은 부적응 애착 패턴을 역기능적 두뇌 발달과 직접 결합시킨다. 역기능적 발달은 아이의 두뇌가 발달할 때 통합적인 연결을 억제할 수도 있다"(Silberg, 2003: 4). 재니스 A. 디 치아코Janis A. Di Ciacco도 아주 설득력 있게 주장했다. "조사·연구가 확인해주는 바는 두뇌의 변화들이 세포질의 수준에서 발생할 수 있고, 그 결과 호르몬과 신경전달물질에서 경로 전도顚倒, 비정상적 변화, 면역 체계 반응의 둔화, 뇌 기능의 영구적 변화 등의 위험을 초래할 수 있다"(Di Ciacco, 2008: 58). 이 변화들은 그 아이에게 평생 영향을 미칠 수 있고, 신체적 스트레스와 정서적 스트레스 둘 다에 더욱더 취약하게 만들 수 있다(Hofer, 1996; Personen et al., 2007; Scaer, 2005; van der Kolk et al., 2006).

두뇌 활동을 기록할 수 있는 장치들이 점점 더 정교해지면서, 최근 애도의 신경심리학적 차원에 관한 조사·연구가 더욱 널리 행해지고 있다. "의미심장한 상실, 특히 발달 초기에 경험한 부모의 죽음은 아이의 신체적·감정적 반응, 도덕적 이해, 논리적 사고와 인식, 사교 기술에 '장착되어'버린다"(Di Ciacco, 2008: 14). 초기 상실 경험은 두뇌가 어떤 식으로 발달할지에 의미심장한 영향을 미친다(Gunnar, 2006).

사별당한 아이에게는 스트레스의 증가가 정신적 고통을 더 높인다는 것을 보여주는 증거가 많이 있다(Silverman and Worden, 1992). "사별당한 부모의 정신 건강 문제들이 그 자녀의 정신 건강 문제들과 관련 있다는 증거가 상당히 많다"(Kalter et al., 2002-2003; Lin et al., 2004: 674).

회복탄력성, 그리고 아동기의 사별 경험

사별에 대처하는 일이란, 슬픔 때문에 의료적·신체적 건강을 막는 요소들과, 힘과 회복탄력성을 제공하는 요소들 사이에서 균형을 잡는 일이다(Chaplin et al., 2008: 55).

아이의 회복탄력성resilience은 사별의 역효과로부터 그들이 보호되도록 돕는다(Cicchetti et al., 1993; Hurd, 2004). 소아정신의학 교수 리처드 해링턴 Richard Harrington이 다음과 같이 말한 것도 그 때문이다. "아이가 지닌 요소에는 기질, 학업 능력, 높은 자존감, 그리고 자신을 지지해주는 관계를 형성할 수 있는 능력이 있다. 발달단계 또한 중요하다. 아이의 상대적 미성숙함이 성인에게는 사별 후 주요 문제 중 하나인 우울장애를 덜 발생시킬 수도 있다. 아이는 청소년이나 어른보다 우울장애에 걸리는 경향이 훨씬 덜하다"(Harrington and Harrison, 1999: 223; Stokes, 2009a)

최근의 조사·연구가 주창하는 바는 사별당한 아이를 지지하기 위해 학교에서 '강점 기반 접근법strength-based approach'을 사용하라는 것이다. 이는 아동기의 부모 상실에 관한 문헌에서 우세하게 나타나는 '결함 기반 접근법 deficit-based approach'과 반대되는 것이다(Bonnano, 2004). '강점 기반 접근법'의 초점은 아이가 자기의 애도를 이야기할 때 회복하는 힘을 지닌 관점에서 말하도록 돕는 데 있다(Eppler, 2008). 자기 부모의 죽음에 따르는 애도 경험에 대해 질문받은 아이는 자기 슬픔에 관해 말하고 글을 쓰기도 했지만, 행복하고 유익하며 재미있게 느끼는 것을 포함해 모든 범위의 감정적 경험에 관해서도 말하고 글을 썼다. 〔그들의 말과 글에는〕 "직계가족, 확대가족, 학교, 어떤 친구들로부터 지지받는다는 주제들이 있었다. 이 아이들은 모든 종류의 자기 감정과 도움이 되는 지지 체계를 가지고 있는데, 그런 것이 '결함 기반 모델'로는 제대로 묘사되지 못하는 것 같다. 그 모델은 슬픔, 분노, 두려움, 고립에만 초점을 맞추기 때문이다"(Eppler, 2008: 196). 이 연구에서 아이들이 강조한 점은 사별 경험이 있어도 남들이 자기를 강하고 회복탄력성 있는 정상적인 아이로 봐주기를 원한다는 것이었다.

회복탄력성

회복탄력성의 근원, 그리고 방어적인 배타성으로 후퇴하지 않고 감정적인 역경에 맞설 수 있는 능력은, 다정하고 유연하며 침착한 타자에게 마음으로부터 이해받고 있다는 느낌과 그 마음 안에 존재한다는 느낌에서 발견될 수 있다 (Foscha, 2000: 60).

역경을 견뎌내고 회복할 수 있는 능력인 회복탄력성은 정신 건강 이론과 최근 몇 년간의 사별 경험 조사·연구에서 중요한 개념이 되어왔다(Luthar et al., 2000). 바버라 L. 맨들레코Barbara L. Mandleco와 J. 크레이그 피어리J. Craig Peery 의 서술에 따르면 회복탄력성은 인생의 트라우마와 스트레스에도 불구하고 조정하며 적응하고 다시 튀어오르는 능력이다(Mandleco and Peery, 2000). 어윈 N. 샌들러Irwin N. Sandler 등은 사별 경험 이후의 회복recovery보다는 회복탄력성에 관해 밀한나(Sandler et al., 2008). 아동과 청소년은 '탄성 있는 마음가짐'을 쌓도록 도움을 받을 수 있고, 이를 통해 스트레스를 견뎌내며 조절하는 능력을 강화할 수 있다(Brooks and Goldstein, 2001, 2002). 이는 사별당한 아이와 함께 작업하는 모든 사람에게 중요한 함축적 의미가 있다.
최근의 사별 경험 연구에서는 그 초점이 변화되어왔다. 사별에 따르는 취약성과 신체·정신 건강에 대한 부정적 결과에 초점을 맞추기보다는 회복탄력성의 의미심장함을 검토하는 일에 초점을 둔다(Lin et al., 2004; Stroebe, 2009). 회복탄력성에 관한 연구는 슬픔에 압도당하지 않도록 보호해주는 요소들을 고려하고, 청소년이 상실에 적용할 수 있게 도울 힘의 자원과 긍정적 기법을 찾으려 애쓴다. 조지 A. 보나노George A. Bonnano가 회복탄력성에 관해서 연구해 발견한 것은 사별당한 사람들 대다수가 단기간의 괴로움을 경험했고, 애도하는 동안에도 상실 이전과 같은 수준으로 계속 살 수 있다는 점이다(Bonnano, 2009).

이미 우리가 논의했듯이 회복탄력성은 주된 양육자와의 안정된 애착과 긍정적 관계를 기초로 세워진다. 그런 양육자는 부모일 수도 있고 아닐 수도 있다. 또한 회복탄력성에는 강한 사회적 지지 네트워크, 학교에서의 긍정적 경험, 높은 자존감, 자신감, 힘든 경험들을 재구성하고 그것으로부터 배울 수 있는 능력, 즉 '걸림돌을 디딤돌로' 바꾸는 것, 남들에게 기여할 수 있는 기회가 포함된다(Newman, 2002, 2003). 사별당한 아이 및 청소년과 함께할 때는 그들의 어릴 적 경험, 그들이 중요한 사람들에게 지닌 애착의 질과 성격을 알아내는 것이 도움이 된다.

최근의 조사·연구가 점점 더 많이 초점을 두는 것은 아이와 청소년이 어떻게 "스트레스 받는 환경에서도 살아남고 잘 자라는지"에 관한 것이다(Eppler et al., 2009: 2). 그 연구가 지적해주는 바로는 지능, 의사소통 기술, 또래와 어울리는 능력, 남에게 공감을 보이는 능력, 내면의 통제력, 긍정적인 자존감과 같은 개인적 속성, 가족의 응집력, 지역사회나 교회 같은 외부 지지 체계가 곤경에서도 잘 자라는 능력을 강화한다(Baldwin et al., 1990; Carver, 1998; Howard et al., 1999).

사별 후의 회복탄력성은 과거의 애착 관계뿐 아니라 현재의 가족 관계,

아이 내면의 요소들의 영향을 받는다(Levy and Wall, 2000; Luthar et al., 2000).

아이의 생활환경이 사별 후에는 아이의 대처 능력에 영향을 주는, 추가적·누적적 스트레스 요인을 지니는 환경으로 바뀔 수도 있다. 회복탄력성이 있는 아이와 크게 영향받은 아이를 의미심장하게 구별해주는 가족 측면의 변수는 바로 양육자의 따뜻함 정도, 그의 훈련(교육)과 정신 건강의 수준이었다(Eppler, 2008; Heikes, 1997).

더구나 "심리적 외상과 빈약한 애착의 상호작용은 회복탄력성과 회복에 큰 영향을 미치는 것으로 인식"되었다(Batmanghelidjh, 2007: 109).

사별당한 아이들 중에서 '회복탄력성이 있는 아이와 깊게 흔들린 아이를 구별해주는 개인적인 변수'는 부정적 사건을 덜 위협적인 것으로 받아들여 반응하는지와 스트레스에 효율적으로 대처할 능력이 있는지 여부였다(Lin et al., 2004: 673). 도나 슈어먼Donna Schuurman이 발견한 것은 다음과 같다.

사별 경험이 없는 또래에 비해 사별당한 아이가 더 큰 비율로 보여주는 핵심 위험 요소는 '외부의 통제 자리'이다. 회복탄력성이 있는 아이는 자기 운명을 자기 행동으로 통제할 수 있다는 강한 믿음을 지니지만, 사별당한 아이는 자기 운명이 다른 사람 손에 있다고 믿으며 통제 자리를 외부에 놓는 경우가 더 많음을 명백히 보여주었다. 그들이 불안, 우울증, 건강 문제, 비관론, 학업 부진, 낮은 자존감의 정도가 더 높은 것은 놀랄 일이 아니다(Schuurman, 2003: 130~131).

회복탄력성에 대한 연구의 초점은 역경 앞에서 긍정적인 성과가 나오게 만드는 과정들을 발견하는 데 있다(Luthar et al., 2000). 회복탄력성은 긍정적이고 재미있는 기억들과 밀접한 관계가 있다(Lohnes, 1994). 아이는 자라나면서 돌봄을 받고 소중히 여김을 받은 기억들을 통해 죽은 부모와 안정된 애착 관계를 만들고 유지할 수 있게 되며, 그럼으로써 회복탄력성이 강화될 것이다(Brewer and Sparkes, 2008).

부모의 죽음 이후 애도 과정의 부정적 측면을 이용해 긍정적인 자아 정체성을 구성하고 원래의 자기로 되돌아가는 느낌을 갖도록 도움 받은 청소년도 있었다(Hurd, 2004; Steward, 2008). 사별당한 청소년이 개인적인 회복탄력성이라고 지적해준 것들에는 슬픔을 지니고도 살아가는 능력, 죽은 이가 자기 삶을 풍요롭게 만든 방법을 기억하는 능력이 포함되었다. 그렇게 계속되는 연결은 가령 "아빠가 이것을 보면 정말 기뻐할 텐데", "엄마가 아프기 전 함께 가곤 했던 '희망의 골짜기'를 내가 그린 걸 보면 엄마가 좋아할 텐데"와 같은 말에서 반영된다.

애도 중인 아이들의 말을 들을 때 중요한 것은 슬픔과 두려움 같은 그들의 감정에 주의를 기울이면서도 그들의 긍정적인 순간, 행복한 시간, 회복탄력성을 관찰함으로써 그들의 완전한 그림을 보는 것이다(Eppler, 2008: 6).

"사교적 자본의 요소들, 가령 가족과 친구의 네트워크, 동아리나 그룹에 대한 참여, 주변 사람들 안에서 안전함을 인식하는 것은 정서적 복지와 높은 연관성이 있었다"(ONS, 2008: 2). 노르웨이 베르겐Bergen의 위기심리학센터 Centre for Crisis Psychology에 기반을 둔 사회학자 카리 뒤레그로브와 심리학자 아틀레 뒤레그로브는 사별의 충격에 관해 수년간 연구해왔다(Dyregrov, 1996, 2004). 그들이 가장 최근에 초점을 맞춘 연구는 사별당한 사람의 주변 가족과 친구의 네트워크, 또 그보다 확대된 사교 집단이 그들을 지지하는 방식에 관한 것이었다(Dyregrov and Dyregrov, 2008).

죽은 부모와의 관계가 오랫동안 좋지 않았던 아이와 청소년은 긍정적인 기억에 접근할 수 있도록 '지도받는' 일이 필요할 수도 있다(Stokes, 2009a). 함께했던 좋은 시간에 대해, 그들에게 특별한 장소에 대해, 함께 웃었던 시간에 대해 생각해보도록 격려받을 수도 있다. 청소년이 고인에 관해 좋아했던 한 가지에 집중하는 것이 도움이 될 수도 있다. 그 한 가지는 위안을 주는 기억일 수도 있고, 관계를 가치 있게 해준 어떤 것일 수도 있다. 사진을 이용해서도 접근할 수 있다. 그러면 어렸을 적에 더 행복했던 시간이 드러나는 경우가 자주 있다(Dunn et al., 2005). 하지만 그 청소년은 이렇게 긍정적인 확인을 탐구하러 움직이기 전에 자기의 양면적 느낌과 부정적 느낌들을 표현할 필요가 있다(Batmanghelidjh, 2007).

한 개인의 이야기

보리스 키룰니크Boris Cyrulnik는 부모가 유대인 대학살Holocaust로 죽었을 때 일곱 살이었다. 그는 전쟁에서 살아남았지만 전쟁이 끝나자 보호소에 수용되었고, 수없이 많은 심리적 외상을 겪었다. 그는 『회복탄력성Resilience』에서 "고통은, 얼마나 끔찍한 것이든, 그 사람을 파괴하기보다는 누군가가 되게 할 수 있다"라고 주장했다(Groskop, 2009: 2). 그는 정신분석가로서 루마니아에 있는 고아원에서 일했고, 콜롬비아에서는 아동 병사들과, 르완다에서는 인종 학살의 희생자들과 함께했다. "회복탄력성은 하나의 그물망이고 본체가 아니다. 우리는 정서적 환경과 사회적 환경에서 만나는 사람들과 사물들을 이용해 우리 자신을 넣어 그물을 짤 수밖에 없다"(Groskop, 2009: 9).

결론적으로 말하자면 아이와 청소년을 지지할 때 정확히 무엇을 해야 하는지 말해주는, 쉽게 두루 적용되는 그런 이론은 없다. 사람마다 애도 반응이 다르고 애도하는 데 걸리는 시간도 다르다. 우리가 사별당한 아이와 작업하며 품게 되는 민감함, 연민, 돌봄, 강한 감정들을 견디고 고통을 담는 능력은 사별당한 자로 하여금 자기 슬픔을 뚫고 나가도록 도울 수도 있다. 그리고 우리 작업이 이론으로 뒷받침될지라도 결정적으로 중요한 것은 우리가 쌓는 관계이다. 따라서 심리 치료자 어빈 얄롬Irvin Yalom은 "치료는 이론이 아니라 관계가 주도해야 한다"(Yalom, 2000: 10)라고 말한다.

영국 배우 레슬리 필립스(Leslie Phillips)는 사별이 그의 삶에 끼친 영향을 다음과 같이 말했다("Endnotes," *The Guardian*, March 14, 2009, p.8).

열 살 때 아빠가 돌아가시면서 내 삶은 바뀌어버렸다. 우리는 그냥 느긋한 런던 토박이 가족이었는데, 아빠가 종종 편찮으셨다. 하지만 식구 누구도 아빠가 '덜컥 죽으리라'고 생각하지 못했다. 아빠가 돌아가신 후 학교 가는 내내 울었던 일을 절대로 잊지 못할 것이다. 우리는 곧 곤궁해졌고, 그래서 모두 일을 찾았다. 나는 학교에서 연극부원이었기에 엄마가 이탈리아 콘티 연극학교 오디션을 보게 해주셨다. 열네 살 무렵에는 다른 모든 식구보다 더 많은 돈을 벌게 되었다.

- 레슬리 필립스에게 사별의 일차적인 충격은 무엇인가?
- 엄마의 행동이 어떤 식으로 그의 장래 삶에 중요하게 작용했는가?
- 이 기사는 그의 회복탄력성을 어떻게 반영해주는가?
- 당신은 삶에서 '걸림돌'이 된 힘든 사건이 '디딤돌'로 바뀐 경험을 한 적이 있는가? 그렇다면 그 어려운 경험을 통해 최종적으로 얻은 것에 대해 한 문단을 써보자.
- 필립스는 가족 중 누구도 아빠가 '덜컥 죽으리라'고 예상치 않았다고 한다. 당신은 이를 어떻게 달리 완곡하게 표현할 수 있다고 생각하는가? 이런 표현들이 아이들에게 어떤 충격을 줄 수 있을까?

50세인 영국 작가 찰리 힉슨(Charlie Higson)은 18세 때 엄마를 여의었는데, 그 경험이 오랫동안 자신에게 영향을 주었다고 썼다.

엄마를 일찍 잃음으로써 무엇이든 영원하지 않다는 감각이 내게는 지나치게 발달해 각인되어버렸다. 나는 사멸성에 대해 너무 많이 염려한다. 그것이 나를 일벌레로 만든다. 나는 무언가 쓰고 나서 생각한다. '이것은 지금 바로 사라질 수도 있으니까 다른 것을 쓰는 게 낫겠다'고 말이다(Higson, 2008: 12).

● 힉슨의 글쓰기가 엄마의 죽음 이후 그의 삶에 회복탄력성이 있음을 보여주는가? 만일 그렇다면, 어떻게 보여주는가? 그렇지 않다면, 당신의 관점을 설명할 수 있는가?
● 힉슨이 일벌레처럼 행동함으로써 얻는 혜택은 무엇인가?
● 사멸성에 대한 아이들의 관점이 부모의 죽음으로 어떻게 변화될 것이라 생각하는가?
● 당신은 죽은 후에도 여전히 세상에 남아 있을 무엇인가를 만들어본 적이 있는가?

제**2**장
사별의 충격

그 상자를 태워버리고 아빠를 내게 줘요. 내가 아빠를 이불로 덮어주고 다
시 따뜻하게 만들래요. _ G(8세, 영안실에서 장의사에게 한 말)

들어가는 말

이 장에서는 사별에 대해 아동과 청소년이 신체적·정서적·인지적·행동
적으로 보이는 반응들을 검토할 것이다. 죽음과 사별에 관한 아동의 이해를
연령별·단계별로 살필 것이며, 부모와 형제자매의 죽음에 대한 부분도 이
장에 포함되어 있다. 아동의 삶에서 가족, 친구, 주변 사회가 지니는 중요성
을 탐색함으로써 애도하고 슬퍼하는 아이를 우리가 가장 잘 지원할 수 있는
방법을 살펴볼 것이다. 이를 위해 이 영역에서 가장 최근의 조사·연구를 참
조할 것이다. 또 예상되는 슬픔과 사별 반응의 성별 차이도 고려할 것이다.

아이가 사별을 경험했을 때

아이는 사별의 충격을 신체적·사회적·정서적·인지적·영적 방식으로 느낀다(Nadeau, 1997). 사별에 대한 아이의 반응에는 많은 측면이 작용한다. 사실 그 반응을 단일한 행위보다는 하나의 과정으로 고려하는 것이 도움이 된다(Felner et al., 1988). 죽음이 있고 나면 많은 변화가 시작되며, 특히 부모나 일차적 양육자의 죽음일 경우 더욱 그렇다. 죽은 사람의 역할이나 기능은 대단히 중요한데, 그것이 아이의 지속되는 삶에 큰 영향을 미치기 때문이다. 죽음에 대한 청소년의 반응은 성별의 영향을 받는다. 마레 E. 탬Maare E. Tamm 의 발견에 따르면 남자아이는 생물학적 관점에서 죽음을 생명의 끝으로 보는 반면, 여자아이는 사후세계에 관한 생각과 죽음에 담긴 형이상학적 의미를 탐구하는 데 관심을 보였다(Tamm, 1996).

애통함은 한 가족의 일이다(Kissane, 2002). 재니스 W. 네이도Janice W. Nadeau가 우리에게 상기시켜주듯이 애통함은 애도하고 있는 그 개인의 일일 뿐 아니라 가족 체계 전체의 일이기도 하다. 가족의 상호 의존성은 아이가 어떻게 애도할지, 지지 등의 자기 느낌을 어떻게 반영할지에 영향을 미칠 것이다(Nadeau, 1997). 대화하는 가운데 결속감과 애통함을 나누면 아이가 슬픔을 더 긍정적으로 다루는 데 도움이 된다. 한 가족 안에서도 식구마다 다르게 애도하며 그 과정을 지나는 속도도 다르다. 이 말은 식구들이 애도하는 과정에서 서로 돌볼 수 없으면 관계가 악화될 수도 있음을 뜻한다. "상실과 애도의 과정에 관한 이해 부족이 어려움을 복잡하게 만들 수 있다. …… 정보, 교육, 그리고 지지를 제공하는 일이 결정적으로 중요하다"(Dowling, 2003: 30).

사별에 대한 신체의 반응

사별은 몸의 건강에 영향을 끼친다. 사별 이후 아이는 숨을 제대로 쉴 수 없다고 느끼거나 피로, 맥 빠짐, 복통을 느낄 수도 있다. 이인증離人症, deper-sonalisation* 을 경험하며 자신이 실제로 자기 몸 '안에' 있지 않다고 느낄 수도 있다. 더구나 사별과 같은 심각한 스트레스 요인은 초기 아동의 신체 발달에 악영향을 줄 수 있고, 질병에 취약하게 만들 수도 있다(Gunnar, 2006).

한 연구가 발견한 사실에 따르면 사별을 경험한 아동과 청소년은 의사를 더 자주 찾았는데, 병든 부모가 죽기 전에도 그렇고 죽은 후에도 그랬다 (Lloyd-Williams et al., 1998). 사별당한 아이가 의사에게 가장 많이 가는 시기는 부모가 사망한 지 4개월이 되는 때이다(Lowton, 2002). 이 시점에 이르면 사람들은 더 이상 고인에 대해 언급하지 않는데, 그 아이의 기억 속에는 고인이 여전히 현존하고 있기 때문일 수도 있다.

정신과 몸은 분리할 수 없이 서로 연결되어 있다(Goleman, 1996; Pert, 1997). 우리가 마음에 담고 있는 것은 몸으로도 드러난다. 우리는 염려 때문에 몸이 아플 수 있고, 불안해 죽을 것 같을 수도 있으며, 겁이 나서 몸이 굳을 수 있고, 목이 아플 수도 있으며, 너무 숨이 막혀 말하지 못할 수도 있다. 대체로 우리가 상실을 다루는 방식이 우리의 건강 상태를 말해준다. 심리신경면역학 연구가 밝히는 바에 따라 우리는 생각이 신경 체계에 영향을 미치며 그 신경 체계가 면역 체계에 영향을 행시힌다는 점을 알고 있다. 어떤 아이는 슬픔을 두통이나 복통으로 신체화身體化, somatise 한다(Worden, 1996). 몸의 평

---

* 자신의 감정이나 행동, 인식 등에 대한 주체가 자기 자신이라는 자각이 상실되어 있는 상태를 의미한다. - 옮긴이

형상태가 정서적 스트레스로 심하게 손상될 수 있다. '정신 신체 의학의 아버지'라 불리는 윌리엄 오슬러Sir William Osler는 20세기가 열릴 때 다음과 같이 말했다. "눈물로 표출되지 않은 상처는 다른 기관들을 울게 한다."

사별을 겪은 아동이나 청소년은 상실감 때문에 공허함을 느낄 수도 있고, 그 빈 '구멍'을 음식 섭취, 운동이나 스포츠를 통한 과도한 신체 활동, 비디오 게임이나 지속적인 텔레비전 시청으로 채우려 할 수도 있다. 이러한 행동이 공허감을 차단해줄 수도 있다. 그 행동을 통해 분노나 좌절의 느낌을 신체적으로 '표현해버릴' 수도 있다. 이런 일이 일어날 때 그 청소년은 그의 분노가 이해될 만하지만 남을 때리거나 스스로를 해치는 일은 괜찮지 않다는 말을 들을 수 있다. 이러한 울타리는 청소년이 자기의 강렬한 감정을 이해받으면서도 안전하다고 느끼는 데 도움이 된다.

사별에 대한 정서적 반응

아동기에 겪는 사별은 정신 건강 문제를 촉발할 수 있다(Black, 2002; Meltzer et al., 2000). 아동이나 청소년은 사별에 대해 부정하는 반응을 보일 수도 있다. "아빠가 진짜로는 안 죽었어요. 돌아올 거예요", "사실일 수가 없어요. 꿈꾸는 것 같아요" 등으로 말이다. 사별당한 아이는 "정신 질환이 발병할 위험이 상당히 증가하고 아동기를 통해, 심지어는 나중의 성인기까지 심리적·사회적으로 상당한 어려움을 겪을 수"도 있다(Black, 1996: 1). 정동장애가 일어나는 경우가 증가했다고 말하는 연구들이 있다(Elizur and Kaffman, 1983; Van Eerdewegh et al., 1985; Weller et al., 1991). 엘리자베스 B. 웰러 Elizabeth B. Weller와 그의 동료들이 행한 연구에 따르면, 1년 전에 한쪽 부모를 잃은 아이 38명 중 37%가 주요우울장애 진단 기준에 부합했다(Weller et al., 1988). 사별당한 아이와 청소년은 불안 수준이 특히 높아질 때 공황恐慌, panic attack을 겪을 수도 있다. 그들에게는 버려짐에 대한 공포(Stuber and Mesrkhani, 2001)와 이별·죽음에 대한 공포와 연관되어 있는 특정한 불안도 있으며, 범汎불안도 있다(Sanchez et al., 1994).

사별은 자기 존중감에 부정적인 영향을 미칠 수도 있다. 어떤 조사·연구에 따르면 아이들은 사별 2년 후에 또래보다 자기 존중감이 낮았고, 변화를 가져오는 일에 자신감이 부족했다. 이는 아이들이 통제의 자리를 자기 내면이 아니라 외부에 있는 것으로 느끼고 있다는 점을 알려준다(Worden, 1996). 하지만 그 증거가 명확하지는 않다(Baker et al., 1992; Bifulco et al., 1992; Harrington and Harrison, 1999; Harrison and Harrington, 2001). 몇몇 연구에서는 아이를 힘들게 하는 것이 죽음뿐 아니라 죽음 이후에 일어나는 일들이라고 지적한다. 부모 한쪽이 사망할 경우, 특히 엄마의 죽음 이후에 아이는 신체적 돌봄을 충분히 받지 못하고 정서적으로 방치되는 일이 생긴다. 이는 이후 정신 건강의 문제들, 가령 우울증 같은 장기 위험 요소가 된다(Harris et al., 1986).

사별에 대한 인지적 반응

어린아이는 죽음 또는 죽은 이에게 무슨 일이 일어났는지를 이해하지 못할 수 있다. 아이와 청소년이 그 죽음에 관해 반복적으로 질문할 수도 있다. 이때 거듭해서 같은 것을 묻고 말하는 것은 일어난 일의 의미를 이해하려는 시도이다.

사별 경험은 학업에도 장기적인 영향을 줄 수 있다(Abdelnoor and Hollins, 2004a; Davou and Widdershoven-Zervakis, 2004). 워든에 따르면 엄마 또는 아

빠와 사별하고 1년이 지난 뒤 아이들의 16%가 집중도에서 문제를 보였는데, 사별 경험이 없는 아이들의 경우는 6%였다(Worden, 1996). "가까운 이의 죽음은, 특히 이미 불리한 상황에 있던 경우 그 아이의 사회적·교육적 건강을 빈약하게 만들 위험이 증가할 수 있다(Bird and Gerlach, 2005: 44). 이에 대해서는 5장에서 더 깊이 다룰 것이다.

> 삶은 계속된다. 해야 할 일에 집중하는 것이 아주 힘들 때가 많더라도 말이다. 쉬지 말아야 하는 것을 알 때도 나는 자주 멈추고 한숨을 돌려야 한다. 과제 사이마다 나는 쉬어야 한다고 느끼는데, 그렇지 않으면 모든 것이 너무 많기 때문이다. _ 리카드(13세, 아버지 사망)(Sjoqvist, 2007: 23).

사별에 대한 행동 반응

사별 후의 퇴행적 행위는 불안감을 반영하는 것일 때가 많다. 사별당한 아이가 잠자리를 다시 적시거나 부모의 침대에서 자려 하고, 이전에 잘하던 과제를 완수할 수 없거나, 아기가 쓰는 말을 다시 사용할 수도 있다. 나이가 더 많은 아동과 청소년은 〔주변을〕 아주 힘들게 만들 수 있다. 극한 감정을 표출하고 행동으로 저질러버리는 것은 내면의 공포, 분노, 두려움, 무기력을 노출하는 것일 수도 있다. 도전적이거나 공격적인 태도로 행동함으로써 자기가 무력하게 느끼는 상황에 대해 통제력을 행사하고 싶은 욕구를 전달하는 것이다. 사별당한 형제자매의 삶을 탐구한 연구들이 밝혀낸 것은 그들의 행동 악화(Hutton and Bradley, 1994)와 사회적 자신감의 감소(Birenbaum et al., 1989)였다. 죄책감이 그 이유에 속할 수도 있다(Crehan, 2004).

어린아이는 늘어지는 애도 기간을 지탱하는 능력에 한계가 있으므로 감정의 강도가 견딜 수 없을 만큼 커지면 애도함이 터져 나온다(Silverman, 2000). 앞서 설명한 애도의 '이중 과정 모델'은 아이가 애도하는 과정을 완벽하게 묘사해준다. 갑작스러운 정서적 충격이 겉으로는 감정 부재처럼 보이며 스며들 수 있다. 애도함의 강렬함에서 이렇게 물러서는 것은 그 아이를 고통으로부터 보호하는 방패 역할을 한다. 고통이 아이를 압도할 정도로 위협적일 수 있기 때문이다. 때로는 이렇게 애도로부터 물러나는 것을 고인에 대한 마음이 부족한 것으로 해석한 부모가 화를 내기도 한다. 그러나 아이는 성숙해가면서 강렬한 감정을 지탱하는 능력이 증가한다.

아동과 청소년은 성장하고 발달해가면서 자기가 겪은 상실을 되돌아볼 필요가 있다(Jewett, 1982). 그들이 발달단계들을 지나면서 중요한 이정표에 이를 때 "인생사를 되짚어보고, 어떤 상실을 다시 생각하며 다시금 애도할" 수도 있다(Ward-Wimmer and Napoli, 2000: 112).

영국의 국가통계사무국Office of National Statistics에 따르면 식구 중 한 명을 여의거나 부모가 이혼하는 경우, 또는 가족 중 누군가에게 중환이 있는 등 스트레스를 주는 사건을 세 가지 이상 겪은 아이가 정서장애와 행동장애를 발달시킬 가능성이 높아진다(ONS, 2008: 1). 다음 목록은 사별에 대한 반응들을 보여준다. 한쪽 부모를 사별한 아이의 복지와 사회적 환경을 위해서는 살아 있는 부모의 역할이 결정적으로 중요하다(Dowdney, 2000; Kwok et al., 2005; Worden, 1996). 살아 있는 부모가 어떻게 삶을 살아내는지는 한쪽 부모를 잃은 아이의 사별 적응력을 예측하는 가장 강력한 요소처럼 보인다(Lowton and Higginson, 2002: 7).

▶▶ 아동, 청소년, 그리고 사별의 충격: 개관

중복되는 반응도 있지만 사별에 대한 공통적 반응이 어떤 것인지 알 수 있게 해줄 것이다.

정서 반응
• 믿지 못함(부정, 멍함, 비현실감)
• 슬픔
• 멍함
• 길을 잃고 버려진 느낌
• 갈망
• 죄책감(자기가 고인의 죽음에 대해 비난받아야 한다고 느낄 수도 있음)
• 혼란
• 같은 경험이 없는 다른 아이들과 자기가 다르다는 느낌
• 분노
• 애통함
• 충격
• 외로움과 고립감
• 불안정
• 혼돈
• 자신감이 줄어드는 느낌
• 무력감
• 타인, 삶, 주변 세계에 대한 신뢰가 없어졌다고 느낄 수도 있음
• 고인을 따라가고 싶은 마음이 간절해질 수도 있음
• 주의를 끌려고 하거나 주의를 끄는 일이 필요
• 고인이 옆에 있다는 느낌
• 이전과 같은 수준의 자신감을 갖고 움직일 수 없음
• 짓눌림
• 후회
• 수치
• 안도
• 안절부절
• 불안
• 그 사건을 자꾸 풀어놓음. 특히 심리적 외상이 있을 때(예: 자동차 충돌 사고)
• 이전에 몰랐던 자기의 정서적 힘을 발견할 수도 있음

신체 반응

- 잦은 한숨, 숨 쉬기 어려움
- 빠르고 얕은 호흡
- 고통
- 무감각, 피곤
- 과잉 행동
- 탈모
- 식욕 변화
- 손이나 입술 경련
- 수면 변화
- 개인적 무관심
- 눈물
- 메스꺼움, 소화불량
- 심장박동 수 증가, 두근거림
- 공허함
- 목이 메여오거나 가슴이 조임
- 근육 위축
- 추위를 느끼거나 오싹함
- 발진, 피부 문제
- 몸 바깥에 있는 기분(이인증)
- 공격해버림(말로, 몸으로)

행동 반응

- 집중 곤란
- 공격적
- 가라앉고 기력이 없음
- 반사회적
- 위축
- 울음
- 오락가락하는 기분
- 식습관 변화(먹는 것으로 풀기, 식욕부진)
- 수면 습관 변화
- 건망증

- 사랑했던 이가 있는 곳에 갈 수 있을 것이라는 생각
- 죽은 이가 돌아올 수 있다고(돌아올 것이라고) 생각
- 자신이 죽었을 수도 있다고 생각
- 두려움·공포 발달
- 백일몽
- 악몽, 스트레스가 되는 꿈
- 무엇이 일어났는지 이해·파악할 수 없음
- 집중할 수 없고 주의를 계속 기울이지 못함
- 일이나 공부로 지나치게 보상하려 하거나 주의를 돌리려고 함
- '마술적 사고'

연령과 단계

아이와 죽음에 관해 말할 때는 그들의 발달 수준에 맞추고, 문화적 배경을 존중하며, 그 상황을 이해하는 그들의 능력에 민감해야 한다(NASP, 2003: 1).

사별은 성인과 아이를 막론하고 개인마다 각기 다른 경험이다. 아이의 죽음 이해는 나이와 발달단계에 영향을 받는다. 그러나 이 단계들을 고려한다는 것은 또래보다 신체적 또는 정서적으로 더 일찍 성숙해지는 아이도 있음을 염두에 둔다는 의미이다. 덧붙여 말하자면 자폐증과 같은 발달 지연이나 취약한 정신 건강 상태, 그리고 정동장애 이 모든 것이 죽음에 관한 그 아이의 이해에 영향을 준다. 이제 우리는 각각의 부분에서 연령집단별 이해 수준과 사별에 대한 공통 반응을 고려할 것이다.

죽음의 이해와 연결되는 네 가지 요소는 다음과 같다(Andrikopoulou, 2004).

① **비가역성**非可逆性: 죽은 사람 또는 죽은 생물의 몸은 다시 살아날 수 없음을 이해함

② **종결성**: 죽음 후에는 생명을 뜻하는 기능이 멈춤을 이해함

③ **불가피성 또는 보편성**: 살아 있는 모든 것은 죽는다는 점을 이해함

④ **인과성**: 죽음의 원인이 될 수 있는 것들을 이해함

5세 미만

5세 미만의 아이는 죽음을 어떻게 인식하는가?

5세 미만의 아동은 시간을 거의 이해하지 못한다. 예를 들면 '마지막' 또는 '영원히'라는 말이 무엇을 의미하는지 모를 수도 있다(Di Ciacco, 2008). 그런 아이는 죽음이 영구적이라는 것을 납득하지 못하며, 죽음을 거꾸로 돌릴 수 있다고 믿는다. 이 나이대의 아이는 무엇이 현실이고 무엇이 비현실인지 이해하기 어려워한다. 그들은 사고의 '구체적 단계'에 있으므로 명확한 언어를 사용하는 것이 중요하다. 예를 들어 죽은 이의 몸이 일하기를 멈추었고, 더 이상 움직이거나 말할 수 없으며, 살아 있는 사람이 할 수 있는 일은 아무것도 없다고 말해주는 일이다(Way, 2008).

아주 어린아이는 누가 죽은 이를 돌봐주고 음식을 갖다 줄지 걱정하기도 하며, '엄마가 오지 않는다'는 사실에 자기가 어떤 식으로 책임이 있다고 믿을 수도 있다. 그러므로 모호함의 여지를 주지 않고 섬세하게 설명해줄 필요가 있다. "엄마가 잠들어버렸어", "우리가 네 엄마를 잃어버린 거란다"와 같은 완곡한 표현은 듣는 아이의 마음에 혼란을 줄 뿐이다. 아이가 죽음과 잠

드는 것을 어떻게 혼동하는지는 주변에서 쉽게 사례를 찾아볼 수 있다(Kraus, 2010; Mallon, 1998).

그러나 다섯 살 무렵의 아이는 죽음이 중대한 일이며 변화를 가져온다는 사실을 알게 된다. 더욱이 죽음을 무서운 일로 여기고 유령이나 해골과 연관된 것으로 보게 될 가능성이 더 커진다. 아주 어린아이나 특수교육이 필요한 아이는 자기가 어떻게 느끼는지 말하기 어려울 수도 있고, 따라서 말보다는 행동으로 말할 것이다.

아기와 유아는 죽음이 무엇인지 이해하지 못할 수 있지만, 가까운 사람을 상실한 것에는 여전히 반응을 보일 것이다(Bowlby, 1969). 유아는 부모의 괴로움에 반응할 것이고, 이는 울거나 불안한 모습으로 나타날 수도 있다. 유아는 가장 가까운 사람이 겪는 슬픔과 불안 등의 감정을 알아차릴 것이다. 어린아이는 말이 없어지거나 축 늘어질 수 있고, 사람을 피하는 것으로 사별에 반응할 수도 있으며, 체중이 줄거나 잠을 잘 못 자기도 한다(Christ, 2000).

특징적인 반응들

- 생명 있음과 생명 없음을 구별할 수 없음: 아이가 "아빠는 천국에서 골프를 치게 될까요?"라든가 "아빠는 뭘 먹을까요?"라고 질문할 수도 있다.
- 두려움: 아이는 "다음에는 내가 죽나요?"라고 물을 수 있다.
- 호기심: "왜 죽었어요?", "몸은 어떻게 되는 거예요?"
- 연관 짓기: 어린아이는 모든 것을 연결한다. 할머니가 병원에 갔다가 돌아가셨다면 그 아이는 누구든 병원에 가면 죽을 거라고 결론을 내릴 수도 있다.
- 마술적 사고: 아이는 자기 때문에 죽음과 이별이 생겼다고 믿을 수 있다.

그리고(또는) 자기가 뭔가를 하면 그 상실을 되돌릴 것이라 믿기도 한다.

- 자기중심적 사고: 아이는 자기중심적이어서 이기적으로 보이게끔 죽음에 반응할 수도 있다. 예를 들어 "아빠가 죽었으니 이제 누가 나를 수영장에 데려갈 거야?"라고 말할 수도 있다. 실제적인 문제에 집중함으로써 아이는 자기 세계가 변했지만 지속되리라 안심하고 싶어 한다.
- 여섯 살 무렵이면 아이는 죽음이 돌이킬 수 없고, 최종적이며, 현실이라는 점을 이해하기 시작한다. 이로써 그들은 자기가 아는 누군가가 죽을 거라는 두려움이 커질 수도 있다.
- 여섯 살 무렵에 아이는 죽음에 대해 분노할 수도 있다. "아빠가 미워, 왜 죽었어." 이것이 그 아이뿐 아니라 아이의 가족에게도 속상한 일일 수 있다. 그러나 아이가 상처 입었음을 알아차리는 것이 중요하다.

한 개인의 이야기

소아종양학자인 린 라일리Lynne Riley의 남편은 교통사고로 사망했다. 그때 아들 잭은 세 살 반이었고, 딸 앨리스는 16개월 된 아기였다. "앨리스는……뭔가 잘못되었다는 것을 알았다. 그 애는 집안을 뛰어다니며 '아빠, 아빠'하고 소리 질렀다. 그때는 남편이 병원으로 급히 이송되었을 때였다"라고 린은 말했다. 1년 뒤에 복직한 그녀는 다음과 같이 말했다.

아이늘이 나의 피난처였다. 내가 종양학에서 배운 쓸모 있는 사실은 아이들에게 늘 솔직해야 한다는 것이다. 아이들에게 사실을 말하지 않으면 그들은 예외 없이 그것을 느끼며 온갖 상상을 한다. 아이들도 어른들만큼 슬퍼할 권리가 있다. 모든 것이 괜찮은 척하는 행동은 틀렸다. 잭과 앨리스는 아빠를 잃었다.

세상에서 가장 안 좋은 일이 일어났고, 그 아이들은 내가 슬퍼하는 만큼 슬퍼할 권리가 있었다.

잭은 나와 함께 영안실에 들어갔다. 그 아이는 천국을 그린 그림과 특별한 물건들(리처드의 가장 좋은 물감과 붓)을 골라 관에 넣어주었다.

남편이 세상을 뜬 이후에 린은 앨런 듀랜트Alan Durant의 『항상 그리고 영원히Always and Forever』라는 그림책을 잭에게 읽어줬다. 그것은 동물 가족 중에 여우가 죽는 이야기이며, 마지막 문장은 "가족의 아버지는 항상 영원하리라"이다. 린은 이 책을 몇 달 동안 매일 밤 잭에게 읽어주었다. 마침내 잭이 다른 책을 읽어달라고 할 때까지 말이다. 린은 "그 책이 잭에게 도움이 된다는 걸 알았다"라고 말했다.

7~11세 아동

7~11세 아이는 죽음을 어떻게 인식하는가?

아이는 일곱 살쯤이면 보통 죽음이 영구적이라는 것을 잘 알게 된다. 이들은 다른 사람의 상실감을 이해할 수 있고 같이 슬퍼할 수 있다. 가족 중 누군가를 잃었거나 이별이 있을 때 변화되는 일을 두려워하기도 한다.

이 연령대의 아이는 일반적으로 성인과 비슷한 반응, 즉 충격·혼란·분노·죄책감을 보인다. 퇴행이 나타날 수도 있다. 이불에 오줌 싸기, 집중력 부족, 매달리는 행위, 공격성 증가, 위축이 그런 것이다. 이러한 반응은 아이의 괴로움을 말해주는 표시이다. 사별당한 아이는 버림받았다는 두려움이 실제로 있어서 "누가 이제 나를 돌봐줄 거야?"라고 물을 수도 있으며, 남아 있는 부모도 죽을지 모른다고 걱정할 수 있다.

또한 자기도 죽을지 모른다고 두려워하며 자기 건강을 염려한다. 남은 부모나 보호자 옆에 있으려고 등교를 거부할 수도 있으며, 막연한 불안감을 키우는 경우도 있다. 한편 자기가 죽음에 아무 영향도 받지 않았다고 주변 사람들이 생각하도록 자기 느낌을 감추는 아이도 있다. 아이는 때로 생각을 증폭시키기도 한다. 즉, 한 사람이 죽으면 다른 사람도 반드시 죽는다고 생각하는 것이다. 예를 들어 동생이 죽었는데 다음번에는 자기가 죽는 거냐고 엄마에게 묻는 아이가 있었다(Mallon, 1998).

아이가 일단 학교에 다니기 시작하면 학교 친구들과 선생님을 통해 좀 더 넓은 사회집단에 접근하게 된다. 독립심이 강해지고, 가족 이외의 사람들과 접촉하며 다양한 상황을 경험한다. 학교에서 또래들과 애완동물의 죽음이나 조부모의 죽음에 관한 소식을 나누며 죽음의 개념을 접할 수도 있다. 대여섯 살가량의 아이는 생명이란 '움직이는 것'임을 이해한다.

어린아이는 죽음의 개념에 관한 질문을 한다. 죽음이 무슨 말인지, 사람은 어떻게 죽는지, 죽은 후에는 어디로 가는지, 죽은 사람이 다시 돌아올 수 있는지를 묻는다. 아이는 죽음에 호기심을 품기도 하고 "죽으면 몸은 어떻게 돼요?"라든가 "땅속에 묻히면 어떻게 되는 거예요?"처럼 아주 직접적인 질문들을 던질 수도 있다. 그 아이에게는, 예컨대 엄마가 죽었다면 "엄마의 몸은 움직이는 걸 멈추었어. 엄마가 죽은 건 엄마 잘못도 아니고 네 잘못도 아니야"라고 말해주는 것이 중요하다. '마술적 사고'의 단계, 즉 아이가 부모의 죽음에 자기 생각이나 행동의 책임이 있다는 믿음이 이 시기에 뚜렷하게 나타난다(Abrams, 1999; Andrikopoulou, 2004). 자기가 그 죽음을 일으켰다고 수치심을 느낄 수도 있기 때문에 우리는 그 아이가 비난받을 이유가 없다고 안심시켜줄 필요가 있다. 그러나 아이는 늙은 사람만 실제로 죽는다고 생각할 수도 있고, 죽은 사람이 자기를 보거나 들을 수 있다고 생각해 안심할 수도 있으며, 불안해할 수도 있다.

캐런의 언니 일레인이 열 살에 죽었다. 캐런은 부모를 보호하는 일을 스스로 떠안았고, 그러기 위해 자기 느낌을 막았다.

> 지금 깨달은 중요한 사실은 내가 엄마, 아빠를 속상하게 할 수 없었다는 거예요. 볼 때마다 울고 계셨으니까요. 부모를 속상하게 할 일은 어떤 것도 할 수 없다고 내 머릿속에 집어넣었지요. 여섯 살이었는데 …… 부모님이 하라는 건 뭐든 했어요. 하기 싫을 때도요. 웃으면서 했지요(Jenkins and Merry, 2005: 112).

특징적인 반응

- 자기와 타인: 이 단계에서 아이는 보통 덜 자기중심적이 되며, 다른 사람도 느낌이 있음을 이해한다. 다른 사람에게 공감할 수 있다.
- 몸에 대한 자연스러운 호기심: 어떻게 몸이 움직이고 왜 멈추는지 정확한 정보를 원한다.
- 달라지는 것에 당황할 수도 있고 외톨이가 될 수도 있다. 놀이터에서 무례한 놀림의 대상이 될 수도 있다.
- 주위 어른들을 보호하려고 자기 감정을 부정하거나 가장할 수도 있다.
- 애통함에 휩싸일 수도 있고, 그래서 자기 주변으로부터 멀어질 수도 있다.
- 열 살 무렵에는 죽음이 인생의 일부이며 피할 수 없음을 알게 된다.
- 죽음에 관한 생각을 하다가 사멸성死滅性에 대한 영적·철학적 질문을 하게 될 수도 있다.

이 연령대의 아동에게 필요한 것은?

죽은 이에게 무슨 일이 일어난 건지 아동과 청소년이 이해하도록 도와주면 그들이 그 죽음을 생각하며 지나갈 수 있다. 그럼으로써 환상이나 허구가 애도 과정을 방해할 수 없도록 몰아낸다. 에든버러에 있는 '리치먼드의 희망 Richmond's Hope'의 선임 연구원 도나 헤이스팅스Donna Hastings는 이렇게 말한다. "우리가 사별당한 아이의 부모나 보호자에게 그 아이에 관해 말해주는 것 중 하나는 가능한 한 아이에게 솔직해야 한다는 점이다. 아이가 세세하게 모든 것을 알 필요는 없지만, 그 사람이 어떻게 죽었는지는 알 필요가 있다" (Summerhayes, 2007: 5).

아이는 가족 전체와 함께 살고 싶어 하며 "시간이 어느 정도 지난 후에 이 연령층 아이들 대부분은 살아 있는 부모에게 죽은 엄마나 아빠를 대신할 사람을 찾아달라고 요청"한다(Christ and Christ, 2006: 202). 나는 여덟 달 전에 아빠를 잃은 일곱 살 남자아이를 만나본 적이 있다. 그의 엄마는 아이가 자기에게 대단히 화를 내고 못되게 구는 것을 염려했다. 겨우 한 회기 만에 그 애가 화를 낸 이유가 드러났다. 엄마에게 새아빠를 달라고 했지만 엄마가 새아빠를 얻어주지 않았기 때문이었다. 우리는 축소 모형playmobil figure으로 게임을 했는데 그중 하나는 개 모형이었다. 이 게임을 하다가 어느 순간 개 모형이 넘어졌다. 나는 그것을 치우고 개가 죽은 건지 그 아이에게 물었다. 아이는 "다른 개를 얻을 수 있잖아요"라고 말했다. 우리는 새 개를 어디서 얻을 수 있는지 이야기했다. 나중에 그 개를 새로운 개인 척 가장하고 다시 놓은 후, '아빠' 모형이 넘어졌을 때 나는 그 아빠 모형을 놀이판에서 치웠다. 그다음에 우리는 새아빠를 얻는 일이 매우 쉽지 않으며 이는 아빠를 살 수 있는 가게가 없기 때문이라는 결론에 도달했다. 우리는 그 아이의 슬픈 느낌에 대해 이야기했으며, 어린 내담자는 엄마에게 화낸 것이 공정하지 않았음을 깨달았다. 엄마가 자기 소원을 들어줄 수 없기 때문임을 안 것이다. 명확함이 엄마와 아이의 관계를 더 밀접하게 하는 데 도움이 되었고, 그 후 두 회기가 지나자 그 아이는 나를 더 볼 필요가 없어졌다.

이 연령대의 아이는 자기도 죽을 수 있으면 좋겠다고 말하기도 한다. 하지만 그것은 자살하고 싶다는 얘기가 아니라 죽은 이와 지금 함께 있고 싶다는 의미이다. 이런 강렬한 열망은 정상이며 순간적으로 지나가는 것이지만, 만일 계속되고, 또 아이가 그런 느낌에 몰두한다면, 전문적인 지지가 필요한지 검사하는 것이 중요하다. 이러한 느낌을 경청함으로써 아이가 무엇을 갈망하는지 명확해지도록 도울 수 있고, 고인이 몸으로는 함께 있지 못해도 여전히 자기와 결속되어 있음을 이해하도록 도울 수 있다.

한 조사·연구는 아이가 죽음과 관련한 생각을 잘 발달시킬 수 있으며, 세상 어디에서나 죽음은 일어나며 영구한 것이고 죽은 사람은 살아 돌아올 수 없음을 주변의 지지를 받으며 인식한다고 지적했다(Lansdown and Benjamin, 1985). 이 연령대 아이는 죽음이 삶의 끝이며 돌이킬 수 없는 불가피한 것임을 안다. 이들은 죽음이 왜 일어났는지를, 예컨대 질병과 사고를 통해서는 더 쉽게 이해하는데, 그럴 경우 그 죽음에 대해 스스로를 비난하는 일은 덜 생기지만 다른 사람들을 비난할 수도 있다. 가령 고인을 돌본 의사를 비난할 수도 있다(Jenkins and Merry, 2005). 어떤 아이는 죽음 불안이 발달해 악몽을 꾸는데, 이는 죽음에 관한 그의 두려움을 반영해준다.

열 살 제임스는 형이 교통사고로 죽은 후 친구들과의 관계가 어떻게 변했는지 말했다. "한번은 어떤 애가 나한테 덤비는 거예요. 그런데 다른 애가 '얘한테 왜 이래? 형이 죽었단 말이야'라고 했어요. 그랬더니 사람들이 이제는 나에게 더 잘해줘요." 모든 경우에 이렇지는 않다. 식구가 죽어서 괴롭힘을 당하며 놀림을 받았다고 말하는 아이도 있기 때문이다. 마치 그 애들이 비난받아야 하거나 부주의한 점이 있었기 때문인 것처럼 말이다.

청소년기: 11세 이상

청소년은 죽음을 어떻게 인식하는가?

청소년기는 엄청난 변화와 전이轉移의 시기이다. 낸시 R. 후이먼Nancy R. Hooyman과 베티 J. 크래머Betty J. Kramer도 말한다.

청소년기는 역설의 시기이다. 남들과 감정적으로 연결되기 위해, 그리고 공동으로 노력하는 일을 하기 위해서는 먼저 사랑하는 이들과 자신을 정서적으로 반드시 분리해내야 하기 때문이다. 십 대 아이가 부모, 교사, 기타 권위 있는 사람, 심지어 또래와도 부딪치고 싸우는 것은 개별성과 자신감을 얻으려는 그 아이의 노력을 나타낸다(Hooyman and Kramer, 2006: 139).

사별의 충격에 대한 조사·연구로 주목받는 호주의 베벌리 라파엘Beverley Raphael 박사는 한쪽 부모의 죽음이 "청소년에게는 가장 큰 상실인데, 특히 분리 과정이 아직 완성되지 않은 초기 청소년기에는 더욱 그렇다"라고 보았다(Raphael, 1984: 145).

청소년기에는 신체의 변화가 상당히 큰 변동을 일으킨다. 호르몬은 기분뿐 아니라 두뇌 활동에 영향을 끼친다. 여러 변화가 몸과 행동·관계·애착에 영향을 미친다. 이 시기에 청소년은 부모나 양육자로부터 분리되어 독립성이 자라고, 또래 집단이 점점 중요해지는 것을 경험한다. 이러한 성장의 시점에서 청소년에게는 자기 성에 대한 자각과 연관된 정체성, 그리고 타자와의 더 밀접한 관계가 발달한다. 그렇게 되면서 자신을 더 많이 의식하고, 더 많이 자기중심적으로 느낄 수 있으며, 충동적 행동이 증가할 수도 있다.

청소년은 죽음이 최종적인 것임을 안다. 그들은 타인과 공감할 수 있고, 사별로 생기는 강렬한 감정들을 이해할 수 있다. 고등학교 2학년 정도가 되면 대부분 교통사고나 심각한 질환으로 인한 또래의 죽음을 경험하기도 한다. 또 대부분의 청소년이 전쟁이나 고교 총기 난사 사건 등을 다루는 대중매체의 보도와, 자기가 속한 사회에서 발생하는 폭력처럼 죽음을 부르는 공격적 행동들을 보았을 것이다. 이러한 사건들이 취약한 느낌을 증가시킬 수 있고 이 세상이 얼마나 깨지기 쉬운지 알게 만들 수 있다(Corr, 2000; Grollman, 1995). 그러나 동시에 청소년은 죽음이 다른 사람들에게는 일어나도 자기에게는 일어나지 않는 일이라고 생각하는 경향이 있어 자기의 위험 감수 수준에 대해 오도된 생각을 할 수도 있다(Di Caccio, 2008).

십 대의 시기에는 많은 상실을 경험할 수도 있는데, 예를 들어 아동기의 상실, 상급 학교로의 진학, 집을 떠나 사는 일* 등을 경험한다. 부모와의 관계가 무너질 수도 있고, 질병이 상실을 가져오기도 한다. 십 대에는 시험이나 대학 진학, 또는 취업에 실패해 상실을 겪을 수도 있다. 이러한 사건들은 청소년의 삶에 영향을 미치고 자기 스스로와 다른 사람들에 대한 느낌에 영향을 준다.

청소년 시절에 겪은 사별 경험이 장기적으로 영향을 끼침을 보여준 조사·

---

* 서구 사회에서는 보통 고등학교를 졸업하면 취직을 하든 대학을 다니든 집을 떠나서 산다. - 옮긴이

60 사별을 경험한 아동·청소년 상담하기

연구가 있다. 하버드 사별 연구는 상당한 비율의 아동과 청소년이 사별 직후보다는 2년 후에 정서적으로 더 많이 괴로워하는 것을 발견했다(Worden, 1996). 감정 기복과 축 처진 느낌은 보통 있는 일이다. 청소년 시기에는 더 많은 수면이 필요할 수 있는데, 밤에 피곤함을 느끼지 않아도 아침에 일어나기가 힘들고, 식습관이 변할 수도 있다.

청소년은 감정을 저질러버리는 행동이나 자해하는 행위로 표현할 수도 있다. 이는 상실에 따른 고통과 불안을 다루는 하나의 방법이다. '저질러버리는' 행위는 언어적으로 나타나지 않은 감정 표현일 수 있다(McFarland and Tollerud, 1999). 음주와 약물 남용은 불쾌한 감정을 차단하려는 '자기 처방'의 방식일 수도 있다. 어쩌면 무의식적으로 청소년은 과속 운전, 점점 더 위험해지는 성적 행동, 약물복용, 또는 다른 자기 파괴적 행위 등 위태로움을 추구함으로써 죽음에 도전할 것이다. 자신의 죽음과 그에 따른 장례식에 대해 망상이 생길 수도 있다. 이것이 자기가 겪은 상실과 담판 짓고 자신의 사멸성을 인정하는 방식일 수 있다. 가령 우울증과 같은 정신 건강 문제가 있었던 청소년은 자살에 대한 생각을 할 가능성이 더 많고, 애도 반응이 장기화되거나 복잡해질 위험이 더 커진다(Christ et al., 2002; Mearns, 2000).

이 연령대의 청소년은 죽음의 최종성과 죽음으로 인한 감정적 결과를 알고 있으므로 삶과 죽음의 의미를 고민하게 되며, 자기 존재의 의미가 뭔지 궁금해할 수도 있다. 하지만 자기의 강렬한 감정들을 다루기 힘들어할 수도 있다. 그런 감정들에 포함된 분노는 남이나 자신을 망치는 결과를 낳을 수도 있다. 엄마가 암으로 죽은 한 여자 청소년 내담자는 자기 엄마에게 격노했다. 준비되지 않은 엄마의 죽음이 자기의 독립성을 강탈했다고 느꼈기 때문이다. 그녀는 동생 넷과 "자기 안으로 들어가 버린" 아버지와 살면서 식구 모두의 안녕에 책임감을 느끼고 있었다.

그 청소년의 학업이 영향을 받을 수도 있다. 학업이나 성적이 의미 없다고 보며 학업에 집중하지 못하고 몰두하지 않을 수도 있다. 그 반대의 경우도 있을 수 있다. 사별당한 학생이 정서적 고통을 회피하려 지나치게 공부할 수도 있다. 이러한 반응들은 일시적이고, 몇 달 후에는 학업 수준이 이전의 단계로 돌아가는 경우가 많다(Geldard and Geldard, 2000; Lowton, 2002).

이 발달단계에서 청소년에게 일어나는 호르몬 변화는 상실 후의 감정 기복 위에 더해져 청소년이 자기 자신의 반응에 압도당할 수 있고 혼란스러워할 수도 있다.

특징적인 반응

- 앞에 설명한 국면에서 나오는 모든 반응이나 몇몇 반응
- 가족이나 친구의 안녕에 대한 염려로 청소년이 자기 느낌을 감추거나 숨길 수도 있다.
- 사별 이전의 자기 행위에 관한 불안과 자기 비난
- 집중력과 동기의 부족
- 위축되어 물러나 있거나 홀로 있을 수도 있고, 반대로 강한 감정들을 피하는 수단으로서 정신없이 사교 활동을 할 수도 있다.
- 한쪽 부모가 죽은 뒤 남은 식구들에 대한 책임감 증가
- 삶의 의미와 목적에 의문을 던지는 성찰 증가

십 대는 자기 인생에서 중요한 사람이 죽은 후 깊이 슬퍼하지만, 자기가 취약해지는 느낌이 늘어나기에 이 느낌들을 숨기려 할 수도 있다(Raveis et al., 1999; Silverman, 2000). 청소년은 자기 느낌을 표현하기보다는 자기 방에서

혼자 애통해하는 경우가 많을 것이다. 그들은 외부의 관찰자와 다른 식구들에게는 무관심한 것처럼 보이기도 해 갈등이 생길 수도 있다. 나와 상담한 어떤 내담자는 열여섯 살 딸에 대한 분노를 표현했다. 길에서 아무 이유 없이 공격당해 죽은 아빠에 관해 딸이 전혀 상관없어하는 것처럼 느껴졌기 때문이다. 딸은 매일 밤 친구들과 나가 놀았고, 아빠에 대해 말하려 하지 않았다. 그런데 아빠를 죽인 사람이 법정에 섰을 때, 딸은 그를 향해 고함지르고 욕하며 분노와 고통을 분출했다. 비로소 그때 엄마는 딸의 고통과 상실감이 얼마나 깊은지 이해했다.

많은 청소년이 사별을 경험한 후에 자신이 개인적으로 성장했음을 알게 되었다(Ens and Bond, 2005; Hogan and Schmidt, 2002). 그들은 자기가 "자기 또래보다 더 빨리 성숙해져 문제들에 더 잘 대처하고, 자기 자신과 남들에게 더 너그러워졌으며, 그래서 남을 더 잘 도울 수 있고, 애도해본 다른 사람들로부터 도움받는 것을 더 잘할 수 있다"라고 느꼈다(Hogan, 2006: 60). 그들은 또한 자기가 남들에게 더 깊이 마음 쓴다고 생각했다. 한 연구에 따르면 사별을 겪은 십 대는 자기의 영적·인지적·정서적, 그리고 대인관계 발달에서 한 전환기를 맞는다고 한다(Balk, 2008).

사별을 겪은 청소년에게 필요한 것은 무엇인가?

- 그를 보살피는, 신뢰해도 좋은 어른이 신중하게 제공하는 명확한 정보가 필요하다.
- 질문을 하고, 솔직하지만 과도한 정보에 압도되지 않을 정도로 답변을 얻을 기회가 필요하다.
- 사별 후 두려움과 불안이 자주 생기기 때문에 안심시켜줄 필요가 있다.

- 그들이 그 죽음에 대해 자기가 비난받지 않는다고 안심시켜줄 필요가 있는데, 특히 자살로 인한 죽음일 경우 그렇게 해야 할 수도 있다.
- 사람마다 애도를 표현하는 방식이 다양할 수 있지만, 그 느낌들이 중요하다는 것을 인정해줄 필요가 있다.
- 장례식 논의와 준비에 참여하고, 죽음으로 인한 변화에 함께할 필요가 있다.
- 일상적인 일과 익숙한 활동을 꾸준히 할 필요가 있다. 친구와 함께 지내는 시간도 이런 일에 속한다.
- 죽은 이를 기억할 기회들이 필요하다.

예상하는 애도

임박한 죽음에 관한 진실한 정보에 대한 욕구, 그 원인을 아는 것, 그 아이가 비난받을 이유가 없는 일이며 (특히 그 죽음이 급작스러울 때) 일어날 수 있는 일이 일어났다고 안심시켜주는 일, 이런 일이 명백해 보여도 그 아이와 함께하는 모든 어른이 그것을 알아차리는 것은 아니다(Cranwell, 2007: 31).

'예상하는 애도'란 위독한 사람과 그의 가족이 죽음을 예상하며 애통해하는 것이다(Kissane, 2003). 〔이때〕 경험되는 감정들은 사별 후 겪는 감정들과 유사하지만 똑같지는 않다. 슬픔과 불안, 죽어가는 사람에 관한 깊은 염려뿐 아니라 어떤 기적이 일어나 그 사람이 살아날 거라는 희망이 있기 때문이다. 그러나 예상하며 애도함이 사별 후의 애도함을 대신하거나 경감시켜주는 것은 아니다.

뉴욕의 슬론 케터링 기념 암 센터 Memorial Sloan Kettering Cancer Center 의 사

회사업부장인 그레이스 크리스트Grace Christ는 아동기 사별에 대한 개입 방법을 가장 광범위하게 연구했다. 3~17세 아이 157명을 엄마 또는 아빠와 사별하기 6개월 전과 사별한 지 14개월 후에 면담했다(Trimble, 2000). 청소년은 '예상하는 애도'를 하지만, 6~9세의 연령집단은 '예상하는 애도'보다는 '예상하는 불안'을 갖는 경우가 더 많았다(Christ and Christ, 2006). 그리고 질환의 시한부 국면이 청소년에게 특히 스트레스를 준다(Christ and Christ, 2006). 크리스트는 환자의 임종 이전에 겪는 불확실한 느낌이 죽음 직후의 시기보다 아이에게 더 큰 감정적 격변을 낳는다는 점을 발견했다. 아이가 실제로는 미래에 벌어질 일을 파악하지 못한다는 사실도 찾아냈다. "많은 아이가 전적인 재앙을 상상하며 두려워했다"(Trimble, 2000: 2). 또한 그 연구에 의하면 아이의 발달 수준에 따라 그 반응에 뚜렷한 차이가 난다. 예를 들어 9~11세 아이들은 부모의 죽음을 기억할 더 형식적인 방식을 원했다.

질병의 시한부 단계에서는 아동과 청소년의 우울과 불안 수준이 올라가는 것이 보인다(Siegel et al., 1992). 하지만 오랜 투병으로 식구가 모두 진이 빠지고 죽음이 오면 죽어가는 사람을 지원하며 들인 시간과 노력이 마침내 끝났다는 안도감이 있을 수 있다. 그 안도감과 함께, 이런 느낌이 든다는 것에 대한 죄책감이 생길 수도 있다.

죽음이 예상될 때 식구들은 작별할 기회를 얻는다. 아이는 가족과 이야기를 나누고 사랑하는 사람과 소중한 시간을 보내며 죽음을 대하는 일에 준비될 수 있다[Silva and Cotgrove, 1999; 'Mummy Diaries'(Stokes, 2007)]. 임종 자리에 아이를 있게 하는 것은 아이가 자기 자신을 〔가족과〕 함께할 만한 소중한 사람이라고 느끼도록 만드는 데 도움이 된다(Moore, 2009). 자선단체 '윈스턴의 소망'의 설립자 줄리 스토크스는 부모가 임종을 앞두었을 때 자녀를 돕는 일의 핵심적 목표 네 가지를 제시한다. 이는 그 아이에게 자신이 조절할 수 있다는 느낌을 주는 것, 죽음이 임박한 부모 및 남아 있는 보호자와 의미 있는 관계를 형성하도록 조성하는 것, 그 아이가 신뢰하는 사람들과 나눌 수 있는 확실한 삶의 이야기를 만들도록 돕는 것, 임종을 앞둔 부모가 자기 자녀에게 회복탄력성을 조성하고 안정적 애착을 유지시켜줄 의미 있는 유언을 남길 수 있도록 하는 것이다(Stokes, 2009a). 우리는 부모가 자기의 임박한 죽음에 대해 자녀에게 솔직하도록 설득할 수 없을지도 모르지만, 열린 대화의 장을 조성할 수는 있다(Stuber and Mesrkhani, 2001).

아동과 청소년에게는 정보가 중요하다(Christ et al., 2005; Raveis et al., 1999). 데이비드 워스킷David Waskett은 부모의 임박한 죽음에 관한 정보를 어른들이 부정하면 그 부담은 증가될 수 있다고 지적한다(Waskett, 1995). 사별당한 자는 자기가 몰랐던 세세한 것을 다른 식구가 알았고, 자기에게는 그 사실이 숨겨졌다는 점에 분노할 수 있다. 배제당하고 잘린 느낌이 생긴다. 그가 슬픈 소식들을 다룰 수 있다고 다른 식구들이 믿어주지 않았기 때문이다. 이는 또한 마지막 대화와 작별 가능성을 막아버린 것이기도 하다(Cranwell, 2007).

가족의 예상된 죽음을 다루는 방식, 사별 이후의 반응을 다루는 방식이 달라지게 하는 많은 요소가 있다(Siegel et al., 1996). 이는 관계의 성격과 질, 정신 건강의 과거력, 이전의 상실 경험 여부, 가족이 접근할 수 있는 지지 체계, 사회경제적 지위 등이다. 사별당한 사람들이 시한부 질병과 죽음에 반응하는 방식은 문화적·종교적 신념에 따라서도 영향을 받는다(Wood et al., 2006). 시한부 질병에 걸린 부모에게 무슨 일이 일어나고 있는지를 자녀가 이해하도록 지지해주고, 그의 질문들에 가능한 한 대답해주는 일은 아이의 감정적 회복에 힘을 보태줄 수 있다(Christ, 2000). 그 아이는 "임종 전에 부모가 받는 고통을 슬퍼할 뿐 아니라 다가오는 죽음 그 자체를 슬퍼할 수도" 있다(Holland, 2001: 185). "하지만 가족의 적절한 자원과 대리 보호자의 적절한 돌봄, 그리고 정서적 지지를 통한다면 부모를 잃은 아이는 모든 기능에서 예전 수준으로 돌아가기가 더 쉬울 수 있다"(Christ and Christ, 2006: 197).

부모의 죽음

자선단체 '윈스턴의 소망'은 부모의 죽음에서 75%가 아빠의 죽음이고, 25%가 엄마의 죽음임을 알아냈다(Stokes, 2004). 한쪽 부모의 죽음은 사별당한 자녀에게 깊은 영향을 미치고 일정 기간 스트레스를 받게 하는데, 그 경험은 경우에 따라 아주 다르다(Abrams, 1999; Figley et al., 1997; Raveis et al., 1999). 죽음 이후 돌봄의 질은 치명적으로 중요하다. 남아 있는 부모나 보호자가 자기 자신의 애도함에 짓눌려 그 아이나 청소년을 제대로 돌보지 못한다면 더 복합적인 애도 상태에 빠질 위험이 크다(Cournos, 2001).

호프 에덜먼Hope Edelmen은 엄마를 사별한 경험이 있는 여성을 조사·연구했다(Edelmen, 1994). 그녀가 발견한 것은 엄마 상실의 여파가 성인기까지 미치며, 인생의 여러 시점에서 그 상실을 다시 경험하는 일이 반복된다는 사실이다. 부모의 죽음은 성인이 되어서도 자기가 잘 살고 있다는 느낌과 회복탄력성에 영향을 미친다(Marks et al., 2007). 이러한 사실은 아이와 청소년이 성장하면서 다음 발달단계에 이를 때마다 그 상실 경험에 되돌아가리라는 견해를 뒷받침해준다. 아버지의 상실 또한 평생 가는 상실이다(Harris, 1995).

부모의 죽음에 대한 반응

아빠는 엄마가 돌아가신 후 만날 술을 마셔요. 집에는 절대 안 있어요. 그래

서 내가 장도 보고 집안일도 다 해야 해요. _ 앨리스(14세)

아빠가 작년에 암으로 돌아가셨어요. 엄마가 신경 쓰는 것은 내가 더 많이
언니 같아야 한다는 거예요. 언니는 성적도 좋고 말썽에 휘말리지도 않거든요.
난 정말 언제나 화가 나요. _ 소피(14세)

하버드 아동 사별 연구에서 연구자들은 아이들을 대상으로 부모를 잃은
다른 아이들에게 어떤 조언을 해줄 것인지 물었다. 그들의 반응은 놀라웠다.
여덟 살 먹은 한 소년은 "애쓰지 말고 아빠를 잊어. 다른 아빠가 생기면 진짜
아빠를 계속 기억해. 할 일을 포기하지 마. 네 아빠가 죽은 걸로 핑계 대지
마"라고 말했다(Worden, 1996: 171).

형제자매의 사별

형이 죽어서 이제 지루해요. 혼자 있는 건 재미없어요. 플레이스테이션을
같이할 사람이 없어요. _ 조이(11세)

형제나 자매가 사망한 후 아이가 받는 영향은 각기 다르다(Davies, 2006;
Gibbons, 1992). 많은 요소가 영향을 미치는데 아이의 연령, 관계의 가까운
정도와 성격, 가족 안에서 아이의 자리, 사망한 형제자매의 투병 기간, 죽어
가는 형제자매를 돌보는 일에 함께했는지, 또는 장례 계획 같은 예식을 의논
할 때 함께했는지 여부 등이다(Davies, 2006). 제니퍼 홀리데이Jennifer Holliday
는 형제자매 관계의 복합성을 말해준다(Holliday, 2002). 사랑과 애정이 경쟁

심, 유감스러움과 함께 짜인 복잡한 관계라는 것이다. 워든과 그의 동료들은 부모 상실과 형제자매 상실을 비교해(Worden et al., 1999) 남자아이는 부모의 죽음에 더 고통을 받고 여자아이는 형제자매, 특히 자매를 잃을 때 더 고통 받는다고 제시하는 증거를 발견했다(Lowton and Higginson, 2002).

털어놓고 이야기하며, 생각과 느낌을 드러내고, 식구 사이가 돈독한 그런 가정의 아이는 행위에 문제가 생기는 일이 적었다(Davies, 1999; Raveis et al., 1999). 아이와 그 부모 또는 양육자의 긍정적 관계는 사별 이후 정신 건강 문제를 줄이는 데 의미심장한 관련이 있다(Wolchik et al., 2006).

형제자매가 세상을 떠났을 때 뒤에 남은 아이의 애도함은 간과될 수도 있고, 그래서 배제당한 느낌을 받을 수 있다(Giovanola, 2005). 이는 물리적으로 배제되는 것일 수도 있다. 형제자매의 장례식이 끝날 때까지 친척 집에 머물도록 보내지기도 한다. 부모는 자신의 슬픔에 깊이 빠져 있을 수도 있다. 그래서 나머지 자녀들의 슬픔을 살피지 못하고 반응하지 못할 수도 있다. 부모는 서로에게 위로를 받지만 아이는 위로를 나눌 형제자매가 없을 수도 있기에 고립된 느낌을 받을 수 있다(DeSpelder and Strickland, 2002). "형제를 사별한 아이에게는 그 아이보다 더 강렬한 수준의 애도함을 경험하는 부모가 있을 수 있고, 한쪽 부모를 사별한 아이보다 더 오랜 기간 계속 애도하는 부모를 둘 수도 있다"(Worden, 1996: 116에서 재인용). 형제나 자매와 사별한 아이는 슬퍼하는 부모를 보호하려고 자기의 느낌을 숨길 수도 있는데, 부모가 이를 죽은 자녀에 대한 느낌이 없거나 도와주는 마음이 없는 것으로 받아들일 수도 있다. 고든 리치스Gordon Riches와 팸 도슨Pam Dawson도 이를 지적한다. "우리가 상담한 많은 아동과 청소년은 자기가 〔부모에게〕 보이지 않는 존재처럼 느껴진다고 표현한다"(Riches and Dawson, 2000: 79).

핵심은 사망한 형제나 자매가 항상 그의 형제나 자매이며, 죽음이 그 관계를 취소시키지 않는다는 점이다(Rosenblatt, 2000). 사후의 생을 믿는 사람들에게는 죽은 이의 물리적 부재가 그의 영적 실존을 끝내지 않는다(Bennett and Bennett, 2000; Walter, 2006). 아동과 청소년에게는 "형제나 자매가 죽었기 때문에 바로 그것이 그 형제나 자매가 그의 삶에서 사라져버렸다는 의미는 아니다. 죽은 형제나 자매에 관한 기억을 내버릴 필요가 없다"(Linn-Gust, 2006: 2)는 점을 되새겨주는 것이 도움이 될 수 있다. 아이는 죽은 형제나 자매와 계속 유대감을 지닌다(Packman et al., 2006).

캐런은 언니가 죽은 후 외동 자녀가 된 외로움에 대해 말했다. "그냥 아주 쓸쓸해요. 언니가 있는 게 어떤 것인지 내가 알고 있었잖아요. 늘 외동이었다면 그렇게 살아도 별로 다를 것이 없었을 텐데, 난 언니가 있다 갑자기 없어지고 완전히 혼자가 된 거니까요"(Jenkins and Merry, 2005: 113).

남겨진 아이는 때로 자기가 죽었더라면 부모가 더 좋아했을 것이라 느끼며, 자기가 부모를 다시 행복하게 만들 만큼 충분히 좋은 아이가 아니라고 느낀다. 만일 부모가 남아 있는 자녀에게 사랑과 관심을 표현할 수 있으면 그 아이가 자신을 괜찮다고 느끼는 데 도움이 될 것이고, 자신이 중요하다며 안심할 것이다. 덧붙여 말하자면 형제나 자매의 죽음은 아동 또는 청소년이 자신의 사멸성을 직면하게 만들 수도 있다. 죽음에 대한 이런 자각은 불안의 수준을 높일 수 있다.

형제나 자매와의 사별 충격은, 특히 트라우마를 일으킬 상황에서 생겼다면 아동기 후반과 성인기에 부정적 영향을 끼칠 가능성이 있다. 트라우마를 남길 정도의 상실 경험은 우울증의 위험을 증가시킨다(Black, 1996). 형제나 자매의 죽음 원인이 남은 아이의 반응에 영향을 끼칠 수 있다. 자살로 인한 죽음은 복잡한 애도 반응을 유발할 수도 있고, 그 충격은 아주 절망적인 것일 수 있다. 준비할 겨를도, 작별 인사를 할 기회도 없었기 때문이다(Linn-

Gust, 2001). 청소년 형제나 자매의 사별에 대해 낸시 호건이 진행한 조사·연구는 사별을 경험한 청소년에게 무엇이 애도함에 도움 또는 방해가 되었는지 기술하도록 요청했다. 발견한 것은 다음과 같다.

그들의 이야기가 드러낸 것은 저절로 생기는, 괴로운, 불쑥 쳐들어오는, 원하지 않는, 생각해내려 하지 않은 생각들과 느낌들과 이미지들, 가령 자기 형제나 자매의 죽음을 둘러싼 트라우마적 상황과 관련된 죄책감과 수치심이 그들의 애도함을 더욱 힘들게 만들었다는 점이다(Hogan, 2006: 6).

쌍둥이 중 한쪽의 죽음에 관한 연구들은 그것이 한쪽 부모를 사별한 아이나 한 아이를 사별한 부모의 애도함보다 훨씬 더 강렬하다고 지적한다(Bryan, 1995; Woodward, 2006). 심리 치료사이며 '혼자된 쌍둥이Lone Twins Network'의 설립자인 조앤 우드워드Joan Woodward는 쌍둥이 중 한쪽과 사별한 경험에 대해 연구하며 남아 있는 쪽이 어떤 영향을 받는지 조사했다. 가장 분명하게 발견한 점은 쌍둥이의 경우 한쪽의 상실은 아주 깊은 상실이 되어 심각한 괴로움을 가져오고, 남은 생애에 뚜렷한 영향을 미친다는 것이다. 아동기에 이런 죽음이 생기면 남은 쌍둥이는 과잉보호를 받을 수도 있고, 그래서 짓눌리는 느낌을 받거나, 반대로 부모의 거부를 경험할 수도 있다.

다음의 글은 "엄마, 하느님은 왜 아빠를 천국으로 데려갔나요? 공평하지 않아요 (Mummy, why did God take Daddy to heaven? It's not fair is it?)"라는 기사의 한 부분이다("Femail," *Mail on Sunday*, May 4, 2008, pp.44~45).

BBC 라디오 4의 해설가 닉 클라크(Nick Clarke)는 암으로 집중 치료를 받다 죽었 는데, 그의 아내 바버라 원트(Barbara Want)는 네 살짜리 쌍둥이 아들 베네딕트와 조엘이 아빠의 죽음에 보인 반응을 말해주었다. 그녀는 "그 애들에게 아빠가 죽었다 고 말했을 때, 아이들은 TV를 봐도 되는지 물어봤어요"라고 말했다. 한 아이는 학교 에서 공격적이 되었지만 집에서는 아기처럼 퇴행된 행동을 했다. 조엘은 위축되었는 데, 집에서는 엄마가 어디 있는지, [학교에서는] 선생님이 자기 눈에서 사라질까 봐 엄청나게 불안해했다. 바버라는 아이들이 애도하느라 감정 기복이 심하다는 것을 알 아차렸다. 사람들은 그녀에게 아이들이 "극복했다"라고 말해주었다. "하지만" 이런 규모의 상실을 "아이들은 '결코' 극복하지 못해요"라고 그녀는 말했다. "그리고 이것 이 바로 아이들이 애도할 때 어른들이 받을 수 있고 받는 방식으로 도움과 지지를 받 는 것이 중요한 이유입니다."

바버라는 사별을 겪은 한쪽 부모가 사별 직후 그 자녀를 지지해주려 할 때 부딪히 는 어려움을 부각해준다. "닉이 죽고 나서 아이들을 끔찍하게 다루었어요. 그 아이 들한테 소리 지르고, 인정하기 힘들지만 아이들이 미웠어요. 나를 무력하게 만드는 슬픔으로 더욱더 깊이 빠져들면서 아이들이 짐처럼 느껴졌기 때문이에요." 아들 조 엘은 자기 선생님에게 말했다. "내가 학교에 있을 때 천사가 엄마도 데리고 갈까 봐 무서워요."

닉이 사망한 지 1년 반이 지나 바버라가 말했다. "여전히 '작업'은 계속되고 있어 요. 아이들은 어린 시절 내내 슬퍼하는 일이 반복될 거예요. 특히 설날이나 처음 축 구 시합을 할 때처럼 중요한 순간에는요, 관중석에 한쪽 부모만 있게 되니까요. 이런 게 '작업'인 것은 때때로 어렵고 힘들기 때문이지요. 하지만 지난주에 베네딕트가 해 준 말이 내게 우리가 제대로 가고 있다는 희망을 주었어요. 베네딕트가 이렇게 말했 거든요. '엄마, 눈물이 있고 슬프지만, 우리가 행복하다는 의미의 눈물도 있는 거 맞 죠? 그래요. 나아지고 있는 것이 틀림없어요."

생각해보기

- 베네딕트와 조엘이 애도하는 반응은 어떻게 다른가?
- 아버지가 죽었다는 말을 들은 후 아이들이 TV를 보고 싶다고 말한 사실에 대해 어떻게 생각하는가?
- 아이들을 다시 슬프게 만들 수 있는 중요한 사건들이 무엇인지 알 수 있겠는가?
- 조엘은 엄마나 선생님이 어디 있는지 모를 때 왜 불안해했는가?
- 아이들이 슬픔을 '극복하고' 있다고 생각하는가?

제**3**장

사별 상담의 핵심 기술

시간이 치유하는 것이 아니라 슬퍼하는 것이 치유한다. _ 애넌(Anon)

사별을 경험한 아동과 청소년이 모두 외부 기관의 도움을 필요로 하는 것
은 아니다. 『애도하는 자녀 돕기Helping Children Cope with Grief』의 저자 로즈
마리 웰스Rosemary Wells는 남편과 사별했을 때 세 자녀의 나이가 각각 11세,
14세, 17세였다. 그녀는 자녀들에게 사별 전문 상담가가 필요하다고 생각하
지 않았다. 오히려 "사랑, 안정적인 보호, 경청하는 마음"이 필요하다고 생각
했다. "아이가 이야기하고 싶을 때 그 자리에 있기, 솔직하기, 돌보고 있음을
아이에게 보여주기"가 필요하다고 생각했다(Watts, 1988: 36). 그러나 부모와
사별한 아이 다섯 중 한 명은 전문적인 도움이 필요한 경우가 많다(Dowdney,
2000). 이들 아이와 청소년을 위해 우리가 근거를 기반으로 행한 조사·연구
에 따르면 이들에게 성공적으로 개입할 수 있는 기법과 기술이 있다(Coyne
and Ryan, 2007; Jordan and Neimeyer, 2003; Sandler et al., 2008). 일반적으로 말

하자면 학교 상담은 정신 건강을 크게 개선하는 일과 관련된다(Cooper, 2009; Peel, 2009). 중요하게 기억할 것은 많은 아이가 이미 알고 있던 전문가들, 가령 자기 학교의 교사나 상담 교사에게 도움받을 수 있다는 사실이다. 이때 상담자의 역할은 아동과 청소년을 직접 만나며 사별당한 아이를 지원하는 일선의 실무자를 돕는 것일 수도 있다.

상담자의 목표는 아이와 청소년에게 별도의 심리적 지원을 제공하고, 그들이 지닌 마음의 짐을 누그러뜨리는 것이다(Lendrum and Syme, 1992). 그러나 상담 훈련을 받지 않은 어른이더라도 지지하는 경청과 공감하는 돌봄을 통해 아주 중요한 도움을 줄 수 있다(Dyregrov and Dyregrov, 2008; Graves, 2008). 애도하는 일은 해결되어야 할 문제가 아니라 경험되는 과정이다. 괴로운 아이와 청소년을 지원하는 과정에서 한 역할을 맡길 원하는 사람으로서 우리가 받아들여야 할 사실은, 아이와 청소년이 자신의 느낌들을 괜찮은 것으로 여기게 해줄 수는 있어도 그 고통을 멈추게 만들 수 없다는 사실이다.

애도 상담과 지원의 목표

- 사별당한 사람이 그 상실을 받아들일 수 있게 하는 것
- 안전함과 지지를 제공하는 것
- 사별당한 사람에게 그 자신이 애도 과정에 있음을 알도록 도와주고 자기 느낌들이 '정상'이라고 안심시켜주는 것
- 사별당한 사람이 상실과 그로 인한 느낌들을 탐색해볼 수 있도록 하는 것
- 사별당한 사람이 고인이 함께 없어도 살아가도록 돕는 것
- 사별당한 사람이 긍정적인 대처 기법을 찾아내도록 돕는 것

- 사별당한 사람이 그의 삶에 있는 다른 사람들에게 접근해 긍정적 지원을 받도록 돕는 것
- 고인과 계속되는 관계를 이루는 것이 적절하다면, 그렇게 되도록 돕는 것

상담자가 사별을 경험한 내담자에게 반응할 때는 그 내담자의 개인 성격에 비추어 반응할 필요가 있다. 그리고 자각하고 있어야 할 것은 현재 사별의 맥락뿐 아니라 그 내담자의 애착 내력, 내담자가 당했을 수도 있는 고통, 자신을 보호하기 위해 쌓아야 했던 방어기제들이 어떻게 그 나름으로 발전해왔는지이다(Harris, 2009: 28).

사별당한 사람을 상담할 때마다 그의 문화적 배경, 인종, 신념 체계, 세계관을 자각하는 것이 중요하다(Wolfe, 2008). 폴 로젠블랫Paul Rosenblatt은 다음과 같이 말한다.

미국 문화에도 차이점이 존재한다. 누군가가 우리와 동일한 언어로 말하고 같은 지역 출신일지라도, 우리와 같은 신념과 이해 체계를 지니며 동일한 방식으로 감정 표현을 할 것이라고 가정해서는 안 된다. 모든 사람을 〔나와는〕 다른 문화에 속한 것처럼 대하는 것이 좋다. 효과적으로 도우려면 우리가 품은 전제들을 극복하고 사람들을 그들 입장에서 이해하도록 노력해야 한다(Wolfe, 2008: 11에서 재인용).

시작 단계: 핵심 상담과 지원 방법

아동을 지원하는 어떤 상담 기관이나 조직체도 모든 아이의 안전보장을 위한 아동보호 안내 지침의 테두리 안에서 일해야 한다. 또한 중요한 것은 아이를 지원하는 사람이 가정을 방문하거나 혼자 업무를 수행할 때 안전하다고 느껴야 하며, 실제로 안전한 절차를 밟아야 한다는 점이다. 아이와 상담할 때는 부모나 기타 책임 있는 어른에게 적절한 허락을 확실히 받고, 그 아이가 당신의 역할을 확실히 이해하도록 만들라.

사별당한 아이를 상담할 때는 아이가 그 죽음에 관해 무엇을 아는지 찾아내야 한다. 또한 아이는 지금까지 무엇을 들었으며, 무엇을 이해하고 있는가? 아이가 받은 정보가 일어난 일을 이해할 수 있게 하는 정보인가? 무엇을 두려워하며, 어떻게 느끼는가? 아이가 어떤 느낌인지 우리가 안다고 가정하지 않는 것이 중요하다. 그리고 슬픔과 분노뿐 아니라 모든 종류의 느낌에 관해 묻는 것이 중요하다. 덧붙이자면 지금 도움이 되는 힘이 무엇인지 찾도록 노력하라. 이전의 상실뿐 아니라 현재의 상실, 가령 이혼, 죽음, 형제나 자매의 이사 등이 어떻게 다루어져 왔는지를 알아내는 것이 중요하다. 그 아이 내면에 회복탄력성의 자질이 있음을 당신은 알아차릴 수 있는가?

신뢰와 공감을 쌓는 데 도움이 될 요소는 많다. 다음의 내용은 '내담자중심치료법'을 발전시킨 미국의 심리학자 칼 로저스Carl Rogers의 연구에 기초한 핵심 기술들에서 선택한 것이다. 이 핵심 기술들은 안전하면서도 지지하는 방식으로 청소년을 상담하는 데 적합하다. 특별한 교육이 필요한 학생들에게 이 기술들은 특히 값지다. 그 기술들을 통해 우리는 자기 인생에 관해, 자기와 남의 차이점에 관해 혼란스러워하고 괴로워하는 청소년의 느낌을 반영해줄 수 있기 때문이다(Mallon 1987; Read, 1996).

공감

공감하는 기술을 개발함으로써 아이의 세상에 '조율'한다면 자신의 느낌과 이야기가 존중됨을 그 아이에게 보여줄 수 있다. 신경과학자들은 이 기술이 '거울신경세포mirror nuerons'에 의해 개발된다고 말한다. 즉, 문화·인종·계층과 상관없이 얼굴 표현은 보편적이라는 것이다. 전 세계 어디에서나 슬픔, 혐오감, 행복, 두려움, 놀람은 얼굴 위에 나타난다는 것이다(Ekman and Rosenberg, 2005). '거울신경세포'는 1995년 자코모 리촐라티Giacomo Rizzolatti가 최초로 발견했고, 이후에 신경과학자 빌라야누르 라마찬드란Vilayanur S. Ramachandran이 그 연구를 확대했다. 라마찬드란에 따르면 '인간 발달' 초기 단계에 정교하고 복잡한 거울신경세포 체계들이 발달하면서 공감이 발달할 수 있는 틀과 타인의 관점을 적용할 수 있는 능력이 마련된다(Ramachandran, 2006). 그래서 우리는 다른 사람을 볼 때 그의 의도를 파악할 수 있다.

공감은 당신이 지원하고 있는 아이의 눈을 통해 세상을 바라보려는 일과 연관된다. 어른의 시각에서 당신은 아이가 불안해하는 것들을 보지 못하지만, 아이에게는 그 불안한 것들이 실제적인 것임을 알아주어야 한다. 당신이 공감할 줄 알아야 힘든 시기를 통과하는 아이를 도울 통찰력을 얻을 것이다.

적극적 경청

우리는 경청을 하면서 아이가 자기 이야기를 통해 자기 애도함을 탐색하고 표현하도록, 고인의 삶을 기쁜 것으로 받아들이도록, 남겨진 정신적 유산을 발견하고 대처 기법을 찾도록 돕는다(Graves, 2008). 적극적 경청은 온전히 주의를 기울이는 일이다('경청에 대한 안내 지침' 참조). 이는 말뿐 아니라 말

▶▶ 경청에 대한 안내 지침

- 계속 열린 마음을 유지하라.
- 어떤 식으로 말을 하는지 경청하라.
- 비언어적 소통을 관찰하라.
- 당신은 반드시 명확하고 타당하게 말하라.
- 이해하지 못했다면 다시 질문해 명료하게 만들라.
- 내담자의 느낌들을 피드백 할 때는 솔직하게 하라.
- 경청할 준비를 열심히 하라.

피해야 할 것

- 말하는 도중에 끼어들지 말라.
- 당신에게 개인적으로 거슬리는 말에는 감정적으로 반응하지 말라.
- 상대방이 말하고 있을 때 그 말 다음에 무슨 말을 할지 생각하지 말라.
- 사람들이 무엇이라 말할지 가정하지 말라.
- 상대방이 말하다 말 때 대신 마무리하지 말라. 당신 말이 옳지 않을 수도 있다.
- 그 상황을 성급하게 평가하지 말라.

너머의 울림에 관한 것이며, 어조를 듣고 몸짓을 관찰하는 일이다. A. 뒤레그로브와 K. 뒤레그로브는 "당신이 하는 모든 것이 대화"라고 상기시킨다 (Dyregrov and Dyregrov, 2008: 11). 사별당한 사람에게 보여주는 반응, 우리 몸의 언어, 우리의 존재와 부재, 우리의 말이나 침묵 모두 소통 방식에 속한다. 우리가 친구든 더 전문적인 역할을 하고 있든, 그것은 상관없다.

긍정적·무조건적 손중

괴로움을 겪는 아이는 당신이 자기를 있는 그대로 보살핀다고 느낄 필요가 있다. 그 아이를 긍정적으로 존중함을 보여주려면 당신의 편견과 선호를 제쳐놓으며, 판단하지 않는 것이 필요하다. 경청하라. 그리고 아이의 느낌들이 당신의 기대에 어긋난다 하더라도 잘못되었다고 말하거나 승인하지 않는 태도를 보이지 말라. 아이에게도 어른처럼 가능한 한 최선의 도움이 필요하다. 특히 사별 후에 많은 아이가 그러하듯 자신의 내면을 깊이 느끼고 있을 때는 더욱 그렇다.

존중

청소년은 화가 나거나 자신이 친구들과 다르다고 느낄 때, 예를 들어 사별을 당했을 때 민감함이 고조되어 반응한다. 악의 없는 말에도 쉽게 상처를 받으며 사소한 비난에도 기가 죽기 때문에 세심하게 마음을 써서 대하는 것이 대단히 중요하다. 죽음에 대한 아이 개인의 태도를 깨닫고, 그 아이가 지니고 있을지 모르는 문화적 신념이나 종교적 신념도 알아차려야 한다. 특히 불만이 많은 아이는 그의 다른 점들 때문에 종종 비난받으며 잘못되었다고 지적받는 경우가 많다. 따라서 어떤 상처를 받았든 그것을 알아주는 것이 그 아이와 라포르rapport를 형성하는 데 본질적으로 중요하다.

그 청소년에게는 자신이 원하는 것을 남이 자기 행동을 보고 추측하도록 두지 말고 말로 요구하도록 격려하라. 숨겨진 문제들을 눈에 보이게 하는 것이 도움이 된다. 예를 들면 배가 아프다는 불평을 반복하는 아이에게 이렇게 말할 수도 있다. "어떤 아이는 너처럼 끔찍한 충격을 받았을 때 기분이 안 좋아져 배가 아플 때가 있단다. 너도 지금 기분이 나쁜 것은 아니니?" 이런 말은 자기 느낌이 진지하게 받아들여진다고 안심시켜준다. 그 아이를 존중하는 것은 그가 스스로 가치 있다는 느낌을 유지하도록 도와준다.

진정한 수용

청소년을 지지하는 사람으로서 당신은 균형 잡힌 측은지심의 태도를 취하고, 그가 어떤 아이든 그의 느낌을 수용할 수 있다는 것을 보여줄 필요가 있다. 특수교육이 필요한 학생들은 더 큰 사회에서나 어떤 또래들에게서 자기가 거부당한다고 느낄 수도 있다. 남과 다른 점이 또래로부터 괴롭힘을 당하게 만들 수 있고, 아니면 화가 나고 괴로운 아이가 역으로 괴롭히는 아이가 될 수도 있다. 우리는 공격적이고 불친절한 행위를 괜찮다고 하지 않으면서도 그 아이와 그 아이의 다른 점들을 수용할 수 있다.

청소년과 일하면 그들이 당신을 적대감의 대상인 동시에 지지를 얻을 자원으로 보는 것을 경험할 수도 있다. 그 청소년은 당신에게 받는 도움을 어쩌면 자신의 취약함을 드러내는 것으로 여길 수 있다. 따라서 '내가 할 수 있어'라는 자아를 사람들이 봐주길 원하는 그 아이 자신의 내면에 갈등이 일어날 수 있다. 그럴 때는 이 갈등에 대해 상담하는 것이 치유 과정의 중요한 한 부분이 된다.

진실하기

어린아이에게 하는 거짓말은 갖가지 어려움의 원인이 된다. 특히 아이는 사신이 믿고 신뢰한 사람에게 실망할 경우 장차 남을 신뢰하지 못하는 사람이 될 수도 있기 때문이다. 그러므로 지킬 수 없는 약속은 하지 않는 것이 좋다. 예를 들어 상황이 나아지지 않을 수도 있을 때 "모든 것이 다 괜찮을 거야"라고 말하면 안 된다. 질문을 받으면 정보를 지나치게 주지 않으면서도 진실하게 대답해야 한다.

소유하지 않고 지원하기

어떤 식으로든 상실을 경험한 아이들 대부분이 의존성의 시기를 거칠 수도 있다. 이것이 문제시될 필요는 없으나 아이가 당신에게만 의존하게끔 조장하지 않도록 확실히 할 필요가 있다. 상담자 한 사람만 의존하게 해서는 안 된다. 소유욕은 개인의 자율성을 꺾고, 그래서 장기적으로는 그 아이에게 도움이 되지 않는다.

아이가 독립심과 자신감을 개발하도록 돕는 것이 어떤 종류의 상실이든 극복할 수 있도록 하는 데 핵심 요소이다. 그 아이가 만일 스스로에 관해 긍정적으로 느낀다면 괴로워지거나 관습적인 지원이 그칠 때도 보통 그 가정 바깥에 있는 신뢰할 만한 어른들, 즉 조부모나 이웃 사람, 교사 또는 친구에게 도움을 구할 수 있게 된다. 두려움과 자기 비난은 아이의 자아 개념을 약화할 수 있고, 그래서 아이는 자존감을 세우고 지키기 위해 확인받는 일이 필요해질 것이다.

반영

〔상담하며〕당신이 듣고 있는 것을 아이 또는 청소년에게 반영해주어 당신이 진짜로 경청하고 있음을 보여준다. 이는 신뢰를 쌓고, 그 아이는 자기가 말하는 내용을 당신이 소중하게 여김을 알게 된다. 어떤 점에서 이는 마치 거울처럼 행동하는 것이다. 예를 들어 아이가 "형이 죽었다고 들었을 때 난 아주 속상했지만 아무 말도 못했어요. 내 생각에 엄마는 내가 아무 관심이 없다고 생각했던 것 같아요"라고 말한다면 당신은 다음과 같이 그 말을 반영할 수도 있다. "그러니까 형이 죽은 것을 알고 네가 진짜로 속상했지만, 그것

을 어쨌든 보여줄 수가 없었구나. 그래서 네 생각에 엄마는 네가 속상한 것을 알지 못했고, 형의 죽음에 네가 마음 쓰는 것을 몰랐구나." 아이가 사용한 단어 그대로, 아니면 대신할 수 있는 단어를 사용해 말할 수도 있지만, 중요한 것은 당신이 정말로 주의를 기울여 듣고 있으며 그 아이의 말·감정과 함께 가고 있음을 보여주는 일이다.

비밀 보장

아이와 청소년, 그리고 그 가족과 일할 때는 100% 비밀 보장을 할 수가 없다. 그 아이에게 어떤 식으로든 해가 될 수 있는 학대·방치·두려움의 흔적이 있을 경우 아동보호기관을 개입시킬 필요가 있다. 분명히 말하지만 상담자나 사별 지원 전문가는 첫 만남에서 비밀 보장의 계약이 어떤 식으로 이루어질지 설명할 필요가 있다. 그 계약은 상담이 진행되는 기관에서 정한 원칙에 따른 것이다. 덧붙여 말하자면 그 지원 전문 단체의 윤리 지침이 고려될 필요가 있다(BACP, 2010).

상담 회기 마무리

상담 회기는 세심하고 효율적으로 마무리하는 것이 중요하다. 회기가 얼마나 걸릴지 처음부터 아이가 알게 해야 한다. 회기가 끝나기 10분 전쯤에 "우리가 이제 10분 남았단다. 그러니 오늘 우리가 뭘 했는지 함께 이야기하면 좋겠구나"라고 말할 수 있다. 그 아이가 중요하거나 도움이 되었다고 느끼는 것이 무엇인지 물어볼 수도 있다. 아니면 당신이 보기에 의미심장한 것을 요약하고 짚어줄 수도 있다. 자존감을 강화할 수 있겠다고 주목했던 강점이나 회복탄력성이 있을 경우 그것을 지적해주면 도움이 될 수도 있다.

브라이언 크랜웰Brian Cranwell은 사별당한 아이가 상담자에게 어떻게 반응하는지 탐구했다. 한 소녀는 상담을 통해 어떤 점이 도움이 되었는지 묘사했다. "엄마에게 말하고 싶은 자잘한 걱정거리들이 있잖아요. 난 그것을 모두 병에 담아놓았는데, 내가 그 병을 딴 셈이지요. 그래서 그것이 몽땅 나와버렸는데, 정말 진짜로 좋아요"(Cranwell, 2007: 32).

성별의 차이

애도함에 남녀 차이가 있다는 사실은 애도하는 성인들에게서 확인되어왔다(Attig, 1996; Filak and Abel, 2004; McLaren, 2004; Stroebe et al., 2007). 아동과 청소년을 대상으로 한 조사·연구는 적다. 셸리 테일러Shelly Taylor 박사는 이런 차이의 생리학적 근거를 지적해준다(Taylor, 2004). 그녀는 스트레스에 대해 남자들이 주로 "싸우거나 도망가는" 반응을 나타낸다면, 여자들은 "돌보고 친구가 되는" 반응을 보이는 것을 발견했다. 그녀는 이 같은 남녀의 반응 차이가 호르몬의 영향이라고 주장한다. '포옹'이라는 별명이 붙어 있는 호르몬 옥시토신oxytocin에 대한 반응으로서 여자들은 스트레스를 받을 때 주변 사람들을 돌보며 자기가 안전하다고 느낄 만한 사람들에게 다가간다. 남자에게는 테스토스테론testosteron이 옥시토신의 효과를 억제한다. 이런 반응은 남자아이와 여자아이의 애도 반응에서 잘 반영되기도 한다.

남자와 여자, 남자아이와 여자아이의 대처 방법이 다를 수도 있다. 여성은 애도할 때 '직관적' 반응 방식을 차용할 수 있지만, 남성은 '도구적'으로 반응할 수 있다(Martin, 2000). '직관적'으로 애도하는 방식은 정서적으로 표현되는 반면, '도구적' 반응은 더 물리적인 방식으로, 즉 쉬지 않고 신체 활동과 정신 활동을 하는 것으로 표현된다. 즉, 애도 반응의 방식은 가족·문화·사회의 영향을 받아 여러 가지로 나타난다(Biddulph, 1997; Brewer and Sparkes, 2008). 애도 반응에서 남녀의 차이는 뚜렷하다. 말하면서 기분이 나아진다고 보는 전통적인 방식이 여자아이의 욕구에는 더 잘 맞지만, 남자아이에게는 말하기에 반드시 활동(뭔가 함께하는 것)을 섞어 보충하는 방식이어야 한다(Dyregrov, 2004: 81). '윈스턴의 소망' 설립자이자 임상 책임자인 줄리 스토크스는 "속마음에 닿기 어려운" 남자아이에게는 모험적이며 신체적으로 힘든 주말 야외 활동을 포함한 치료적 개입이 그들을 끌어들이고 탄력 있는 마음의 밭을 만들어주는 데 중요함을 발견했다(Brewer and Sparkes, 2008; Stokes, 2009b).

'아동 사별 연구The Child Bereavement Study'는 자기와 동성인 부모를 잃은 아이(엄마 잃은 여자아이나 아빠 잃은 남자아이)가 죽은 그 부모에게 계속 연결되어 있는 경우가 더 많다는 사실을 알아냈다. 그리고 "그중에서도 가장 애착되어 있는 아이는 아빠보다 엄마를 잃은 아이들이었고, 남자아이보다 여자아이인 경우가 더 많았다"(Worden, 1996: 31). 청소년기 남자아이가 애착 상태에 머물러 있는 경우가 가장 적었다는 사실은 어쩌면 놀랄 일이 아니다. 그들은 발달상 전이 과정에 있고, 애도 중에도 그들이 "계속 움직이는" 것을 기대하는 문화적 분위기 안에 있기 때문일 것이다. 1987년부터 1993년까지 장기간 이루어진 추적 조사·연구에서 나딘Nadine과 그의 동료들이 발견한 사실은 아빠의 죽음이 아들에게 더 많이 부정적인 영향을 남기고, 엄마의 죽음이 딸에게 더 많이 부정적인 영향을 남긴다는 점이다. 어느 쪽이든 한쪽 부모의 상실은 여자보다 남자의 건강에 더 영향을 준다(Melhem et al., 2007). 남자아이에게 남성의 역할 모델이 중요하다고 말하는 기록은 많다(Biddulph,

1997; Neal, 2007). 그리고 아버지의 죽음은 어린 남자의 정체성 형성에 막대한 영향을 끼친다. 린다 다우드니Linda Dowdney의 연구는 부모를 사별한 아이가 심리적 불안정 수준이 높고, 이는 남자아이가 여자아이보다 더 취약함을 보여준다(Dowdney et al., 1999).

사별 지지 그룹

사별 지지 그룹은 사별당한 사람들을 도울 수 있는 적절하고 효과적인 방법이 된다(Corr, 1996; Klass, 2000; McCarthy with Jessop, 2005; Wolfelt, 1994). 이 그룹은 사별을 겪은 아이에게 이해받고 인정받으며 지지받는 느낌을 제공한다. 사별 지지 그룹은 고립감과 싸우고 자존감을 강화하는 데 특히 도움이 된다. 이런 그룹은 아이가 자기의 사별 경험을 탐구하고 자기 경험을 사별 경험자들과 공유할 수 있는 안전한 자리를 제공한다(Hindmarch, 2000; Ross and Hayes, 2004). 치유적인 지지 그룹은 복합적인 애도 반응을 최소화하고 애통함을 달래며 회복탄력성을 강화하는 데 매우 효과적일 수 있다(Pfeffer et al., 2002; Schut et al., 2001). 더구나 그 그룹이 개방적일 경우, 사별당한 아이가 오고 싶어질 때 다시 밀고 들어올 수 있는 '회전문' 역할을 함으로써 그 아이가 소중히 여기는 곳이 된다(Firth, 2005).

'포크스의 모델Foulkes' model'은 서로를 돕는 것에 관한 모델로, 그룹 작업에 쓸모가 있다(Foulkes and Anthony, 1984). 그룹 작업에서는 리더들이 안전한 공간을 만들어내도록 노력한다. 분명한 울타리와 지켜야 할 것들에 관한 계약이 있어야 안전한 공간이 되고, 그래야 모든 구성원은 그룹 작업이 어떤 것인지, 모든 참여자가 함께 무엇을 기대할지 알 수 있다. 이는 리더들에게도 중요한데, 리더들 사이의 역동이 그룹 내 분위기와 기능에 영향을 끼치기 때문이다. 사별당한 아이와 일대일로 함께하는 것과 그룹으로 작업하는 것은 아주 다르다. 그룹 작업은 관여하는 모든 사람이 치료적 과정에서 일정한 역할을 한다(Stokes, 2004). 이 그룹 작업에서 인식해야 할 중요한 점은 그 과정 전체의 마무리뿐 아니라 모든 회기의 마무리가 중요하다는 사실이다(Gilbert, 2008).

청소년은 애도 문제에 관해 일대일의 환경보다는 그룹의 환경에서 다루어지는 것을 더 좋아한다는 증거가 있다(Mearns, 2000). 부모가 그 자신의 상실을 효과적으로 다루지 못하는 경우, 지지 그룹이 대신 가족 노릇을 할 수도 있다(Zambelli and De Rosa, 1992). 아이는 정보를 얻을 수 있고, 자기 경험에 관한 생각을 명료하게 만들 수도 있으며, 다른 사람들을 만나고 자기 또래로부터 지지를 받을 수도 있다. 지지 그룹은 사별을 겪은 사람에게 감정을 표현할 기회를 주며, 그 경험을 판단하지 않고 타당한 것으로 받아준다(McKissock, 2004). 참여자들은 사별의 경험을 공유하고 탐구하며, 또 자신이 혼자 고립되어 애도하지 않아도 된다는 것을 깨달으면서 또래 관계가 피어날 수도 있다(Bacon, 1996).

아동·청소년과 함께하는 어떤 그룹 작업도 반드시 미리 적절한 계획을 세울 충분한 시간이 있어야 한다(Murthy and Smith, 2009). 사전 계획을 위한 핵심 이슈를 위해 다음의 사항이 도움이 될 것이다.

- 그룹은 어떤 대상을 위한 것인가?
- 그룹 참여자의 기준은 무엇인가?
- 어느 연령대를 그룹에 포함시킬 것인가?
- 그룹이 참여자의 각기 다른 문화적·종교적 욕구를 충족시켜줄 것인가?

모든 아이와 가족이 사전 모임을 하며 어떤 그룹인지 설명을 듣고, 참여하는 것이 적절할지 평가할 수 있어야 한다. 모든 아이가 사별 지지 모임에 참여해 이득이 되는 것은 아니다. 특히 그의 경험이 트라우마가 생길 정도이고 다른 참여자들의 경험과 아주 다를 때 그렇다. 예를 들어 자살에 의한 사별의 경우일 수도 있다. 구성원을 선택할 때는 문화적 다양성과 규범에 대한 민감함을 가지는 것이 중요하다. 이는 각 구성원이 편안하게 느끼고 자신이 받아들여진다는 느낌을 갖게 만들기 위해서이다. 그룹 내 활동도 문화적·종교적으로 다른 가치들을 반영하는 것이 될 필요가 있다. 분명한 점은 참여할 아이의 감정적 성숙도가 고려되어야 한다는 것이다. 발달상 필요와 감정적 욕구는 아주 다양하므로 어떤 아이를 그룹에 합류시킬지 여부를 결정할 때는 이런 필요와 욕구가 고려되어야 한다. 아이나 청소년의 주된 보호자 또한 관여함으로써 그 그룹이 무엇을 위한 것인지 이해하고, 회기와 회기 사이에 그 아이를 지지할 수 있어야 한다(Ross and Hayes, 2004).

그룹이 만나는 곳은 별도의 안전한 장소여야 한다. 방해받지 않도록 보장된 공간이어야 한다. 안락하고 따뜻한 환경은 이런 분위기를 만드는 데 도움이 되며, 그래야 아이와 청소년이 환영받는다고 느낄 수 있다.

그룹에서 아이들을 지지하는 성인은 모두 신원 조회를 통해 범죄 기록을 조사받아야 한다. 이를 통해 그들이 아이·청소년과 함께하기 안전한 사람인지를 확실히 해두어야 한다. 그룹에는 적어도 두 명의 성인 보조자가 참여하는 것이 중요하다. 이런 방식을 통해 활동이 공유될 수 있고, 만일 어떤 아이가 특히 속상해한다면 그 순간에 리더 역할을 하고 있지 않던 사람이 일대일로 도움을 줄 수 있다. 덧붙여 말하자면 모든 그룹 지도자와 자원봉사자는 스스로도 지속적인 지지와 조언을 받으며, 그룹의 진행과 그룹 내 역할에 관해 성찰할 기회가 있어야 한다.

개방된 그룹

언제라도 새로운 구성원이 들어올 수 있는 그룹이다. 즉, 소개하는 시간이 자주 있겠지만, 특정한 시한 없이 지속되는 집단일 경우 구성원들 자신은 그 그룹의 지지가 필요한 한 언제까지나 출석이 허용된다.

한시적인 닫힌 그룹

아이들이 일단 그 그룹에 동의했으면 마지막 모임 때까지 동일한 구성원이 유지된다. 이는 그룹의 진행자가 결정할 수도 있는데, 예를 들면 8주 동안 한 주에 한 번 두 시간의 모임을 갖는 식이다. 일단 그룹 모임이 시작되면 새 구성원은 합류할 수 없다. 이렇게 함으로써 구성원들이 다른 참여자들과 신뢰를 형성하고 서로를 더 많이 알아가면서 강한 유대가 만들어질 수 있다. 끝이 정해져 있음을 아는 것이 아이들에게 더 편안한 느낌을 줄 수도 있다.

첫 모임

첫 모임에 포함시켜야 할 것들은 다음과 같다.

- 구성원이 편안하게 느끼도록 도와줄 인사와 어색함을 없애는 활동
- 그 그룹의 목적을 강화하는 설명
- 기본 규칙 정하기

기본 규칙은 비밀 보장, 서로의 말에 경청하기, 남의 느낌을 존중하기, 중

요하다고 생각하는 기본 규칙들을 참여자들이 선택하도록 만드는 것을 토대로 한다.

성 헬레나 호스피스St. Helena Hospice에서 고안한 프로그램은 첫 모임을 할 때 각 구성원이 사랑하는 고인의 사진을 넣을 수 있는 액자를 만들도록 한다. 물감, 반짝이, 구슬 등 다양한 미술 용품을 사용해 틀을 만들고, 마지막으로 사진을 그 틀에 풀로 붙이는 것인데, 이는 즐겁게 할 만한 활동이 된다. 이러한 활동은 그 그룹에 초점을 만들어주어 아이나 청소년이 사랑하는 고인에 관해 말할 수 있도록 돕는다. 그다음에 이어지는 모임들마다 그 사진들을 벽에 걸어놓았다가 모임이 끝날 때는 집으로 가져가게 한다.

그룹 활동은 강점들을 인식하도록 만들어질 수 있다. 참여자들은 좋은 경청자임을 표현하기 위해 머리에 큰 귀가 달린 포스터를 그릴 수도 있고, 사랑을 주고받는 마음을 큰 하트 모양으로 그릴 수도 있으며, 외로울 때 잡아주는 도움의 손을 그릴 수도 있다. 그 그룹은 애도할 때 무엇이 도움이 되는지 서로 아이디어를 공유할 수 있다. 이러한 긍정적 공유를 통해 구성원들은 서로 지지하고 공감하는 기술을 개발한다.

아이는 슬픔과 두려움 같은 감정뿐 아니라 그룹 안에서 자기를 지탱해주는 긍정적인 감정도 볼 수 있게 된다(American School Counsellor Association, 2005). 청소년은 자기가 애도함을 다루는 데 무엇이 도움이 되었는지를 확인할 수도 있다. 식구 중 누구와 이야기할 수 있는지, 사별 이전과 이후 지금까지 자기가 기억할 수 있는 행복한 때는 언제인지 알게 될 수도 있다.

상담자나 경청해주는 사람, 또는 친구가 되어주는 사람이 그 가정의 식구 모두와, 아니면 기꺼이 참여하려는 식구들과 소통하는 가운데 그 가족이 개입하게 되면, 사별을 겪은 아동이나 청소년에게 폭넓은 도움이 될 수 있다. 식구마다 자기 이야기를 하는 것을 들으며 죽음이 어떻게 각자에게 다른 방식으로 영향을 미치는지 서로 이해할 수 있게 된다. 이로써 각자 어떻게 애도하는지, 그 어려운 시기를 통과하는 데 자기가 도움을 받으려면 무엇이 필요한지 아이가 점점 더 이해하게 된다(Hooyman and Kramer, 2006). 중요한 것은 그 죽음에 대해 가족이 어떤 의미를 부여하는지 우리가 이해하는 것이다. 그 의미가 가족이 애도하는 방식에 영향을 미치기 때문이다. 그 가족에게 의미심장한 문화적 영향은 어떤 것이 있는지 우리가 자각하는 것 또한 중요하다(Nadeau, 2001). 가족 치료사들은 워든이 애도의 과제를 네 가지 목표로 나누어놓은 것을 이용해왔다. 그 목표는 ① 상실에 관한 생각을 함께 나누기, ② 상실의 경험을 공유하고 그것을 맥락 속에서 보기, ③ 가족 체계 재정비, ④ 다른 관계와 삶의 지향에 다시 관심을 돌리기이다(Hooyman and Kramer, 2006: 220~221). 가족 차원의 개입은 특히 아이나 청소년이 있는 가정에서 도움이 될 수도 있다(Black and Urbanovicz, 1987; Carr, 2000).

그룹 활동

그룹 활동에서 중요한 점은 아이가 말할 수 있도록 안전하고 포용되는 공간을 만드는 것이다. 또한 말하고 싶지 않을 때는 누구도 말해야 한다는 압박감을 받지 않아야 한다는 것이 본질적으로 중요하다. 린 아미 드스펠더 Lynne Ami DeSpelder는 그녀의 사별 그룹에 참여하는 아이늘에게 '통과'라고 말하는 법을 가르친다(DeSpelder, 2009). 어떤 경험을 공유하고 싶지 않은 학생은 누구든 '통과'라고 말할 수 있고, 그러면 그의 사적인 일이 존중된다. 그녀는 또한 매우 도움이 될 수 있는 개시 활동을 한다. 각 사람에게 카드가 주어지는데, 한 면에는 "너를 여기 오게 만든 것이 뭐니?"라고 적혀 있으며, 뒷면에는 "이 과정이 끝날 때 무엇을 얻어가고 싶니?"라고 적혀 있다. 이 카드는 구성원들의 공통점과 차이점을 드러낸다. 또한 경험과 호기심, 그리고 개인적 필요라는 측면에서 구성원들이 어떻게 배합되었는지를 보여준다.

만일 그 그룹이 침묵하고 말하기 어려워한다면 물러나 다른 활동을 하는 것이 좋다. 이 활동들에 관해서는 창조적 기법들을 논의할 6장에서 많이 다루겠지만 다음의 몇 가지가 도움이 될 수도 있다.

- 벽에 큰 종이를 붙이거나 단단한 표면에 펼친 흰 벽지에 즉흥적으로 쓰기 또는 그리기. 마음에 떠오르는 것을 어떤 것이든 그리며, 옳고 그름은 없다. 아니면 사랑하는 사람의 죽음 이래로 느껴온 것을 표현하는 어떤 것이라도 그리기
- 잡지에 있는 이미지들을 이용해 콜라주 만들기
- 추억의 책을 함께 만들기
- 헬륨 풍선에 메시지를 붙여 날려 보내기(환경보호를 위해 자연 분해 풍선과 짧은 실이나 줄을 사용하기).

헬렌 피츠제럴드Helen Fitzgerald는 그룹 구성원들이 완성하는 '나의 이야기'로 시작하라고 권한다(Fitzgerald, 2000). 다음은 그녀가 원래 만들어놓은 것을 각색한 것이다.

나의 이야기
나의 인생에서 죽은 사람은 ……
그 죽음의 원인은 ……
내가 그 죽음에 관해 처음 알았던 때는 ……

그때 나와 함께 있었던 사람들은 ……

처음 내 느낌은 ……

지금 내 느낌은 ……

나는 화가 났다. 왜냐하면 ……

지금 내가 걱정하는 것은 ……

내 친구들은 ……

나의 삶에서 어른들은 ……

내게 도움이 되는 것은 ……

내게 도움이 되지 않는 것은 ……

죽은 후에, 내 생각에는 내가 사랑했던 사람이 ……

그 죽음 이래로 나는 더욱 ……

내가 이 그룹에서 하기를 바라는 것은 ……

지지 활동가의 자기 인식과 애도 상담의 영향

상실과 죽음 일반에 대한 당신 자신의 느낌을 자각하는 것이 결정적으로 중요하다. 당신의 태도·행동·편안함의 정도가 당신이 사용하는 어떤 말만큼이나, 어쩌면 그보다 훨씬 더 중요하다. 당신이 상담하고 있는 아이나 청소년이 고통스럽다는 것을 인정하고 받아들여라. 그 아이나 청소년에게 고통을 뚫고 나가라거나 '고치라'고 밀어붙이는 것은 도움이 되지 않을 것이다.

사별당한 아이와 일하는 것이 성인에게는 더 강한 반응을 일으킬 수 있는데, 성인 자신의 취약함을 건드리기 때문이라는 견해가 있다(Hogwood, 2007). 그러므로 상담자와 자원봉사자는 어떤 방법으로 자기 돌봄을 극대화할지,

현재 자기에게 어떤 지지망이 있는지, 그 지지망을 계속 이용할 수 있는지 고려하는 것이 필수적으로 중요하다.

사별당한 아이와 청소년을 지원하는 일은 과중한 일이지만 보람 있기 때문에 당신이 자신의 신체적·정서적 건강을 돌보는 것이 중요하다. 당신의 회복탄력성을 강화할 요소들이 있는데, 이를 짐바브웨의 호스피스 책임자 발레리에 마아스도르프Valerie Maasdorp가 말해준다. 그녀가 주창한 바에 따르면, 역경과 더불어 일해야 할 때 "자기 일을 위해 잘 훈련받는 것, 자기 삶의 균형을 잘 잡는 것, 낙관적인 태도를 높은 수준으로 유지하는 것, 창조적으로 사고하는 능력과 '고통과 함께 머물며' 물러서지 않을 수 있는 것"이 필요하다(Schuurman, 2008: 9).

사별 상담자는 반드시 슈퍼비전을 받아야 한다(Shohet, 2008). 슈퍼비전은 자신을 잘 돌보고 열정이 '소진'되는 경험을 하지 않도록 확실히 할 뿐 아니라, 당신이 상담하는 사람들을 더 안전할 수 있게 만들어준다. 슈퍼바이저가 〔당신의 상담에 대한〕 당신 자신의 반응을 스스로 분석하도록 도와줄 것이며, 복합적이고 힘든 사례를 어떻게 이끌어갈지 안내해줄 것이며, 당신의 상담에 대해 성찰해볼 기회를 제공할 것이다(Henderson, 2009).

- 사별당한 아이를 상담할 때, 당신의 상실 경험은 당신의 감정에 어떤 영향을 끼치는가?
- 사별당한 아이나 청소년을 상담할 때 당신에게 가장 두려운 것은 무엇인가?
- 사별당한 아이와 청소년을 도울 때 당신이 지닌 장점은 무엇인가?
- 당신이 도움을 필요로 할 때 지원받을 수 있는 곳이 있는가? 당신을 지지해줄 수 있는 사람은 누구인가?
- 아이에게 전문가의 도움이 필요하다면 당신은 누구에게 의뢰하겠는가?
- 당신은 자신에게 어떤 성장과 훈련이 필요한지 알 수 있는가?

아버지가 돌아가셨을 때 벤(Ben)은 16세였다.

처음에 든 생각은 '이제 문신을 할 수 있겠구나'였어요. 아버지는 정말 엄격했고 내가 문신하는 걸 절대 용납하지 않았을 거예요. 이제 친구들처럼 할 수 있다고 느꼈는데, 그러고는 끔찍했어요. 아버지가 돌아가시자마자 내가 문신 생각이나 하다니. 엄마에게 정말 미안했어요. 엄마는 사랑하는 사람을 잃었고 정신이 없었지요. 계속 울었어요. 나는 집에서 아빠가 했던 일들을 하고 도우려 했지요. 나는 전혀 울지 않았어요. 장례식에서도요. 하지만 내가 그렇게 반응한 것이 아직도 기분 나빠요.

- 아버지의 죽음에 대한 벤의 반응이 어떻게 그의 성별에 의한 영향일 수 있을까?
- 당신은 벤이 아버지의 죽음에 보인 첫 반응을 읽으며 어떤 느낌이 들었는가?
- 이 연령의 아이가 부모의 죽음에 보이는 반응에 영향을 줄 수 있는 요소는 무엇인가?
- 당신도 이 나이에 상실을 경험한 적이 있는가? 반드시 사별일 필요는 없다. 당신의 반응은 어떠했는가? 그 상실이 아직 당신의 삶의 방식에 영향을 주고 있는가?

제**4**장

죽음 이해시키기

취약 아동의 정신 건강 이슈:
ADHD, 자폐, 그리고 특수교육이 필요한 아이

엄마의 새 남편이 날 좋아하지 않아서 날 보호시설에 보냈어요. 거기서 난
내가 미쳐가나 보다 생각했어요. 그래서 자해하기 시작했지요. 친구가 죽고 나
서는 더 그랬어요. 내가 그 자리에 없어서 보지는 못했지만 계속 그 애 생각이
났어요. 시계를 거꾸로 돌릴 수 있으면 좋겠어요. 내가 어렸고 할아버지도 아
직 여기 계셨던 때로요. _ K(14세)

학습 장애가 있는 아동과 청소년, 가족이 해체되어 지역 당국의 보호를
받는 아이, 범법 행위를 해 보호 감찰원에 있는 아이, 신체적 또는 정신적 건
강의 문제로 사회에서 격리된 아이도 상실과 사별에 직면하는 일이 생긴다.
슬프게도 이런 아이들은 임종과 죽음을 둘러싼 일들에 참여할 권리가 주어
지지 않고 배제당해왔다(Read, 2003). 참여하려는 그들의 욕구가 인정받고,
가족의 예식과 사회적 예식에 그들을 참여시키는 것이 반드시 필요하다
(Mitchels, 2009; McDougall, 2008; Stokes, 2009a; Oswin, 1991).

96 사별을 경험한 아동·청소년 상담하기

정신 건강은 아동의 발달 과정에서 매우 중요하다. 영국의 국가의료제도 자문기구의 정의에 따르면 정신 건강이란 "심리적·정서적·지적·영적으로 발달할 수 있는 능력, 서로 만족스러운 인간관계를 시작·개발·유지할 수 있는 능력, 다른 사람을 인정하고 공감할 수 있는 능력, 심리적 스트레스를 발달의 한 과정으로 이용할 수 있는 능력, 그래서 이후의 발달을 가로막거나 손상시키지 않는 것"이다(NHS Advisory Service, 2002). 사별은 이러한 정신 건강에 좋지 않은 영향을 끼친다.

한쪽 부모와 사별한 아이·청소년의 50~66%가 심리적 고통과 우울 증상을 보이는데, 그런 증상들은 오래 지속될 수도 있다(Ribbens McCarthy, 2006). 사별 경험이 없는 아이보다는 부모나 형제와 사별한 경험이 있는 아이에게 정신 건강상의 다양한 곤란함이 더 많이 퍼져 있음을 보여주는 연구도 있다(Green et al., 2005). '아동·청소년을 위한 일반 평가 체계The Common Assessment Framework for Children and young people'는 청소년과 아동의 필요를 평가하기 위해 모든 관련 기관이 사용하는 표준화된 접근 방식으로서, 사별 이후의 지침을 제공해준다(DfES, 2005b). 여기서의 조언에 따르면, 사별을 경험한 아이나 청소년에게 심각한 변화가 관찰될 때는 우선 일반 평가를 받게 하는 것이 적절하다. 이러한 과정은 취약한 아동과 청소년에게 특히 도움이 될 수도 있다. 그들은 사별 이후에 더 큰 장애를 겪을 위험에 처할 수 있기 때문이다.

취약 아동 보호하기

우리 모두 취약 아동을 안전하게 보호할 책임이 있다. 발달 지연이나 발달 장애가 있는 아이는 인지적·신체적·정서적 역량이 충분히 발달하지 않

있기 때문에 한계들을 지닌다. 이러한 장애에는 뇌성마비, 시각장애, 언어장애와 발성장애, 지적장애와 자폐증 같은 발달 장애가 포함된다(Gurian et al., 2009). 이러한 장애가 있는 아이는 트라우마가 생길 만한 큰 사건에 직면했을 때 더 많은 도움이 필요하다. A. 에버랫A. Everatt과 I. 게일I. Gale은 "특수교육이 필요한 아이에게서 발견된 정신 건강 문제의 비율이 일반적인 아이보다 더 높다"라고 보고했다(Meltzer et al., 2003). 따라서 그 아이는 특수교육이 필요 없는 아이에 비해 사별의 충격에 더욱 취약하리라는 것이 합리적 결론이다. 학습 장애에 관한 국가정책 보고서 「사람을 귀중하게 여기기Valuing People」(Department of Health, 2001)는 이 아이들의 욕구를 인정하고 이들을 사회에 포함시키는 것과 그들의 시민권·선택·독립성을 강조한다. 이 보고서는 장애가 있는 아동·청소년이 다른 아이들과 동일한 지원을 받을 권리가 있음을 분명하게 명시한다.

청각 장애가 있는 아이는 신호들을 알아채지 못할 수 있고, 시각장애가 있는 아이는 타인의 얼굴 표정을 읽지 못할 수도 있다. 따라서 정보를 줄 때는 그 개인의 장애를 고려해 적절한 방식으로 지원해야 한다. 괴로워하는 징조가 말로 표현되지 않을 수도 있는데, 이것이 바로 장애가 있는 아이는 애통함을 느끼지 못한다는 잘못된 견해가 생기는 이유 중 하나가 되기도 한다(Hollins and Esrehuyzen, 1997). 그들의 애도 행위는 얼굴 표정, 신경성 경련, 발한, 아픈 느낌, 말투의 변화, 행동화, 위축 등으로 관찰될 수 있다. 학습 장애가 있는 사람들도 일반인과 동일한 방식으로 사별을 경험한다고 지적하는 조사·연구가 있다(Oswin, 1991; Summers and Witts, 2003). 실라 홀린스Sheila Hollins와 알렉산더 에스류이젠Alexander Esrehuyzen은 연구를 통해서, 연구 시점 2년 안에 부모를 잃은 사람이 표본 집단에 비해 성마름, 무기력함, 부적절한 언행, 과잉 행동을 보이는 비율이 더 높다는 점을 발견했다(Hollins and

Esrehuyzen, 1997).

학습 장애가 있는 아동과 청소년은 애도의 과정을 다른 사람에게 의존하는 경우가 많다(Read, 2003). 학습 장애 아동에게 통제의 자리는 보통 외부에 있으며, 그들은 주로 다른 사람에게 의존해 자기의 욕구를 예상하고 충족한다. 부모와 양육자의 과잉보호는 그 아이가 죽음 이후의 예식들에서 역할을 하지 못하도록 막고, 그래서 아이의 힘을 박탈하는 셈이 될 수도 있다. 주변으로 밀려난 사람들은 애도할 권리와 죽음에 대해 알 권리를 박탈당하는 경험이 자주 있다(Todd and Read, 2009). 그 상실이 사별당한 자의 사회적 환경에서 공개적으로 인정받을 수 없는 경우, 또는 공적으로 슬퍼할 수 없거나 표현될 수 없는 곳에서는 애도할 권리가 박탈된다(Doka, 2002; Mallon, 2008). 이런 상황에서는 사별당한 자의 학습 장애나 학습 불능 때문에 그에게 애도할 '권리'가 있다는 것이 사회적으로 승인되거나 인정받지 못할 수도 있다(Walter, 1999).

의사소통이 곤란한 사람들은 죽음에 관해 설명하는 창의적 자료가 필요할 수 있다. 사진과 인생 이야기 작업을 이용해 죽음을 그 가족의 맥락 안에 놓을 수 있다(Jackson and Jackson, 1999). '인생 이야기' 책을 만들어 과거를 탐색하고, 지금 여기서 일어나는 일을 인정하며, 장래 계획을 세울 수 있다. 또한 사진은 사별당한 아이가 고인에 대한 기억을 구체적으로 간직하도록 도울 수 있다. 행복, 슬픔, 분노, 혼란 등의 느낌을 표현하는 얼굴 그림을 카드로 만든 '얼굴 표정Feeling Faces' 카드가 언어장애가 있는 아이에게 사용될 수도 있다. 이를 통해 그들이 자기 느낌을 전달하도록 도울 수 있다(Towers, 2008).

학습 장애 아동에게 상담이 어떤 혜택을 줄지에 관해서는 예전부터 논의가 있었다(Dodd and Guerin, 2009). 그렇지만 아동과 청소년을 상담하는 근본

목적은 죽음이 무엇을 의미하는지, 무슨 일이 일어났는지, 고인의 삶의 일부였던 사람들에게 고인의 죽음이 어떤 영향을 미치는지 그들이 이해하도록 돕는 것이다. 〔그 아이를 상담하기보다는〕 그러한 사별을 경험한 어른을 상담하고 지원함으로써 그 어른이 맡고 있는 아이나 청소년을 돌보는 기술을 개발할 수 있게 돕는 것이 훨씬 유용할 수도 있다.

지적장애 아동의 부모나 보호자가 죽었다면 그 아이는 자기가 사랑하는 사람을 상실한 것일 뿐 아니라 자기의 특수한 필요, 자기가 좋아하는 것과 싫어하는 것을 잘 알고 있는 사람을 상실한 것이며, 가장 신뢰하는 관계에 있는 사람을 잃은 것이다.

죽음이 예상될 때는 어떤 일이 일어날지 아이에게 미리 알려주는 것이 아이가 사별을 준비하는 데 도움이 될 수 있다(Black, 1996). 도라 블랙Dora Black은 "부모 중 누군가가 죽을 때 앞으로 아이의 주 보호자가 될 사람에게 아이가 애착을 형성하도록 만드는 것이 중요"하며 이는 부모의 죽음으로 인한 트라우마를 덜 생기게 만든다고 권고한다(Everatt and Gale, 2004: 32). 분명한 점은 이것이 대단히 민감하게 이루어져야 하고, 죽음을 앞둔 부모가 동의해야 한다는 것이다. 그렇지 않을 경우 그 부모와 아이의 결속이 결정적으로 중요한 시점에서 망가질 수 있다.

지적장애 아동과 청소년은 죽음 이후 행하는 예식, 가령 고인의 시신을 보는 일 또는 장례식에 참석하거나 묘지를 방문하는 의식에서 배제될 수 있다. 이것을 '선의의 배제benevolent exclusion'라고도 부른다(Downey, 2002). 그러나 지적장애가 있는 사람을 사별의 고통으로부터 보호하려는 사람들이 오히려 결과적으로는 그를 그 자신만의 애도함 안에 고립시키는 셈이다. 이렇게 '권리를 박탈당한 애도'(Doka, 1989)는 특수한 필요가 있는 사람의 애도 표현을 막고 그가 소외를 느끼게 만든다. 이것이 애도 과정을 연장할 수도 있다(Bonell-Pascual et al., 1999). 그러나 조사와 연구는 지적장애가 있는 사람들도 일반인과 매우 똑같은 방식으로 상실과 사별에 반응한다는 사실을 보여준다(Dowling, 2002; Hollins and Esterhuyzen, 1997; Oswin, 1981). 지적장애가 있는 사람의 개인적 욕구와 역량을 반영한 유연하고 창조적인 방식으로 상담 기술을 이용한다면, 그가 애도 과정을 의미 있게 다른 방식으로 지나가도록 만들 수 있다.

장례식 참석은 죽음이 최종적인 것임을 인식하는 데 중요한 부분이다. 이는 장애가 있는 아동과 청소년이 그 사람을 '놓아두는' 데 도움이 되며, "고인이 어디 있는지를 반복적으로 묻는 일이 줄어들 수 있고, 또한 '곤란한 행위'의 빈도와 강도가 줄어들 수 있다"(Bonnell-Pascual et al., 1999; Everatt and Gale, 2004: 34; Sheldon, 1998). 장의사들의 보고에 따르면 학습 장애가 있는 사람들은 장례식에 관한 어떤 논의에서도 친척이나 장의사에 의해 배제되는 경우가 잦다(Raji et al., 2003). 종교적·문화적 요소들 또한 장애 아동의 장례식 참석 여부에 영향을 미친다. 많은 경우에 죽음은 감정의 폭발 없이 침착하게 맞이해야 하는 것으로 여겨진다. 장애가 있는 사람은 사회적으로 용납될 수 없는 방식의 행동을 할 수도 있다는 일종의 믿음 때문에 그들이 배제될 수도 있고, 따라서 장례식에 참석하지 못하도록 권유될 수도 있다(Raji et al., 2003).

학습 장애가 있는 아동과 청소년 지지하기

애도하고 있는 아이나 청소년을 지원할 때는 그 아이의 인지 수준과 발달 수준을 고려하는 것이 중요하다(Blackman, 2003). 말을 할 때는 구체적이고 일관되어야 한다. 그래서 학습 장애가 있는 아이를 지지하는 데 관여된 모든 사람은 그 아이를 혼동시키는 완곡한 표현보다는 '죽는'이라는 단어를 사용해야 한다. 그 아이의 필요에 반응하도록 노력하라. 즉, 아이가 주도하도록 만들고, 그때 아이가 당신과 말하거나 소통하고 싶어 하지 않을 수도 있다는 사실을 존중하라. 그 아이가 활동을 선택할 수 있도록 하면서, 한편으로는 안전한 일상의 안정감과 분명한 울타리를 여전히 유지해줘야 한다(Hand-in-Hand, 2007). 만일 당신에게 추가적인 도움이나 정보가 필요하다면 지역의 사회 건강 복지Social and Health Care'[●] 기구의 '장애 팀Disability Team'에 연락해도 된다.

죽음과 사별을 탐구할 때 창조적 접근 방식이 상실을 다루는 청소년을 돕는 데 효과가 있다(Read, 1999). 색칠하며 그림 그리기, 선으로 그림 그리기, 음악 만들기, 마지 히가드Marge Heegard의 『아주 특별한 누군가가 죽을 때 When Someone Very Special Dies』(Heegard, 1991)와 같은 그림책에 색칠하기 등은 감정을 표현하고 긴장을 풀 기회를 줄 수 있다(Barber, 1999). 학습 장애가 있는 아이는 활동 보조자와 마주 앉기보다는 옆에 나란히 앉는 것을 더 편안하게 느낄 수도 있다(Hand-in-Hand, 2007).

어떤 아이는 사별에 관한 책에 나오는 그림이 무엇을 말하는지 알기 어려워하므로 사진과 그림 그리기를 통해 자신의 이야기책을 만드는 것이 도움이 된다. 이렇게 개인적인 이야기가 그 아이에게는 이해하기 더 쉬울 것이다. 아이가 검은 머리카락인데 그림책 속 아이는 금발이라면, 아이는 그림 속 아이와 동일시하지 못한 채 그 점에 걸려 어쩔 줄 모르기 때문이다. 수 리드Sue Read는 다음과 같이 말한다. "삶의 이야기들은 어떤 개인과 동일시하

● 영국의 건강과 사회적 돌봄을 제공하는 기관들에서 이용할 수 있는 서비스에 관해 사용하는 용어이다. ─ 옮긴이

는 가장 강력한 방법이 될 수 있고, 잊힐 수 있었던 문제나 사람에 대한 기억을 좋은 기억이든 나쁜 기억이든 되돌려준다는 점에서 후련하게 만들어줄 수 있다. 그런 이야기는 또한 사별 지원 과정에서 적절한 때 그 일을 검토하게 하는 구체적 기록이 될 수도 있다"(Read, 1999: 12). 이런 작업은 또한 '이야기 판story board'을 통해 이루어질 수 있다. 그 판은 고인의 죽음 이전의 과정과 이후의 사건들을 그림으로 보여주는 것이며, 이는 그 아이가 자기 느낌을 표현하고 자기 이야기를 하도록 도울 것이다.

자폐 스펙트럼 장애Autistic Spectrum Disorder: ASD*

자폐 증상이 있는 아이나 청소년에게는 질환과 사별 등 상실에 대해 명확히 알려주고 준비시키는 것이 필요하다. 특히 보호자나 식구 중 누군가가 아프고 죽을 수도 있을 경우에는 더욱 그렇다. 다른 아이들과 마찬가지로 이 아이들도 가능한 한 많이 관여시키고 준비하게 만들면 더 잘 이해하고 적응해서 자기에게 주요한 사람과의 사별에 더 효과적으로 대처할 수 있을 것이다(Allison, 2001). 설명되지 않고 알지 못하는 일은 자폐 증상이 있는 아이에게 겁을 주므로 가능할 때마다 변화에 준비되어 있는 것이 필요하다. 아이에

---

* 2013년 미국정신의학협회가 출간한 정신 질환 진단 안내서인 *DSM-V*에서 기존의 자폐 장애(Autistic Disorder)에 자폐(Autism), 아스퍼거 증후군(Asperger Syndrome), 기타 비정상 발달 장애(Pervasive Developmental Disorder Not Otherwise Specified: PDD-NOS), 소아기 붕괴성 장애(Childhood Disintegrative Disorder)를 포함시켜 자폐 장애의 증상 범위를 넓히고 진단명을 'Autistic Spectrum Disorder(ASD)'라고 붙였다. 이 책에서는 '자폐 스펙트럼 장애'라고 번역할 것이다. — 옮긴이

게 중요한 사람이 아플 때 그 사람의 병원 약속 시간이나 진료 예정 시간표 또는 달력을 만드는 것이 도움이 될 수도 있다. 이는 또한 일어날 수 있는 변경 사항도 포함할 수 있다. 가령 방과 후 다른 사람이 데리러 온다든가, 아니면 밤에 다른 사람과 함께 있는 날이 표시될 수도 있다. 아이가 변화를 다룰 줄 알도록 돕기 위해서는 변하지 않고 똑같을 것들을 말해주며, 그것을 보장할 고정된 공간을 주어 불안을 줄이는 것이 도움이 된다(NAS, 2003).

식물이나 곤충의 생명 주기를 설명하는 시각 자료를 통해 죽음을 생명 주기의 한 부분으로 설명하는 것은 자폐 아동이 죽음의 개념을 이해하는 데 도움이 될 수 있다. 이 아이들은 왜 사람 모습이 달라지는지 알 필요가 있다. 예를 들어 병으로 체중이 줄고 있다면 그런 것을 알려주어야 한다. 알지 못하고 설명을 듣지 못한 변화는 불안을 유발한다. 이런 불안함이 도발적 행위를 하게 만들 수도 있다(NAS, 2003). 지적장애가 있는 사람들에게 장례, 화장火葬, 사별 개념을 설명해주는 『말로 하지 않는 책Books Beyond Words』 시리즈가 있다. 이 책들은 글 없이 그림으로 설명하기 때문에 자폐 아동이나 청소년 또는 기타 학습 장애가 있는 아동과 청소년에게 사용될 수 있다.

사별 이후 행위가 달라지는 것은 애도 반응의 지표일 수 있는데, 자폐 증상이 있는 아이나 청소년을 돌보는 사람은 이를 알아차리지 못할 수도 있다(Howlin, 1997). 그 아이가 죽음에 집착하는 경우도 있다. 집착은 자폐 증상이 있는 아이에게 아주 일반적이며, '자폐긴급구조Autism Helpline'가 만든 정보지 ≪강박, 예식, 일과Obsessions, Rituals and Routines≫는 도움이 될 기법들을 제공한다.

보호시설의 아이

일반적으로 학교에 다니는 아동과 청소년 25명 중 한 명 정도는 부모나 형제자매와의 사별을 경험한 적이 있다. 보호시설에 있는 아동의 경우 이 수치는 훨씬 더 높다(Ribbens McCarthy, 2006). 지방 당국에서 보호하는 아이들은 많은 경우에 학대와 방치, 그리고 부모의 죽음까지 포함한 상실이 누적된 가정을 출신 배경으로 한다(DfES, 2007). 사회복지사찰단Social Services Inspectorate 의 보고서 「가정을 떠남은 보살핌에서 떠나는 것이다When Leaving Home is also Leaving Care」(1997)는 암울한 상황을 말해준다. 가정의 보살핌에서 떠난 아이들 75% 이상은 학교 졸업장이 없고, 16세 이후에 떠난 청소년의 50%가 무직이며, 보살핌에서 떠난 여자 청소년의 17%가 임신 중이거나 이미 아이가 있다. 젊은 수감자 38%는 보호시설에 머무른 적이 있고, 젊은 노숙자 30%도 그렇다. 이 수치는 조사 기간 몇 년 동안 큰 변화가 없었다.

지역 당국의 보호시설에서 지내는 아동과 청소년은 많은 상실을 경험했을 수 있는데, 가족과 분리되어 보호시설에서 있는 것도 그런 상실에 속한다(Penny, 2007). 이 중 많은 아이가 불안정한 애착을 경험한 적이 있다. 어떤 아이는 한쪽 부모가 사망하면서 지역 당국의 보호시설로 보내진다. 어떤 아이는 아동법 20항Section 20 of the Children Act 에 따라 임의로 보호될 수 있는데, 양육권을 지닌 부모가 자발적으로 맡기는 경우, 보호 명령Care Order*에 따라야 할 경우, 부모의 권한이 지역 당국과 공유된 경우가 그렇다. 한 연구에 따르면 돌봄을 받는 5세 미만 아이 중 30%가 가까운 친족과 사별했다(Cousins et al., 2003). 보호시설의 아이와 청소년은 스스로가 사랑받을 만하

● 영국에서 아이를 보호 기관이 보호하도록 하는 법원의 명령이다. - 옮긴이

지 못하고 실패할 것이라 생각할 수도 있다. 이 외롭고 두려운 느낌이 자기 이야기를 하면서, 또 놀면서 표현되는 경우가 자주 있다(Cattanach, 2007).

나는 '미친 집'에 들어갔어요. 보호시설이라고 부르는 집인데요, 나쁜 부모로부터 피하는 곳이거든요. 그 집에서 난 본드 마시고, 도둑질, 칼 장난을 하는 법을 알게 되었어요. 곧 학교 아이들 사이에서는 건드릴 수 없는 애로 이름이 났지요. 거친 애들은 모두 보호소에서 온다고 되어 있었거든요(Benjamin Perks, "Home where the Heart Aches," *The Guardian*, July 11, 1990).

사별당한 청소년과 범죄

상실 경험이 누적된 청소년은 반사회적 범법 행위에 연루되기가 더 쉽다. 2000년에 구성된 청소년 범죄 전담팀의 목표는 아동과 청소년의 범법 행위를 줄이고 방지하는 것이다. 영국 북서부의 청소년 범죄에 관한 연구에 따르면 "상실감과 거절당한 감정은 인생에서 어떤 일보다도 내담자에게 큰 영향을 주었다"(Kerr, 2004: 44)고 한다. 1027명의 아동과 청소년의 사건 파일이 연구된 결과 나타난 것은 상실이 미치는 영향이다. 그들 중 68%는 가족의 붕괴를 경험했는데, 이로 인해 한쪽 부모와의 접촉이 영구히 상실되었다. 42%는 부모나 보호자에게 거부당한 적이 있었고, 18%는 임시적으로만 가정생활을 경험했다. 13%가 사별을 겪었으며, 7%가 상실을 경험한 것은 그들의 한쪽 부모나 보호자가 후천적 장애를 입어 자녀를 더 이상 적절히 돌볼 수 없었기 때문이다. 그 아이와 청소년을 모두 합쳤을 때 92%가 이런 상황 중 하나 이상을 경험했다. 그 기록을 살펴보았지만 어느 누구에게도 사별 상담이 제공되었다는 증거가 없었다.

사별은 청소년 범죄 전담팀이 마주치는 가장 일반적인 건강 문제 5개에 속한다(Youth Justice Trust, 2001). 53항 Section 53을 범한 청소년, 가령 살인 같은 중범죄를 저지른 청소년 중 57%가 중대한 사별을 경험했거나 그에게 중요한 사람과의 접촉을 상실한 경험이 있었다(Boswell, 1995; Higgins, 2001).

보호 감찰원에서 생활하는 아이

해마다 구류 시설을 거쳐가는 아이가 8000명이다(Lewis and Heer, 2008). 구류되는 아이들은 취약 집단을 이룬다(McDougall, 2008). 법을 어긴 청소년에게 사별이 미친 영향을 탐구한 어느 연구에 따르면 "아동기나 청소년기에 상실과 사별 경험이 있는 자들이 특히 정서적으로 취약"했다(Vaswani, 2008: 2). 북아일랜드의 보호 감찰 secure accommodation* 이용에 관한 어느 조사에 따르면 법을 어긴 청소년은 "사별에 대한 광범위한 경험이 있고, 자기 가족과 힘든 관계에 처한 경우도 많으며, 심각할 정도로 특수교육이 필요하거나 정서적·정신적 건강 문제를 포함한 장애가 있는 상태에 놓인 경우가 많다"라고 한다(Sinclair and Geraghty, 2002: 4).

구류된 청소년은 위협과 괴롭힘에 시달리며, 자해의 다양한 사례를 보여주고, 자살 비율이 높으며, 불안 수준이 높아지는 등 정신 질환의 비율이 높다(Lambert, 2005). 덧붙이자면 구류된 청소년의 20~30%는 학습 장애와 학업

---

* 일반 보호시설에서는 그 아이의 자유를 제한하지 않지만, 아이가 도망가거나 이를 통해 스스로에게, 또는 남에게 해가 될 수 있다고 판단되는 경우 그 아이의 자유를 제한하기 위해 취해지는 조치가 보호 감찰이다. ― 옮긴이

지체가 있다(Talbot, 2008). 이런 곤란함 때문에 어떤 활동과 지원에서 제외될 수 있고, 읽지 못하거나 쓰지 못하는 탓에 재범再犯 비율을 낮추려 제공되는 프로그램의 혜택을 받지 못할 수도 있다. 또한 방문 신청서 작성 같은 소통 절차도 어려워해 가족이나 친구와 연락을 유지하기 힘들 수도 있다. "내가 방문 신청서를 반송받은 적이 있지요. 그 애들의 성姓을 몰랐기 때문이에요. 그 직원이 애들 성을 알아내 전화해줄 때까지 6주를 기다려야 했어요. 모든 사람의 성을 누가 알겠어요. 그 애들이 읽을 줄 모른다면 더 그렇지요"(Talbot, 2008: 14에서 재인용).

　보호 감찰원 직원은 근무 중에 사별을 경험한 청소년과 만나기 쉽다. 과거에 사별을 겪은 아이도 있고, 구류되어 있는 동안 사별당한 아이도 있다. 니나 바스와니Nina Vaswani의 2008년 연구에 따르면 지속적으로 범죄를 저지르는 청소년은 보통의 청소년보다 부모와 사별했을 가능성이 여섯 배나 높았다. 이 수치에 포함되지 않는 아이들 중에는 심리적 외상을 입히는 상황, 가령 자살, 약물 과용, 살인으로 친구나 친척을 사별한 경험이 있었다(Penny, 2009a: 3). 사별 이후의 청소년에 대한 지원이 결핍되면 어떤 청소년은 마약에 손대기도 하고 범죄행위에 연루될 수도 있다. 그들 삶에 결핍된 다른 요소들이 있을 때는 특히 그렇다(Finlay and Jones, 2000).

　사별이라는 문제와 더불어, 그런 청소년은 가정에서 멀리 떨어져 있는 것에 불안해하고, 죽은 이에 대해 죄책감을 느끼며, 남은 식구들을 염려한다. 어떤 경우에는 장례식 참석을 허락받지 못할 것이다. 아니면 수갑을 차고 교도관과 함께 참석할 수도 있다. 죽어가는 이에게 작별할 기회가 없을 수도 있으며, 가족의 예식에 함께하지 못할 수도 있다. '사별아동 네트워크'의 앨리슨 페니Alison Penny는 보호 감찰원의 청소년과 직원을 조사·연구해, 구류되어 있는 동안 사별당한 사람에게 도움이 될 수 있는 몇 가지 요소를 확인했다(Penny, 2009a: 4). 이는 관에 넣을 것 만들기, 장례식이나 장지 옆에서 낭송할 글쓰기, 죽은 이가 좋아한 음악 듣기, 추억을 기록하기, 장례식이 거행되는 바로 그 시간에 예배실 같은 안전한 공간에서 기도나 예배 드리기 등이다. 청소년 범죄자는 이런 식으로 애도하면서 고립된 느낌을 갖지 않게 될 것이다. '사별아동 네트워크'의 '더 건강한 내면Healthier Inside' 프로그램은 직원들이 사용할 수 있는 기법들을 설명해준다(CBN, 2008).

보호 감찰원에 있는 어떤 청소년은 갱에 속했을 수도 있다. 톰 색빌Tom Sackville이 존에 관해 쓴 것을 보자. 존의 아버지는 갱이었고 자기 아들도 그렇게 되기를 바랐다. 존은 지금 18세인데 11명의 죽음을 경험했고, 라이벌 갱이 그의 목숨을 네 번이나 노렸다. 갱의 힘과 갱으로서 경험한 트라우마가 그의 삶 전반에 영향을 미쳤다. 존이 다음과 같이 말할 정도이다. "갱을 벗어날 수 있는 유일한 길은 관으로 들어가는 거예요. …… 내가 뭔가 하지 않으면 내 아들도 갱이 되겠구나, 그리고 이건 절대로 그치지 않을 일이구나를 깨달았지요." 그는 갱 문화를 끊고 나오도록 도와주는 프로젝트에 참여했다(Sackville, 2008: 14). 보호 감찰원에 있는 많은 청소년이 사별 경험과 미래의 상실에 관한 두려움 때문에 정서적으로 심각하게 괴로워할 수도 있다.

2009년 전국아동사무소National Children's Beurau*에서 행하는 '더 건강한 내면'이라는 프로그램은 '모든 아이가 중요하다Every Child Matters'는 정부 정책이 보호 감찰 상태에서도 전달되도록 도와줄 자료세트Toolkit를 보급했다(Lewis and Heer, 2008). 이는 구류 상태의 청소년이 건강과 복지를 누릴 권리를 지니도록 직원들이 도울 핵심 요소들뿐 아니라 구류된 청소년과 일하는

---

* 영국에서 국가의 아동보호 정책에 협력하기 위해 1963년에 설립된 전국적인 조직의 사단법인이다. ─ 옮긴이

직원들의 필요도 함께 통합한 자료이다(Fitzpatrick, 2006; National Children's Bureau, 2008).

아이를 전문가에게 의뢰하기

어떤 아이와 청소년은 애도하면서 자기 자신을 지탱할 줄 몰라 애도함에 '빠져버려' 만성적인 슬픔에 갇히거나 죽은 이 없는 삶을 잘 살아내지 못하기도 한다. 그 아이에게 전문가의 도움이 필요한지 파악할 수 있는 몇 가지 지표는 다음과 같다.

- 우울함의 장기화
- 느긋해지지 못함
- 자기 모습에 대한 관심 감소: 자기 방치
- 신체 건강의 약화
- 사별 이전에 즐기던 활동을 즐거워하지 않음
- 수면 습관의 변화
- 행동 문제, 학교에서 집중하지 못함
- 무기력함
- 자기가 가치 없다는 느낌

그 아이를 평소에 진찰하던 의사나 그 지역 '아동·청소년 정신 건강 서비스Child and Adolescents Mental Health Service: CAMS'를 통해 전문가의 도움을 받을 수도 있다. 전문가의 지원에는 개인 치료나 그룹 치료, 연극 치료, 가족 치료, 또는 '크루즈Cruse'나 '윈스턴의 소망' 같은 기관을 통한 사별 상담이 포함된다. 의뢰가 필요할 경우 해당 기관은 그 아이나 청소년에게 필요한 것이 무엇인지 확인하기 위해 보통 일정한 평가서를 작성한다(Machin, 2009; Webb, 2002). 아동·청소년과 일하는 우리 모두 아이를 돌볼 의무가 있으며, 만일 어떤 아이와 함께하는 일이 당신의 역량 밖이라고 느끼면 더 전문적인 기관에 의뢰하는 것이 대단히 중요하다.

결론적으로, 취약한 그룹과 함께하는 일에는 모든 핵심 지지 기법을 사용해야 하며, 그들이 살면서 겪어온 수많은 상실을 알아차리고 인정할 줄 아는 대단한 예민함이 있어야 한다.

1980년 친구를 죽였을 때 벤 건(Ben Gunn)은 14세였다. 학교에서 집에 가는 길에 그 둘은 말다툼을 했다. 벤이 친구를 공격했는데 치명적인 상처를 입혔다. 벤은 경찰에 전화하고 도착할 때까지 기다렸다가 곧장 자백했다. 그 두 아이 모두 보호시설에서 지내고 있었으며 힘든 어린 시절을 보냈다. 벤은 11세에 아동보호시설에 들어왔는데, 엄마가 죽은 지 2년 뒤의 일이었다. 그가 가출하려 했을 때 아버지가 아동보호시설에 보내버린 것이다. 범행과 체포의 충격이 가라앉고 며칠 사이에 벤은 자신이 저지른 일이 끔찍하게 무서웠다. 요새 그 일들은 시각적으로 '플래시백(flash back, 순간 재경험)'되고 있으며, 더 최근에는 그 플래시백이 청각적으로 나타나 "모든 소리가 자꾸 재생되고 있음"을 경험하고 있다(Allison, 2009: 2).

- 벤의 어린 시절에서 상실의 어떤 측면을 확인할 수 있는가?
- 아동보호시설에 들어간 것이 그에게 어떤 영향을 끼쳤을까?
- 친구의 죽음이 그에게 어떤 식으로 영향을 미쳤는가?
- 보호소에 수용된 청소년이 직면하는 어려움은 어떤 것들이 있는가?

상처받기 쉬운 아동과 청소년이 사별 이후의 추모 예식에서 배제될 수도 있다. 이를 통해 그들의 애도할 권리가 박탈된다.

- 상처받기 쉬운 청소년이 왜 장례식 등의 행사에서 배제될 수도 있는가?
- 어떤 단계를 거쳐 그런 아이를 참여시킬 수 있을까?
- 당신은 상실이나 사별 이후 주변으로 밀려난 경험을 해본 적이 있는가? 없다면 그런 경험이 있는 어떤 사람이 생각나는가?
- 그것이 당신 또는 다른 사람에게 어떤 영향을 남겼는가?

제**5**장

학교의 역할

사별과 상실에 대한 학교 전체의 접근법

처음 알았을 땐 무척 지쳤어요. 처음엔 뭘 해도 겁났어요. 밖에 나가는 것, 학교 가는 것도요. 학교에 갔더니 아빠가 어떻게 돌아가셨는지 묻더라고요. 처음엔 말을 못했지만, 익숙해지다 보니 말해주게 되었지요. _ H(10세, 아버지 자살)

학교의 역할

영국 정부는 사별이 아이 인생 대부분의 측면에 영향을 미친다는 사실을 인식하고 있다. '개인을 위한 사회교육과 건강교육Personal Social and Health Education: PSHE'●과 시민 조직 또는 '건강한 학교Healthy Schools' 운동은 사별

● 영국의 공교육에서 다루어지는 일종의 '인생 수업' 혹은 '시민교육'이라 할 수 있다. 개인의 육체적·사회적·정서적 건강, 사회생활, 가정생활, 갈등 해결, 의사소통, 시

을 포함한 건강 관련 문제들을 다룬다(Child Bereavement Network, 2004: 55). '사회적·정서적 측면의 교육Social and Emotional Aspects of Learning: SEAL'* 과 PSHE 프로그램 역시 사별과 애도에 관련된 교육과 연계되어 있다(Penny, 2009b). 교육기술부Department for Education and Skills** 에 '전환기 지원' 아동전 담인력을 위한 공통 핵심기술과 지식Common Core of Skills and Knowledge for the Children's Workforce under 'Supporting Transition'이 설립된 후부터(Department for Education and Skills, 2005a), 아동과 밀접하게 일하는 사람은 식구 중 질병 이 있거나 사별이 있을 경우 아이를 어떻게 지원할지의 사항을 알아두어야 한다. 또한 그 아이를 더 돕기 위해 얻을 수 있는 자원이 그 지역 어디에 있 는지 알 필요가 있다. 교사를 포함해 학교의 모든 교직원은 아동기 사별과 관련된 이슈에 대해 훈련받는 것이 아주 중요하다. 사별과 상실에 대처해야 하는 아이를 돕기 위해서는 그 아이가 학교생활 내내 느끼는 감정을 읽고 표 현할 줄 아는 능력을 개발시키는 더 넓은 구조에 들어가 있을 필요가 있다 (McCaffrey, 2004).

일선 교사와 교직원이 학생들에게 감정 표현을 허용함으로써 그 학생들 이 자기가 당한 상실을 인정하도록 도울 수 있다. 엘리자베스 퀴블러 로스의 말을 염두에 둘 필요가 있다. "어른이 알고 있는 것과는 아주 달리, 죽음을 알고 있는 아이가 아주 많다. …… 그 어린아이들이 가장 현명한 교사이 다"(Rogers, 2007: 31에서 재인용). 아동과 청소년이 깊은 지혜가 있어 오히려 교직원이 적절히 반응하도록 도울 수 있다. 우리가 할 일은 그들에게 자기

간 관리, 인간관계 등과 관련된 쟁점들을 다룬다. - 옮긴이
* 이것 역시 영국의 공교육에서 다루어지는 수업으로, 각 학생들의 사회적·정서적· 행동적 기술을 개발하기 위한 학습 프로그램이다. - 옮긴이
** 영국에서 2001~2007년에 교육 체제에 대한 책임이 있던 정부 부처이다. - 옮긴이

말이 경청될 기회를 주는 것이다.

교직원은 아이가 잘 알고 있는 안전한 곳에서 돌봄, 지속성, 온정을 줄 수 있다. 사별은 삶의 자연스러운 부분이다. 의료적인 상태나 병리가 아니고, 정신 질환도 아니다. 교직원은 이를 인정할 필요가 있다(Servaty-Seib et al., 2003). 중요한 점은 사별당한 학생을 지원하는 한편, 그 학생을 여전히 정상적으로 대하며 또래와 다르게 취급하지 않는 것이다. 어떤 학생이 망명자나 난민이라면 그에게는 사별뿐 아니라 축적되어온 상실도 있을 것이다(Price and Iszatt, 1996; Rutter, 2003).

> 우리 학교에는 사회복지사가 있는데, 친절해요. 그 선생님은 내가 원하면 와서 이야기해도 된다고 말해주었어요. 난 그러고 싶진 않아요. 그래도 그렇게 말해준 건 좋은 일이에요. _ 아르민(13세)(Sjoqvist, 2007: 61)

캐서린 시프먼Catherine Shipman 등이 알아낸 것은 사별에 관한 방침이 정해져 있는 학교가 10% 미만이라는 사실이다(Shipman et al., 2001). 그 이유 중 하나는 교직원이 사별과 상실을 다루는 것을 불편해하거나 어떻게 해야 할지 확신이 없어서일 수도 있다. 절반 이상의 교사는 자기가 사별 문제를 다루는 데 부적절하다고 느꼈다고 말했다(Shipman et al., 2001). 일선에서 일하는 교사와 교직원은 사별당한 아이와 직접 얼굴을 맞대고 그 일에 관한 이야기를 나누는 것이 아주 불편할 수도 있다(Lowton, 2002). 바로 이 때문에 사별과 애도에 관한 훈련을 받는 것이 절대적으로 중요하다(Hare et al., 1986). 교직원은 학생들에게 롤모델이 된다. 따라서 그들이 학생들과 정서적으로 가까이 있는 것은 중요하다(Dogra et al., 2002). 교육자는 아동과 청소년이 죽음과 사별의 개념을 탐구할 수 있는 안전한 환경을 제공해야 할 위치에 있다. 아이가 애도를 둘러싼 감정의 소용돌이를 경험할 때 어느 정도로 안정감을 갖게 할지는 교육자에 따라 심각한 차이를 만들어낼 수 있다(Shipman et al., 2001).

아동이나 청소년이 사별을 겪었을 때, 그래도 그들 인생에서 지속되는 것 중 하나가 학교일 수도 있다(Lowton, 2002). 이전과 동일한 또래 집단이 그를 기다리고 있으며, 이전과 동일한 선생님뿐 아니라 익숙하고 동일한 일상이 그를 기다리고 있다. 재학 중에 사별을 경험한 청소년에 관한 연구에서 모든 참여자가 언급한 사실은 우정이 변했다는 것과 "사별은 주저함이라는 꼬리표를 붙여주었다"라는 것이다(Abdelnoor and Hollins, 2004b: 88). 그 학생들에게 학교는 자기가 말을 해도 되고 안 해도 되는 안전한 피난처일 경우가 많다. 하지만 어떤 학생은 다른 사람의 반응이 어떨지 걱정되어 학교로 돌아가는 것에 대해 염려할 수도 있다. 따라서 사별을 겪은 가족과 학생에게 연락해 그 학생이 돌아오기 전에 학교가 어떤 준비를 하면 좋을지 물어보는 것은 도움이 된다.

애도하고 있는 아이는 여전히 안전하다고 확신하기 위해 남은 부모와 접촉하는 일이 필요할 수도 있다. 따라서 집에 전화하거나 문자를 보내도록 허락해주는 것이 도움이 될 수 있다. 등교 거부로 자기의 괴로움을 표현하는 아이도 있고, 이런 아이들은 학교를 두렵다고 느낄 수도 있다. 이는 불안하거나 우울한 느낌을 나타내는 경우가 많다. 그래서 분리 불안이 학교 공포증으로 오해될 수도 있다. 아이는 학교생활이 즐겁지만, 다른 식구가 죽을까 봐 집을 나갈 수 없다. 이는 무의식적 과정인 경우가 많은데, 이것이 그 아이가 등교를 거부하는 내적 요인일 수 있음을 이해하면 도움이 된다. 한쪽 부모의 죽음을 경험한 아이는 상당 기간 어쩔 줄 몰라 하기가 쉽다. 교사는 학생이 애도하는 데 걸리는 시간을 적게 잡는 경우가 많다. 그러나 이 기간은 보통 사별 이후 1년 이상 지속되기가 쉽다.

가족이 자신의 애통함 때문에 자녀의 애도 과정을 도울 수 없을 때, 그 아이는 자기의 상실감을 학교에서 표현하는 경우가 많다(Eppler, 2008: 191).

얼마나 많은 아동과 청소년이 사별의 영향을 받는가?

2001년에 발표된 조사·연구 결과 시프먼 등은 조사 대상 학교의 79%에서 연구 이전 2년 안에 사별을 경험한 아이가 있었다는 사실을 발견했다. 또 다른 연구에 따르면 일반적인 학업의 테두리 바깥에 있는 15~16세의 조사 대상 청소년 집단의 63%가 가까운 사람과 사별했다(Cooper, 2002). 미국에서 캐스린 마켈Kathryn Markell이 행한 조사·연구에서는 조사 대상 대학생 30%가 그 이전 열두 달 이내에 사별을 경험한 적이 있었고, 그 이전 2년 동안에 경험한 적이 있는 학생은 39%였다(Markell, 2008: 12). 이러한 상실은 학생의 학업 성취와 공부 의욕에 영향을 끼친다. 고인과의 관계가 가까웠다면 그만큼 괴로움은 커진다.

사회경제적 하층 집단에 사는 아이는 사별을 경험할 확률이 더 높다. 이 집단이 다른 집단에 비해 사망률이 높고, 사망률 감소는 더디기 때문이다 (Acheson, 1998). 또한 한쪽 부모의 죽음 이후에는 보통 그 가정의 수입이 줄어든다(ONS, 2002). 군인 가족처럼 사택에 사는 가족은 한쪽 부모의 사망 이후 다른 곳으로 옮겨야 하기에 이차적 상실의 위기를 겪는다. 이는 도미노 효과를 낳아 사별당한 아이나 청소년이 전학을 가야 할 수도 있으며, 그래서 친구를 떠나고 잘 알던 공동체와 결별하게 되며, 새로운 곳에서 완전히 다시 시작해야 할 수도 있다. 이러한 전환 과정에서 교사의 역할은 중요하다.

클레어는 18세 언니가 자살로 생을 마감했을 때 15세였다. "학교나 시험 같은 건 아무 의미가 없어 보이는 때가 대부분이에요. 가슴에 큰 돌덩이가 있는 것 같고, 등엔 무거운 코트를 걸친 것 같아요."

사별과 학업 성취

사별 경험은 학업 성취도에 장기적인 영향을 끼칠 수 있다(Abdelnoor and Hollins, 2004a; Davou and Widdershoven-Zervakis, 2004; Dowdney, 2000). 부모 사망의 영향에 관해 2~17세 아동·청소년 105명을 조사한 어느 연구는 한 달 동안 면담하며 그것을 녹음했고, 열세 달 후에는 생존해 있는 부모를 면담했다. 그 면담은 구조화된 면담이었다. 이 연구가 보여준 것은 학교에서의 학업이 심각하게 손상되었다는 점이다(Van Eerdewerg et al., 1985). 불안감의 증가, 교사와 친구 회피, 의욕 상실, 침울함 등이 모두 학습 과정을 방해한다. 따라서 아동과 청소년이 잠재력을 충분히 발휘하도록 도우려면 그들에게 도움이 되는 것이 무엇인지 그들로부터 들을 필요가 있다(Downey, 2002).

사별당한 청소년에게 부모나 교사가 학업과 시험에 열중하라고 압박하는 경우도 있지만, 아이가 그 죽음에 몰입되어 있을 때는 공부가 늘 가능하지는 않다. 가족 안에서 죽음을 경험한 영향에 관한 어느 연구에 따르면 4년 전에 사별을 경험한 청소년들은 집중력과 의욕이 훼방받았다고 말했다(Abdelnoor and Hollins, 2004b). 다음의 예는 청소년이 어떻게 느끼는지를 묘사해준다.

세리가 16세일 때, 가장 친한 친구가 새해 전날 자살했다. 세리는 그날 저녁 일찍 그 남자애를 만나기로 했었는데 그러지 못했다. 엄마는 그녀에게 그 일을 마음에서 치워버리고 GCSE(영국의 졸업인증시험)● 준비에 열중하라고 말한다.

여동생이 사산된 후 리지는 몇 달 동안 생활이 더 엉망진창이 되었다. 동생이 죽고 여섯 달이 지난 후 있었던 일에 대해 다음과 같이 말했다. "책 한 권을 잃어버려서 야단맞았어요. 울고 있을 때 클로이가 생각났는데, 선생님은 '누군가를 잃었다고 그렇게 슬퍼할 필요는 없지'라고 말했어요."

"시험은 다시 볼 수 있지만 인생은 아니다."

갑작스러운 또는 충격적인 죽음을 겪은 학교 공동체

재난은 학교 공동체에도 충격을 준다. 유람선 주피터Jupiter호가 침몰한 후 학업 성취도가 내려갔고, 그다음 해 졸업인증시험 성적이 예상보다 낮아지는 것으로〔그 충격이〕반영되었다(Yule and Gold, 1993). 스웨덴의 예테보리Göteborg 디스코장에 화재가 발생했을 때 400명의 청소년이 거기 있었다. 63명이 죽고 213명이 부상을 당했다. 2년 후에 브로버그Broberg와 그 동료들은 그 재해가 생존자에게 끼친 영향을 알아보는 연구를 진행했다. 이에 따르면 학업 수행이 크게 떨어졌다. "전체적으로 23%의 학생이 그 화재 때문에 자퇴했거나 유급했다고 답했다"(Dyregrov, 2004: 78). 그 이전 연구(Dyregrov et al., 1999)는 학급 친구를 갑작스러운 사고로 잃었을 때 같은 반 학생 다섯 명 중 한 명이 상실 후 9개월 간 높은 수준의 심리적 고통을 겪었음을 보여주었다.

트라우마를 만들 정도로 충격적인 상실은 불안 장애, 우울증, 외상 후 스트레스 장애PTSD를 유발할 수 있다. 이는 개인과 학교 공동체 전체 또는 학교 내 특정 또래 집단에 영향을 미칠 수도 있다. 어떤 사건이었든 그 경험은 학업 달성과 결석에 영향을 준다(Yule, 1998). 특히 기억력과 집중도는 수학,

과학, 문법처럼 고도의 집중력이 필요한 과목에서 부정적 영향을 끼친다(Streeck-Fisher and van der Kolk, 2000). "우리가 연구한 두 경우의 아이들은 폭력에 의한 한쪽 부모의 죽음을 목격한 후 학습에서 심각한 어려움을 경험했다"(Pynoos et al., 1996: 344).

트라우마가 학업 수행에 영향을 미치는 이유는 많다(Dyregrov, 2004). 반복적으로 불쑥 떠오르는 생각들이 집중을 어렵게 만든다(Yule and Gold, 1993). 외상 후 스트레스 장애는 인지 기능에 영향을 준다. 기분 상태는 방해 행동을 하게 만들 수도 있는데, 그런 행위가 학교생활 속 학업과 사회성 측면에서 지니는 의미들이 있다(Schwartz and Gorman, 2003). 스트레스가 걸러내는 과정을 방해하기 때문에 스트레스를 받는 학생은 교육적 우선순위가 무엇인지 확실히 모르게 된다. 그리고 "PTSD는 정보처리과정을 변화시키는데, 이때 주의력 자원을 결박하는 지속적인 위협감, 즉 과활성 신경 체계가 만들어진다"(Dyregrov, 2004: 80).

트라우마로 남을 사별을 겪은 학생들은 학교에서의 후속 예식들이 도움이 되었다고 밝힌다. 특히 고인의 삶과 죽음을 기념하는 공동 예식에 참여할 기회들이 있었을 경우에 그렇다(Dyregrov et al., 1999; Hogan and DeSantis, 1994). 더구나 사별을 겪은 아이는 자기가 사별을 겪었음을 교직원이 인정해주길 바란다. 그들은 상실이 무시당하지 않길 원한다. 학교는 〔학생이〕 교육적으로 계속 진전하도록 보장하는 데 그 핵심적 역할이 있고, 그 역할은 "적절한 시기에 회복 지향적인 방향을 지니도록 격려하며, 그 상실이 안전하고 지지받는 환경에서 표현되도록 보장하기 위해 학교가 할 수 있는 것을 하는 일을 포함"할 수도 있다(Abdelnoor and Hollins, 2004a).

치명적으로 중요한 사건들

학교 공동체마다 학생이나 교사의 죽음 같은 치명적 사건을 어떻게 다루어야 할지에 대해 나름의 대처 경향이 있다. 상실에 직면했을 때 주임 교사들과 교사들뿐 아니라 지원 교직원들은 자기가 무엇을 해야 할지 염려할 수도 있다. 그래서 치명적 사건이 발생하면 어떤 대책을 실천할지에 대해 미리 고려해놓는 것이 중요하다. 모든 좋은 학교의 핵심에는 이미 돌봄과 연민이라는 인간적 역동성이 들어 있다. 거기에 다음과 같은 정보와 아이디어와 대책이 덧붙여지면 좋을 것이다.

학교에 권고되는 점은 치명적인 사건이 일어났을 때 이미 그런 사건에 대한 대책을 갖추고 있어서 어떤 절차를 행동으로 옮겨야 하는지 전 직원이 알고 있어야 한다는 것이다(Klicker, 2000; McCaffrey, 2004). 이런 대책의 세부적인 사항에는 학생에게 그와 관련된 누군가의 죽음을 어떻게 알려줄지에 대한 사망 통보 방법도 포함된다(Servaty-Seib et al., 2003). 정보를 전달받는 방법은 그 사람의 반응에 즉시 또는 장기적으로 영향을 준다. "어떤 사망 통지든 (한 명의 죽음이든 그 이상의 죽음이든) 그 내용에 적응하려면 수많은 어려움이 있다는 것을 부정할 수 없지만, 사망 통지의 과정(알리는 일을 하는 방식)은 뒤에 남겨진 자가 어려움에 대처하는 정도에 중대한 영향을 미칠 수 있다"(Stewart, 1999: 302~303).

부모가 그 소식을 당장 전하지 못할 처지에 있는 경우, 가령 주임 교사처럼 학교 내 권위 있는 중요한 사람이 그 학생에게 죽음에 관한 소식을 알려주어야 한다. 이는 비공개로 조용하고 편안한 공간에서, 돌려 말하지 않는 직접적 단어를 사용해 이루어져야 한다. 이럴 경우 아주 다양한 반응이 나타날 수 있는데, 반응하는 학생은 자기 반응이 수용될 수 있다고 보장받을 필요가 있다. 또한 자기 느낌을 표현하도록 격려되어야 한다. 이때 공감하며 경청하는 것이 대단히 중요하다. 또한 무엇을 해주길 원하는지, 학교에서 누구에게 그것을 알리고 싶은지를 물어보는 것이 도움이 되며, 친척들이 도착하거나 그 학생을 집으로 데리고 가기 전에는 그와 친한 누군가가 곁에 있어주어야 한다. 그 학생의 가족과 밀접하게 연관되어 있는 것이 그 과정에 도움이 되고 그의 안정감을 증진할 것이다.

학생에게 죽음을 알릴 때 "미안하다, 슬픈 소식이 있단다"라는 말로 시작할 수 있다. 가벼운 한담으로 시작해서는 안 된다. 학생이 일상적이지 않은 어떤 일이 일어났음을 감지하고 불안해하며 혼란스러워할 수도 있기 때문이다. 죽은 이와 어떤 관계였는지에 따라 학생의 반응은 그 정도와 깊이가 달라질 수 있다(Servaty-Seib and Pistole, 2006-2007; Worden, 2002). 그 학생은 질문할 수도 있다. 가령 왜 죽었는지, 죽은 이가 지금 어디에 있는지, 다른 가족은 어디에 있는지 물어볼 수도 있다. 이에 대해 불필요한 정보를 추가하지 않고 정직하게, 있는 그대로 대답해야 한다. 그리고 부모로부터 어떤 바람을 전달받았다면 그것을 염두에 두고 있어야 한다.

나쁜 소식을 듣고 난 직후에는 아이가 멍해질 수도 있고, 절망스러워하거나 충격을 받거나 상처입거나 믿지 못하는 등 어떤 종류의 감정이든 느낄 수 있다. 어떤 반응이라도 열린 마음으로 부드럽게 받아주어야 한다. 아동과 청소년은 자기에게 낯선 느낌을 표현하길 꺼리거나 불안해하는 경우가 많다. 그래서 '허용된' 느낌만을 표현할 수도 있다. 그 소식이 전달될 때 당신이 함께 있다면 그 자리에 있는 것이 그 아이를 돕기 위해서임을 알게 해주어야 한다. 실제로 "내가 여기에 있단다, 네가 혼자 있는 게 아니란다"라고 말하라. 편안한 접촉은 안심이 되고 위로가 될 수 있다. 그러나 문화적 테두리나 성별의 테두리는 존중되어야 하며, 따라서 신체 접촉은 권할 만한 것이 못

될 수도 있다. 고립되고 버려진 느낌을 받는 아이는 당신이 옆에 있다는 사실에 안심할 것이고, 갑작스러운 변화로 내팽개쳐진 느낌을 받을 때 당신의 행동이 닻과 같은 역할을 할 것이다.

치명적인 사건에 대응할 때 고려 사항

- 이런 영역에 경험이 있는 교직원, 예를 들어 치명적인 사건에 대응 훈련을 받은 교직원이 누구인지, 그리고 다른 교직원이 도움을 청할 수 있는 담당 교직원이 누구인지 확인해두라.
- 교사의 역할을 명확하게 만들라. 그들은 상담자가 아니지만 학생과 학부모에게 신뢰할 만하다고 알려져 있는 어른이다.
- 어떤 교직원은 자신의 경험과 필요 때문에 지원하는 일을 하지 못할 수도 있음을 알고 있으라.
- 학생과 학부모에게 소식을 전달하는 일과 같은 이슈들을 논의하라. 학생과 학부모 및 언론 등 외부 기관으로부터 질문받을 것을 예상하라.
- 적절할 경우에 도움받을 수 있는 기관을 알아내 목록을 작성해두라.
- 학생 지원 담당 교직원들이 학생들을 지지해주는 데 무엇이 필요한지, 그리고 누가 학생들에게 전달할지를 생각해놓으라.
- 치명적 사선이 있을 때 즉시 시행할 수 있는 실제적 계획을 완성해놓으라.
- 아동과 청소년의 애도에 관해 연령별·단계별 세부 사항이 포함된 핵심 자료를 만들어 교직원이 참조할 수 있게 하라.

▸▸ 치명적인 사건에 뒤따르는 핵심 과제

- 불필요한 상상과 풍문을 떨쳐 버리라.
- 학교 견학이나 지역사회 행사에서 사망이나 트라우마가 발생했다면 학생 조회 시간을 이용하라. 미디어의 오보가 사실을 왜곡할 수도 있다.
- 그 아이(들)를 지원하기 위해 준비된 시스템을 모든 교직원이 확실히 알고 있도록 하라.
- 그 아이가 너무 많은 '도움'에 짓눌리지 않도록, 해야 할 상담·돌봄·지도에 관한 지침을 세우라.
- 학생들이 개인적 필요들로 아직 민감해 있을 동안에도 정상적인 학교생활에서 안전함을 느끼도록 유지하라.
- 알림장을 통해 부모가 자기 자녀의 상실 반응을 이해할 수 있게 하라.
- 가능한 한 학생 스스로 자기가 도움받을 지지자를 선택하도록 하라.

교장의 역할

학생이나 교직원이 사망했을 때 교장의 주요 역할은 교직원과 학생을 지원하는 것이다. 우선적으로 할 일은 다음과 같다.

- 정보가 정확한지 확인하라.
- 죽음이 언제 어디서 발생했는지, 그리고 적절할 경우 어떤 세부 사항이든 명확하게 하라. 온전한 정보를 얻는 것이 중요하다. 그래야 소문을 일축할 수 있다.
- 장례식 계획을 알아보라.
- 아직 접촉하지 않았다면 적절한 시점에 학부모·친척에게 연락해 위로의 뜻을 전하고, 당신이 어떻게 반응해주길 원하는지 알아내라. 예를 들어 당신이나 다른 교직원이 장례식에 참석하길 바라는지 등을 알아내라.

이 모든 정보를 곧장 얻지 못할 수도 있지만, 계속 정보를 듣고 다른 교직원에게도 전달해야 한다.

교직원에게 알리기

교직원들에게 집단으로 정보가 주어질 수도 있지만 어떤 교사들, 가령 담임교사에게는 개별적인 정보 전달이 필요할 수 있다. 행정 직원과 지원 담당 직원을 포함해 그 자리에 없는 교직원에게도 가능한 한 빨리 소식을 전달해야 한다. 관계가 가까울수록 소식을 듣는 이의 충격은 커질 수밖에 없다. 이런 때는 감정이 고양되는 시간이므로 준비되어 있어야 한다. 3장에서 설명한 핵심 지지 기법을 활용하면 이 상황을 더 민감하고 효율적으로 다룰 수도 있다. 담임교사와 이야기한 뒤 가능한 한 빨리 다른 교직원들을 소집해 소식을 전해야 한다. 사람들이 함께 소식을 들으면 소식이 잘못 전달되거나 사실을 잘못 해석할 확률이 낮아진다. 그리고 학생들에게 죽음의 소식을 어떻게 전달해야 할지 의논하라.

학생 지원 담당 교직원

어떤 아이가 사별을 당했을 때 그 아이를 중점적으로 지원할 전담 교직원을 교장과 교직원들이 의논해서 정해도 된다. 이렇게 지정된 교직원은 교내에서 그 소식을 다루고, 외부 기관과 연관된 일이라면 그 기관과 협조할 수 있다. 또한 그 아이를 정서적으로 지원하는 중심인물 역할을 할 수 있다. 그 학생에게 지원 담당자로 누가 좋겠는지 물어볼 수도 있다.

학생들에게 소식 전하기

　사망한 사람과 가장 가까운 학생들은 개별적으로, 아니면 소규모 집단으로 그들과 가장 가까운 교직원에게서 소식을 전달받는 일이 필요할 수 있다. 담임교사가 혼자, 또는 교장과 함께, 아니면 다른 교직원과 함께 전할 수도 있다. 혼동을 최소화하기 위해 명확한 언어로 전하는 것이 아주 중요하다.

　다른 학생들에게는 소규모로 나누어 전하거나 학급 단위로 전한다. 다시 한 번 말하자면, 담임교사가 학급에 전달해야 한다. 그러나 이것이 불안을 야기한다면 담임교사가 학생들과 있을 때 교장이 전해도 된다. 어떤 경우에는 전체 학생의 모임에서 전하는 것이 가장 적절할 수도 있다.

시기, 장소, 방법

- 슬픈 소식을 전하기 위해 학생들을 준비시킨다.
- 일어난 일을 부드럽고 단순하게 말하며 돌려서 말하지 않는다.
- 학교가 어떻게 하고 있는지 설명하며, 무슨 일이 일어났는지에 대해 학부모에게 보낼 가정통신문을 모든 학생이 받게 될 것이라고 설명한다.
- 질문받을 준비가 되어 있어야 한다.
- 아이에게 반응할 시간과 말할 수 있는 시간을 준다.

　심하게 감정이 동요된 아이(들)가 있을 경우 달래주고, 그다음 며칠 동안 그 아이가 진정되는지 주의 깊게 지켜보라. 그 아이의 또래 집단도 애도하는 아이를 계속 지지하고 위안을 줄 수 있다.

학부모들과 다른 이들에게 소식을 전하기

그 아이 반의 다른 학생들 부모에게, 학교의 규모가 작을 경우 학부모 전체에게 통신문을 쓴다. 초등학교는 지역사회의 중요한 부분이며, 학부모들은 모든 협력 관계에서 중심에 있다. 교장으로서 당신은 사망 사건에 대한 조의를 표현하는 동시에 사건의 기본적인 세부 사항을 알리면서도 그 일의 어떤 사적 정보도 노출하지 않도록 해야 하며, 학생들이 그 죽음에 관해 어떻게 전달받았는지〔학부모들에게〕설명해주어야 한다. 아이들이 어떤 애도 반응을 할 수 있는지에 관해 몇 가지 세부적인 내용을 포함시키고, 만일 학부모가 누군가에게 이야기하고 싶거나 지원이 필요할 경우 연락할 전화번호를 알려놓는 것이 도움이 될 수 있다.

학교 육성회장에게도 소식을 전해야 한다. 존중의 표시로 위로 편지를 보낼 수도 있다. 교육감은 소식을 듣는 즉시 위로 편지를 보낼 것이다.

'안전한 안식처'

사망 사건 이후 곧바로 안전한 안식처를 만들라. 우리는 모두 안전하고자 하는 기본 욕구가 있으며, 상실 경험 그 자체는 버림받음과 소멸에 대한 가장 깊은 두려움을 건드린다. 친숙한 사람과 장소가 있는 안정된 공간을 제공하기 위해 학생들에게 필요한 것은 다음과 같다.

- 안전한 장소
- 안전한 사람
- 안전한 상황

안전한 장소

● 아이가 특히 불안하거나 감정이 동요될 때 찾아갈 수 있는 교내 장소를 확인해두라. 바람직하기는 교실이 어찌되었든 안전한 곳으로 느껴지면 좋겠지만, 아니라면 어디를 '안전한 곳'으로 지정해줄 수 있을까? 교장실 일 수도 있고, 도서실의 한 구석이거나, 안락한 의자와 소파, 그리고 부드러운 쿠션이 있는 접견실일 수도 있다. 어떤 학교든 '안전한 곳'을 정해놓는 것이 우선적으로 중요하다.

안전한 사람

● 자기가 경험한 상실에 관해 전부 알고 있음을 인식하고 찾아갈 수 있는 지원 담당 교직원을 지정한다.

● 보호자, 점심시간 도우미, 행정 직원을 포함한 모든 교직원이 그 상실에 관해 알고 있어야 아이가 원할 때 도와줄 준비가 될 수 있다.

● 어떤 아이가 사별당했음을 교직원들이 알고 있어야 한다. 그래야 아이에게 억지로 말하라고 하지 않고도 위로해줄 수 있다.*

안전한 상황

● 상실감을 악화시키는 어떤 상황들로부터도 가능한 한 보호받아야 한다. 학생에게 상실의 기억을 고통스럽게 떠오르도록 만들 어떤 것에 대해서도 경각심을 지니려면 민감함과 통찰력이 필요하다.

---

* 예를 들어 무슨 일이 있었는지 모른다면 아이의 애도 반응을 이해하지 못한 채 설명하라고 다그칠 수도 있기 때문이다. — 옮긴이

▶▶ 개요: 돕기 위해 우리가 할 수 있는 일은 무엇인가?

- 경청하고, 경청하며, 더 경청하라.
- 대답할 수 없는 질문들을 인정하고 피하지 않는다.
- 그 자리에 함께 있어준다.
- 고통, 혼란, 슬픔, 분노를 허용한다.
- 느낌들은 정상적이며 결국 지나갈 것이라고 안심시켜준다.
- 판단하지 않는다. 판단하거나 비판하지 않고 아이가 느끼는 대로 느끼게 해줄 필요가 있다.
- 사건 직후뿐 아니라 가능한 한 오랜 기간을 두고 아이가 원할 때마다 찾아올 수 있도록 한다.
- 애도는 시간제한이 없는 것임을 인정하라. 시간은 걸릴 만큼 걸린다.
- 외롭거나 감정이 동요될 때는 당신에게 말하라고 이야기해둔다. 그리고 예컨대 도서실이나 읽기 시간에 조용히 있는 것 등의 형태로 지원해주는 데 합의한다.

아빠가 돌아가신 후 학교에 갔을 때, 아빠가 죽었다는 것 때문에 인기 있는 애가 되고 싶진 않았어요. 여자애들이 와서 "지금 우리랑 놀래?"라고 했어요. 난 케이트와 에스미랑 놀고 싶다고 말했어요. 그 애들이 늘 나랑 놀았거든요. 아빠가 죽었다고 내가 인기 있는 건 원치 않아요. _ 레니(9세)

교직원의 상호 지원

지원 담당 교직원들이 아동과 청소년을 돕는 일을 할 때 개별적 차이가 있음을 알고 인정하는 것은 중요하다. 어떤 사람은 자기의 경험과 느낌에 관해 말하기를 원하고, 어떤 사람은 활동에 참여하거나 학생의 필요에 집중함으로써 대처하는 것을 선호한다. 죽음의 충격에 관해, 또 교직원들이 자기가 지원받고 있음을 어떻게 느끼는지, 자기에게 어떤 욕구가 있음을 확인했는지 등의 이슈를 내놓을 수 있도록 교직원 회의를 이용할 수도 있다.

학교와 연관된 충격적인 사건은 연루된 모든 이에게 심각한 영향을 미칠 수 있으며, 그래서 학교 상담자와 학생 지원 교직원이 상당한 압박감을 느낄 수 있다. 호주의 학교들을 연구한 마거릿 도넬리Margaret Donnelly와 루이즈 롤링Louise Rowling에 따르면 운영 계획을 두고 잘 운영하는 것만큼이나 지도력도 대단히 중요하다. 연관된 모든 사람 사이에서 명확한 의사소통이 결정적으로 중요하다는 것이다(Donnelly and Rowling 2007).

교직원에 대한 배려

교사에게는 시간 제약, 충족해야 할 목표, 가르쳐야 할 다른 아이들, 그 밖의 많은 의무가 있다. 그러나 아이를 엄청난 충격의 시간 동안 진정으로 인정해주고 도움을 주면서도 당신 스스로를 지킬 수 있는 간단한 일들이 있다.

- 당신 자신의 상실 경험이 다시 상기될 수도 있음을 알아두라.
- 무엇을 해야 할지 확신이 없으면 동료에게 도움을 구하라.
- 때로는 자신이 부적절하며 무력하다고 느끼리라는 점을 이해하라. 또한 기억할 것은 당신은 지팡이를 한번 휘둘러 더 좋은 것을 만들어낼 수 있는 마술사가 아니라는 사실이다. 당신은 한 인간으로서 당신 존재를 가지고 당신이 할 수 있는 것을 무엇이든 제공하기 위해 거기에 있을 수 있는 사람일 뿐이다.

아동과 청소년이 사별을 통한 상실을 겪지 않도록 교사와 교직원이 막아

줄 수는 없다. 하지만 그들이 상실에 반응하고 상실로부터 회복되도록 도울 수 있다. 그들이 혼자서 상실에 직면하지 않아도 되도록 말이다. 당신은 그 차이를 만들어낼 수 있다.

한순간에 벌어진 일

2003년에 링컨셔의 한 학교에서 14세 학생이 칼에 찔렸다. 이 사건에 관해 이야기하며 그 교장은 말했다. "얼마나 슬프고 정신 차릴 수 없는 일이었는지 말할 수 없지요. 그것은 순간이었어요. 한순간이요"(Ward, 2003: 3).

그 학교는 위로 문집을 만들기로 했고, 나중에 그것은 살해된 학생의 부모에게 전달되었다. 사건 직후에는 학생들이 사건에 관해 듣지 못한 채 집으로 돌려보내졌다. 그래서 언론이 도착했을 때 학생들은 현장에 없었다. 덧붙이자면 그 교장은 교직원들이 서로 지원하며 학생들을 지원하는 일이 대단히 중요하다고 느꼈다. 그들은 그다음 날 모임을 갖고 학생과 교사와 학부모가 서로를 지원하기 위한 모임을 이틀 동안 주선했다. 이틀간 수업은 진행되지 않았고, 감리교회 목사 한 명과 상담자들이 함께 있으면서 도움을 원하는 누구라도 지원해주었다. 교장은 말했다. "교직원으로서 우리가 경험한 것은 가장 강력한 지원이 바로 우리 동료들로부터 나온다는 것이었습니다. 우리는 아이들도 가장 강력한 지원을 자기 또래들로부터 얻었으리라 생각했으며 그것이 옳다고 밝혀졌습니다"(Ward, 2003: 3).

아이가 받는 교육의 대부분은 생명을 위한 것이어서 그 아이가 죽음을 다룰 때는 별 도움이 되지 않는다(Budmen, 1969: 11).

추모 행사

학생이나 교직원 누군가가 사망했을 때 추모 행사는 남은 자들이 '무언가를 하고 있다'고 느끼도록 도와줄 것이다. 자기 인생에서 중요한 사람들이 지나갔음을 표시하려는 강한 욕구가 있기 때문이다. 추모 행사는 세세히 준비된 일이 아니어도 된다. 그렇게 할 수도 있지만 말이다. 다음에 나열된 사항들을 추모 행사에서 해볼 수 있다. 하나만 해도 되고 몇 개 섞어도 되지만, 중요한 점은 참여하는 이들에게 적절한 것이어야 한다는 점이다.

- 촛불을 밝히고 되돌아보는 시간을 갖는다. 고인에 대해, 그와의 관계에 대해, 그의 삶에 대해, 남아 있는 좋은 기억에 대해서 말이다.
- 고인을 떠올리게 하는 음악이나 그가 좋아한 음악을 듣는다.
- 고인을 기억하는 책을 만든다. 아이들과 교직원들이 고인에 관해 짤막한 글을 쓰거나 좋은 기억들을 적은 글을 모아 특별한 추모록을 만들 수 있다. 이를 학교에 보관하거나 고인의 가족에게 전달해도 좋다.
- 고인을 기념하는 나무를 심거나 꽃밭을 만든다.
- 벽에 고인의 업적을 전시할 자리를 만든다.
- 헬륨 풍선을 모아 학생과 교직원이 함께 하늘에 날려 보낸다.
- 고인이 가장 좋아한 자선단체를 지지하는 기금을 모으기 위한 그룹을 만들고, 그렇게 모인 기금을 그 단체에 후원한다.

'사별아동 재단'과 '윈스턴의 소망' 같은 단체는 학교에서 사용할 수 있는 아주 좋은 자료를 제공하고 있다.

린지 니콜슨(Lindsay Nicholson)의 남편은 희귀한 백혈병으로 사망했다. 4년 후 그녀의 두 딸 중 첫째도 희귀 암 진단을 받았다. 네 살짜리 둘째 딸 호프가 받은 충격은 아주 깊었다. 위중한 상태로 병원에 있는 큰딸 엘리와 대부분의 시간을 보내느라 린지는 호프를 조부모에게 보냈다. 다음은 린지가 쓴 말이다("First person," *The Guardian*, February 23, 2008, p.3).

우리 셋이 떨어져 있는 것은 고통스러웠다. 나는 아이들의 서로 다른 필요 사이에서 찢겨져 아무것도 못하는 느낌이었다. 하나는 병으로 위태로웠으며, 다른 하나는 너무 어렸고 집에 오고 싶어 했다. 호프는 자라기를 멈추었고 읽기를 배우는 것도 그만두었다. 내 생각에 그 아이는 13세가 된 이제야 겨우 공부에서 제자리로 돌아갔다. 고군분투를 할 때 사람들은 용감하다고 말한다. 하지만 용감함에는 선택이라는 의미가 함축되어 있는데 실제로는 선택의 여지가 전혀 없다.

- 네 살짜리 아이 호프가 겪은 다중의 상실은 무엇인가?
- 이는 그 아이의 학업에 어떤 영향을 끼쳤는가?
- 사별이 아이의 학습 능력에 어떤 영향을 미칠 수 있는가?

- 당신의 학교가 학생과 교직원을 지원하는 방책은 무엇인가?
- 위기 사건 대처 방침이 있는가?
- 당신의 학교에서 사별을 경험한 적이 있다면 사람들이 그 소식을 어떻게 전달받았는지, 사람들의 반응은 어땠는지, 또 사별당한 사람은 어떤 식으로 지원받았는지 생각해보라.
- 사별을 겪은 학생이 돌봄을 잘 받도록 보장하기 위해 어떤 변화가 있으면 좋겠는가?
- 사별을 겪은 학생을 도울 때 당신도 더 지원받는 느낌이 들려면 어떻게 해야 할까?

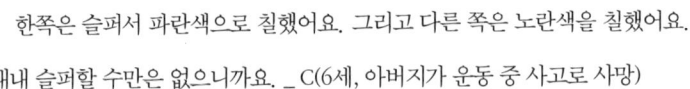

제6장

슬픔과 애도에 대한
창조적 접근 방식

한쪽은 슬퍼서 파란색으로 칠했어요. 그리고 다른 쪽은 노란색을 칠했어요.

내내 슬퍼할 수만은 없으니까요. _ C(6세, 아버지가 운동 중 사고로 사망)

애통함을 다룰 때의 창조 기법들과 고통 완화 치유에서 사용하는 창조 기법들이 점차 관심을 끌고 있는데, 이는 그 치료적 가치를 인정받기 때문이다. 또한 그 창조 활동들이 건강하게 애도할 수 있도록 하는 데 도움이 된다는 것을 우리가 알기 때문이다(Bertman, 1999; Bolton, 2007; Hieb, 2005; Wood, 2008). 정신분석가 앤서니 스토Anthony Storr는 "창조하는 과정이 바로 우울함에 압도되지 않도록 그 개인을 보호하는 방법이 될 수 있다. 주도하는 감각을 상실한 사람들에게는 다시 그 감각을 얻는 수단이 되고, 정도는 다양하지만 사별로 상한 자아를 수리할 수 있는 방법이 된다"라고 말한다(Storr, 1989: 143). "아동·청소년과 함께 작업하는 경험과 모든 이론적 기초를 활용한 다음에는 당신의 직관을 자유롭게 이용하는 것이 유용하다"(Stokes, 2009a: 16).

창조 기법 사용은 당신에게 상상력과 직관을 이용할 자유를 허용해준다. 그러나 애도 작업에서 창조 기법을 사용할 때는 고려해야 할 대단히 중요한 두 측면이 있다. 첫째, 당신이 그 기법들을 편안하게 이용할 수 있어야 한다. 그래서 아동·청소년과 함께 이 기법들을 사용하기 전에 당신이 먼저 해봐야 한다. 둘째, 창조하는 작업은 아주 강렬해 강도 높은 감정을 불러일으킬 수 있으므로 기쁨이든 슬픔이든 그 느낌에 대한 강한 표현이 나타날 수 있음을 염두에 두고 대비해야 한다.

창조 활동에는 다양한 재료를 이용해 만들고 기념하는 일이 포함된다. 그 재료들은 다양한 인종 배경의 공예품·그림·인형, 문화적으로 다양한 이야기, 여러 나라의 음악, 서로 다른 민족들을 보여주는 지도나 지구본을 이용해 문화적 다양성을 보여주는 것*일 필요가 있다(Hooyman and Kramer, 2006). 그런 재료들로 추억 상자, 콜라주, 사진 벽화, 가면을 만들거나 이야기, 자서전, 시를 쓸 수 있고, 그림을 그리거나 미술 작업을 할 수도 있다. 또 꼭두각시 인형이나 그냥 인형을 만들 수도 있으며, 자연에서 얻는 물체를 이용하는 기법을 활용하거나 등잔으로 하는 의식을 행할 수도 있다(McWhorter, 2003).

어떤 매개체로 창조하든 그 목표는 아동과 청소년이 자신의 느낌을 말이 아닌 다른 방식으로 표현할 기회를 주는 것이다. 말로 표현하는 일이 어떤 아이에게는 너무 직접적이기 때문이다. 그들은 말 대신 상징물과 은유물을 통해 자기 느낌을 표현할 수 있다(Bannister, 2003; Mallon, 2007). 예술은 애도 중인 아이가 불확실함과 변화로 채워진 그 시기에 내면의 안정과 안전함을 얻도록 해주는 방법이다(Rogers, 2007). 미술 작업은 두 과정으로 이루어질

---

* 다민족이 생활하는 영국을 배경으로 한 설명이다. ─ 옮긴이

때가 많다. 뭔가 만드는 활동을 하고 나서 만들어진 것을 생각해보는 것이다 (Mallon et al., 2005; Thompson, 2003). "상실에 대해 뭔가 만드는 것으로 반응하는 것은 상상력을 이용하는 한 가지 예일 뿐이다"(Storr, 1989: 144).

창조 표현을 통한 치유는, 애도를 통과하는 아동의 길을 네 단계로 설명하는 린다 골드먼Linda Goldman의 연구에서 중심적인 내용이다. 네 단계는 '이해하기', '슬퍼하기', '추모하기', '계속 살기'이다. '이해하기'는 아이의 발달 수준에 따라 죽음을 느낄 수 있도록 도와준다. '슬퍼하기'는 상실에 반응할 때 오고 가는 감정이 보이는 단계이다. 이런 감정에는 충격, 분노, 탐색, 갈망, 절망, 방황, 회복이 포함된다. '추모하기' 단계에서는 죽은 이의 생을 소중히 여기는 법을 배운다. 아이에게 모든 삶이 가치 있음을 보여줌으로써 그 죽음의 의미를 알도록 돕는다. 마지막 목표인 '계속 살기'는 아이가 '계속 살아'나가도록, 사는 일에 다시 시간을 쏟도록, 회복하는 기술과 생활 속 기쁨을 찾는 능력을 발전시키도록, 계속 살아갈 자신감을 얻도록 도와주는 것이다(Goldman, 2002b).

다음의 내용은 당신이 개인이나 집단과 작업하며 적용할 수 있는 일련의 창조 활동들이다.

글쓰기

글쓰기는 일종의 치유가 된다. 글을 쓰거나 곡을 만들거나 그림을 그리지 않는 사람들은 인간 상황에 내재된 광기와 우울함과 공포와 두려움을 어떻게 벗어날 수 있는지 궁금할 때가 있다[Storr(1989: 123)에서 재인용된 그레이엄 그린(Graham Green)의 글].*

글쓰기는 여러 형식이 있는데 그 모든 형태가 애도 중인 아동·청소년과 작업할 때 나름의 잠재적 역할이 있다. 글을 쓰는 과정 자체가 치유하고 해소시키는 성질이 있기 때문이다(Marner, 2000). 암 투병 중인 어린이와 청소년을 위한 글쓰기 워크숍이 있었는데, 거기서 아이들은 주사 맞는 두려움, 낫지 않을지 모른다는 두려움, 저항, 희망 등의 강렬한 자기 느낌을 표현했고, 왜 자기가 암에 걸렸는지 의문을 품었다. 그들은 글쓰기를 통해 이전에는 표현되지 않았고, 그래서 이해받지 못한 느낌을 가족과 의사에게 전달할 수 있었다(Oppenheim et al., 2008).

줄리 캐머런Julie Cameron은 『예술가의 길The Artist's Way』(1995)에서 아침마다 세 장씩 '아침 글morning pages'을 써 창의성을 풀어놓으라고 권유한다. J. 얼 로저스J. Earl Rogers는 이 아이디어를 받아 사별당한 아동 집단과 창조적 글쓰기 작업을 했으며, 이를 '애도 글mourning pages'이라고 이름 붙였다(Rogers, 2007). 글은 10분 동안 쓰도록 권유되는데, 무엇이 생각나든 걸러내지 않고 그대로 쓰면 된다. 맞춤법이나 글씨체도 염려할 필요가 없다. 본질적으로 중요한 점은 무엇이든 그냥 그대로 쓴다는 것이다. 아이가 이를 어려워할 경우 생각의 꼬리를 잡을 수 있는 '출발 문구jumping off lines'를 제공한다. 다음과 같은 것일 수도 있다.

- 마지막으로 내가 보았던 ……
- 기억나는 때는 ……
- 가장 그리운 것은 ……
- 기쁜 일이 있는데, 그것은 ……

- 스토는 영국의 정신분석가이고, 그린은 영국의 소설가이다. — 옮긴이

- 화가 나는 때는 ……
- 내가 혼란스러운 것은 ……

글쓰기에는 목록, 편지, 일기, 일지 쓰기가 포함되고, 어떤 단어의 철자를 하나씩 첫 글자로 해 글을 지을 수도 있다. 추모에 관한 글과 책에는 아이가 남은 인생 동안 간직할 수 있는 어떤 종류라도 담을 수 있다. 이러한 글은 상실과 그리움을 밖으로 표현하도록 이끌어줄 수 있다(Gersie, 1991).

글을 쓰도록 유도하기 위한 주제로 다음과 같은 것이 있다.

- 지금 생활에 대한 느낌
- 그 사람의 죽음에 관한 사실들과 이후에 일어난 일들
- 죽음 이후에 겪은 새로운 경험들
- 그 사람이 죽기 전의 생활과 지금의 삶
- 고인에 대해 좋아했던 것
- 고인에 대해 때로는 좋아하지 않았던 것
- 지금 살면서 두려운 것들
- 지금 내 삶에서 도움이 되는 것
- 어려운 일을 다룰 때 나를 강하게 만들어주는 것에 대한 느낌들

아이는 고인에게 편지를 쓰면서 위안을 얻을 수 있다. 단회기가 아니라 지속적이고 꾸준한 지원이 있으면 아이는 고인에게 편지를 쓰고 편지를 장식할 사진이나 그림을 고를 수도 있다. 그 후 둘 다 추모집에 붙여도 된다.

일기와 일지

'일기diary'라는 단어는 '날day'을 뜻하는 라틴어 'dies'에서 유래했다. 아이에게 매일 일어난 일들을 기록하라고 격려할 수 있다. 그러면 자기 느낌을 표현하고, 성장하면서 그 느낌들을 되돌아볼 수 있다. 이는 아이가 사별로 인해 자기 인생에서 중요한 전환기를 지나고 있음을 인식할 수 있도록 돕는다. 다음과 같은 말을 해줄 수도 있다.

- 일기는 네가 다른 사람에게 그때는 말하고 싶지 않을 수도 있는 생각이나 느낌을 적을 수 있는 자리란다. 혼자 간직할 수도 있고, 다른 사람에게 읽힐 수도 있지만 그건 네 맘대로 하면 된단다.
- 일기는 화가 나거나 속상할 때 너를 표현할 수 있는 공간이지.
- 일기는 마음속 느낌이나 생각을 탐구해볼 수 있는 공간이란다.

일기에서 발췌한 다음의 인용문은 일기 쓰기가 아동과 청소년의 인생에서 치명적인 순간에 실제적 버팀목이 될 수 있음을 보여준다. 일기를 이용해 아이에게 좋은 자극을 줄 수도 있다. 다음의 발췌문은 전쟁 때문에 꼼짝할 수 없었던 두 소녀의 일기에서 나온 것이다. 2년 동안 안네 프랑크Anne Frank와 그 가족은 나치를 피해 다락방에 숨었고, 거기서 안네는 열세 번째 생일을 맞아 일기를 쓰기 시작했다. 즐라타 필리포빅Zlata Filipovic은 11세 때 사라예보가 포위되어 갇혀 있었다.

가장 좋은 점은 내 생각과 느낌을 적을 수 있는 것이다. 그렇지 않으면 숨이 막혀 죽었을 거다. _ 안네 프랑크, 1944년 3월 16일밖에 나갈 수 없는 것이 말할 수 없을 만큼 화가 난다. 그리고 우리 은신처가 발각되어 총에 맞을까 봐 엄청 겁이 난다. _ 안네 프랑크

엄마, 아빠가 뉴스 시간에는 텔레비전을 못 보게 한다. 하지만 지금 일어나고 있는 안 좋은 일들을 우리가 아이라고 해서 우리에게 다 숨길 수는 없다.
_ 즐라타 필리포빅, 1992년 3월 24일(Filipović, 1994: 28~29)

니나를 다시 볼 수 있을까? 니나, 아무 죄 없는 열한 살 여자애가 이 바보 같은 전쟁에 희생되다니. 슬프다. 울면서 묻는다, 왜? 그 애는 아무것도 하지 않았는데. 이 구역질 나는 전쟁이 어린 한 생명을 파멸시켰다. _ 즐라타 필리포빅, 1992년 5월 7일(Filipović, 1994: 45)

전기 또는 인생 기록

아동과 청소년은 고인의 인생 이야기를 쓰며 고인의 삶을 탐색할 수 있고, 이는 그 사람에 대한 기억을 생생하게 유지하도록 도와줄 수 있다. 아이는 식구들에게 고인의 인생에 있었던 사건, 관심사, 취미, 함께한 특별한 시간 등을 물어봄으로써 고인에 관해 더 많이 알 수 있게 된다. 그렇게 이야기를 나누면서 아이가 고인의 인생의 의미를 만드는 것이 애도 과정에서 결정적으로 중요한 측면이다(Neimeyer, 2005). 인생을 "이야기하고 다시 이야기하는 것"은 치유에 속한다(Tomm, 1990).

아이가 자신의 관점에서 이야기할 기회를 갖는 것이 무엇보다 중요하다(Gilbert, 2008). 우리는 그들이 자기 경험을 생각해보도록 함으로써 도와줄

수 있다. 즉, 그 아이가 몰랐던 부분을 채우며 혼돈했던 것을 이해하도록 돕고, 소문으로 왜곡된 것은 사실을 제공해주며 도울 수 있다. 아이는 다른 사람이 자기에게 들려주는 이야기 안에서 자신을 알아가고, 자기가 스스로 만든 이야기로부터도 알게 된다(Cattanach, 2007).

글쓰기를 위해 제안할 몇 가지 사항이 있다.

- 목록을 작성한다.
- 잠들기 전에 하루 중 가장 좋았던 일 세 가지와 어려웠던 일 하나를 골라 기록한다.
- 날마다 좋았던 일 세 가지를 기록한다. 이는 당신의 '좋은 감정' 일지가 될 수 있다.

아주 아픈 소년 샘에 관한 이야기책 『아빠 울지 마세요Ways To Live Forever』(Nicholls, 2008)에서 샘은 자기 삶에 관한 글을 쓰며 다음 목록으로 시작했다.

　　목록 1: 나에 대한 다섯 가지 사실
　　① 내 이름은 샘이다.
　　② 나는 11세이다.
　　③ 나는 이야기와 멋진 사실을 수집한다.
　　④ 나는 백혈병을 앓고 있다.
　　⑤ 당신이 이것을 읽고 있을 때 어쩌면 나는 죽었을지도 모른다.

시

시인이 쓴 시가 사별을 경험한 아동과 청소년에게 영감을 주는 출발점으로 이용될 수 있다. 그런 아동이나 청소년이 스스로 시를 쓸 수도 있다. 다음의 두 시는 사별을 주제로 한 본보기이다.

아버지

아빠는 모든 것을 가지고 있는 분이었어요
제자리에요
따뜻한 마음도 있었고요
아빠는 우리를 말썽꾸러기라고 부른 적이 없어요
늘 "꼬마야", " 아가야"라고 불렀지요
때린 적이 없고, 왜 그런지 말로 해주었어요
(우리가 제멋대로일 때요)
아빠 신발은 멋있었고 바지는 편안했고요
아빠 신발을 신어보면
따뜻했어요
하지만 아빠가 우리를 떠날 시간이 왔을 때
아빠 신발은 따뜻하지 않았지요
아빠 옷에서도 따뜻함이나 익숙한 냄새가 없어졌고
아무것도 없었어요
아빠가 편안한(comfort able)*이라는 단어에 틈을 남겼어요
_ 줄리아(11세)

내가 외로울 때

내가 외롭고
동생이 나랑 놀아주지 않을 때
나는 마지막 꽃잎이 된 것 같아요
꽃에 남아 있는
다른 꽃잎은
멀리 날아가 버리고요
_ 빅토리아(6세)

이야기

"만일 우리 이야기가 우리 생명력보다 더 강력하다면, 우리가 현존하든 아니든 이야기의 주제와 줄거리가 작동하면서 앞으로 갈 수 있다"(Hedtke, 2001: 6). '이야기하기'는 치유 작업에서 중요한 요소이다(Freeman et al., 1997; Ross and Hayes, 2004). "만일 아이가 자기 이야기를 관심 있어 하는 사람들에게 말할 수 없다면 '행동화하기'가 쉽고, 집이나 학교에서 곤란함을 드러낼 것이다"(McIntyre and Hogwood, 2006). 수전 스미스Susan Smith와 마거릿 페널스Margaret Pennells는 '이야기 바퀴the Story Wheel'라고 불리는 기법을 말해준다(Smith and Pennells, 1995). 이는 그룹 구성원들이 앞사람의 등을 보며 한

● 이 시를 쓴 아이는 '편안한(comfortable)'이라는 단어를 '위로(하다)(comfort)'라는 단어와 '할 수 있는(able)'이라는 단어로 띄어 썼다. ─ 옮긴이

방향으로 둥글게 앉아 상실에 대해 한 문장씩 말하며 즉흥적인 이야기를 만드는 것이다. 이는 이야기가 위협적이지 않게 등장할 수 있도록 해준다. 그 누구도 자기 경험·느낌·생각을 드러낼 필요가 없고, 그래서 개인적으로 위험을 감수하지 않고도 떠오르는 생각이 탐구될 수 있기 때문이다.

이야기 상담narrative counselling 기법은 우리가 삶에서 일어난 사건들을 이야기로 구축해 그 사건들의 의미를 만든다는 아이디어에 기초를 두고 있다. 이런 이야기들은 삶이 변하면서 각색되고 변화될 수 있으며, 따라서 이야기는 계속 발전하는 서사敍事가 된다(Eppler et al., 2009; Eron and Lund, 2007). 놀이 치료사이자 심리 치료사인 앤 카타나크Ann Cattanach는 다음과 같이 말한다. "아동기 때부터 우리는 사람들이 우리에게 들려주는 이야기를 통해, 또 우리가 스스로에 관해 말하는 이야기를 통해서 우리 자신에 대해 알게 된다. 이러한 이야기들로부터 우리는 정체성과 자아감을 형성하기 시작한다"(Cattanach, 2007: 7). 자기 이야기를 하고, 또다시 말하며 아이와 청소년은 성공하는 행동, 소망, 회복탄력성의 측면들을 탐구하기 시작한다.

학생은 이야기를 쓰는 데 도움이 되는 단초prompt를 얻을 수 있다. 가령 '…… 하기 전에는 무슨 일이 일어났지?', '…… 에 관해 네가 처음 안 것은 언제니?' 등이다. 글 쓰는 양식은 개별적 요구에 맞게 변화될 수 있다. 예컨대 만화처럼 네모 칸에 그림을 그리고 글을 몇 마디 적어넣을 수도 있다.

『피터 팬Peter Pan』의 작가인 제임스 매슈 배리James Matthew Barrie(1860~1937)는 아동기의 경험이 불우했다. 그는 3남 7녀 중 아홉째로 태어났는데, 예닐곱 살 때 형 하나가 스케이트를 타다 사고로 세상을 떠났다. 그의 엄마는 아들의 죽음 이후 우울증에 걸렸다. 가장 사랑하는 아들로 생각했기 때문이었다. 배리는 형의 옷을 입고 엄마를 기쁘게 해드리며 사랑을 얻으려 했다. 엄마와 아들 사이의 일종의 집착 관계가 거기서 시작된 것처럼 보인다.

그는 150센티미터 이상 자라지 못했다. 피터 팬처럼 어떤 면에서 그는 전혀 '어른이 되지' 못했다. 피터 팬은 아이로 머무르며 이야기 속에서 '잃어버린 아이들Lost Boys'과 함께 '결코 없는 나라Neverland'에 산다. 배리는 개인적인 비극을 이 영원한 이야기로 바꾸어버렸다.

독서 치료

책은 아동·청소년과 일하는 사람들이나 상담자의 '창작 도구함'에 추가되어 유용하게 쓰일 수 있다(Cook et al., 2006; Gladding, 1997). 책이나 발췌문을 사려 깊게 구조화해 이용하는 접근 방식을 통해서 아이의 특정 욕구에 초점을 맞출 수 있다. 읽기는 그 아이의 정서·이해·행위에 영향을 미칠 수 있다(Jones, 2008). 아이는 이야기를 읽거나 들으면서 자기 삶과 공통되는 연결점을 찾아낼 수 있고, 이야기의 허구적 어려움이 해소되면 등장인물들과 자신을 동일시할 수도 있다. 심리학자 브루노 베틀하임Bruno Bettleheim은 동화의 중요성을 강조한다(Bettlheim, 1978). 동화를 통해 아이는 자신을 둘러싼 알 수 없는 세상을 이해할 수 있다는 것이다. 아이는 선과 악, 위협과 보호 등을 대조함으로써 자기 느낌을 등장인물들에게 투사할 수 있다. 또한 동화는 아동과 청소년이 자기가 씨름하고 있는 경험들을 누구든 겪을 수 있는 것으로 볼 수 있게 도와준다. 대리적인 성공은 희망을 불러일으켜 주는데, 그 희망이 치유 과정에 매우 중요하다.

독서 치료는 아이가 자기의 감정들을 알아차리게 도울 수 있고, 죽음에 관해 생각하고 말할 수 있는 기회를 주며, 어려운 상황이 어떻게 다루어질 수 있는지 통찰력을 길러주고, 고립된 느낌을 풀어놓도록 돕는다(Berns, 2003-

2004; Bowman, 2003). 사별을 다루며 고통과 비통함을 표현할 뿐 아니라 상실에 적응하는 회복탄력성을 표현해주는 어린이 책이 많다(Jones, 2008). 주디 파스코Judy Pascoe의 『나무에 계신 우리 아버지Our Father Who Art in A Tree』(2002)는 열 살 소녀의 이야기이다〔이 제목은 "하늘에 계신 우리 아버지(Our Father Who Art in Heaven)"라는 주기도문 첫 구절을 패러디한 제목이다〕. 그녀는 아버지가 죽었어도 그의 존재를 느끼고 목소리를 듣는다. 슬프지만 웃음과 유머가 담긴 이 책은 사별을 경험한 아이가 느끼는, 서로 부딪치는 감정들을 탐구한다.

아동과 청소년은 이야기의 등장인물들을 통해 다른 사람들이 죽음, 슬픔, 애도를 어떻게 다루는지 이해할 수 있다(Markell and Markell, 2008). 사랑하는 사람의 죽음을 마주한 등장인물들의 이야기를 말해주는 데 이용되는 책들로 조앤 K. 롤링Joanne K. Rowling의 『해리 포터Harry Potter』시리즈, 프랜시스 호지슨 버넷Frances Hodgson Burnett의 『비밀의 정원The secret garden』, 엘윈 브룩스 화이트Elwyn Brooks White의 『샬롯의 거미줄Charlotte's Web』 등이 있다. 또한 상실로부터 어떻게 의미가 만들어질 수 있는지 보여주는 책도 많다. 하지만 모든 아동과 청소년이 등장인물과 자기를 연결해 느끼는 것은 아니며, 이야기가 너무 아픈 데를 찌르는 것이 될 수도 있다(Cook et al., 2006). 책은 아동이나 그 집단의 연령과 사회적·정서적 발달 수준에 맞춰 선택되어야 하고, 아이가 읽을 줄 안다면 그 읽는 수준에 적합한 것이어야 한다.

이야기를 슬라이드처럼 만들기

자선단체 '윈스턴의 소망'의 브렌던 매킨타이어Brendan McIntyre와 제마 호그우드Jemma Hogwood는 사별을 경험한 청소년이 자기의 경험을 이야기로 풀어내도록 돕는 방법을 소개했다(McIntyre and Hogwood, 2006). 이 기법은 아이가 자기 이야기를 객관화하는 것이다. 따라서 자기와 사건을 분리하는 데 도움이 되는 이 방식을 통해 무슨 일이 일어났는지 볼 수 있게 된다. 사건 이 객관화될 때 아이는 감정과 행위가 조절된다는 느낌을 더 많이 받기 시작 할 수 있고, 자기 느낌을 관리하는 다른 방법들을 보기 시작할 수 있다 (Eppler et al., 2009; Freeman et al., 1997). 아이가 말로 표현할 수 없었던 감정 을 그림으로 그리면 표현하게 되는 경우가 많다. 아이는 자기 이야기가 이해 되는 바로 그때, 그 이야기를 할 필요가 있다. 이는 죽음, 죽음 이전의 사건, 죽음 이후의 사건에 관해 아이가 정보와 통찰을 더 얻어가면서 변경될 수 있 다. 그런 변화를 '환등 필름'처럼 그려볼 수 있다. 죽음의 순간에 무슨 일이 있었고, 그 자리에 누가 있었으며, 어디서 일어났는지를 기록하고, 무엇이 그 죽음으로 이끌어갔는지와 죽음 이후에 일어난 일들을 그림으로 기록하는 것이다. 이 기법은 아이가 과거·현재·미래를 볼 수 있게 해준다. 환등 필름 처럼 그린 이러한 그림들은 청소년이 자기의 경험을 담는 이야기 구조를 가 질 수 있도록 만들어준다(White and Epston, 1990).

이야기 연극

이야기 연극은 아이와 의사소통하는 하나의 형식이며, 이야기·신화·동 화·서술을 이용해 삶의 사건들을 함께 이야기하면서 말도 안 되는 사건들을 말이 되게 해주는 기법이다. "그것은 공동 접근 방식으로서, 어른이 아이를 도와 아이가 상상 연극의 과정을 이용해 자기 경험들을 정리하도록 만들어준다"(Cattanach, 2007). 이야기가 '실제 일어난' 사건을 근거로 한 사실적인 것일 필요는 없다. 상상의 이야기일 수 있음에도 그것은 여전히 아이나 청소년이 느끼고 이해한 바를 표현해준다. 그 이야기들은 아이가 살고 있는 문화, 그의 가족, 그 밖의 관계들의 영향을 받을 것이다(White and Epston, 1990). "연극을 통해 아이는 생각, 느낌, 갈등을 연극의 등장인물들에게 투사할 수 있다"(Dwivedi, 1993: 11). 버지니아 액슬린Virginia Axline은 『자아를 찾아가는 딥스Dibs in Search of Self』에서 의사소통의 한 형태로 연극의 중요성을 강조했다. 아이들의 연극은 그들이 우리에게 듣기 원하는 이야기를 들려준다는 것이다(Axline, 1964).

선으로 그리기와 색칠해 그리기

선으로 그리든 색을 칠하며 그리든, 그리기는 말을 할 필요가 없이 감정에 직접 접근한다(Edwards, 2004; McNiff, 1992). 고인을 그리거나 가족과 함께한 특별한 순간을 그리는 것은 아이가 고인에 관해, 그리고 행복한 기억과 슬픈 기억을 말하도록 도와줄 수 있다(Goldman, 2000).

우리는 제시어들을 담은 카드를 활용해 아이가 사별에 대한 자기 반응을 탐색하도록 도울 수 있다. 제시어에 포함할 수 있는 것은 다음과 같다.

너를 두렵게 하는 것을 그려보렴.

최근에 꾼 꿈을 그려보렴.

너를 행복하게 해주는 것을 그려보자.

네가 안전하다고 느끼게 해주는 것을 그려보자.

살면서 슬펐던 때를 그려보면 어떨까.

○○○이 죽기 전, 네 가족을 그려보렴.

지금 가족을 그려보렴.

너를 화나게 하는 것을 그려보자.

너를 웃게 만드는 것을 그려보자.

가고 싶은 곳을 그려볼래.

함께하고 싶은 사람을 그려보자.

지금까지 설명한 모든 다른 창조 활동과 마찬가지로 이는 다듬어진 예술품을 완성하는 것이 아니라 그 과정을 경험하는 것이다. 미술 치료사 숀 맥니프Shaun McNiff가 "그 과정을 신뢰하라"(McNiff, 1992)라고 말하듯이 말이다. 치유는 창조하는 행동 안에서 일어난다. 그러나 미술 치료사만 그리기를 이용할 수 있는 것은 아니다. 호기심과 세심함을 지니고 그림을 살펴보며, 아이가 자기 그림에 대해 말하겠다고 한다면 그림이 그에게 무엇을 의미하는지 표현하게 하라(DeSpelder and Strickland, 2002). 그리기는 아이가 불안이나 일반적인 느낌들을 소통하는 한 형태가 된다(Massimo and Zarri, 2006).

사진과 비디오

사진, 비디오, 기념품을 감각적 촉매로 삼아 감정에 연결되도록 만들어줄 수 있다. 애넷 쿤Annette Kuhn은 가족사진이란 기억과 추억이고, 다른 사람들과 나눌 수 있는 우리 이야기라고 말한다(Kuhn, 2002). 그런 것들은 한동안 잊었던 기억들을 떠오르게 만든다(Gough, 2003). "사진은 말로 표현하는 것을 어려워하는 사람들에게 특히 유용하며 많은 맥락에서 활용되어왔다." 사진을 보는 것은 기억을 소중히 하는 것이다. 사진은 고인과 연결된 여타 물건과 마찬가지로 이야기를 나눌 구체적 초점을 만들어준다.

사진은 우리 마음의 발자취, 우리 삶의 거울, 우리 심장을 반영해주는 것, 얼어붙은 기억이다. 우리는 침묵 속에서 그것을 손으로 붙잡고 있을 수 있다. 우리가 원한다면 영원히 말이다. 사진은 우리가 있던 자리를 기록해줄 뿐 아니라 어쩌면 우리가 가는 중일 수도 있는 길을 가리켜준다. 아직 우리가 그 길을 알든 모르든 말이다. _ 주디 와이저(Judy Weiser), 'www.photo-therapy-centre.com'의 첫 화면

안전한 공간 조성하기

이 활동은 편안하고 침범되지 않는 안전한 장소를 확인하며 회복탄력성을 기르도록 도와줄 수 있다. 첫째로 할 수 있는 일은 종이에 안전한 공간을 만드는 것이다. 아이나 청소년이 다음의 어떤 것이든 생각할 때면 마음속에 떠오르는 것을 상징할 만한 것을 그리거나 단어로 쓰게 한다.

- 따뜻함
- 부드러운 담요
- 곰 인형이나 다른 폭신한 인형
- 신뢰하는 사람
- 신뢰하는 것

- 편안한 색채와 느긋하게 만들어주는 냄새
- 과거에 안전했던 순간
- 매우 안전한 장소

아이가 자기 자신과 관련 있는 것을 가져올 수도 있다. 이를 확대해 안전한 장소라 생각했던 곳을 가보기 원하는지 물어볼 수도 있다. 실제로 그 죽음이 발생한 곳, 예를 들어 병원이나 묘지, 또는 기타 중요한 장소를 다시 방문할 수도 있다(Hindmarch, 2000).

스크랩북

아이는 스크랩북을 만들 수 있고 거기에 글, 편지, 사진, 위로 카드를 담을 수 있다. 사실 아이가 원하는 것은 무엇이든 다 담아도 된다. 이는 전환기에 유용한 활동이 된다. 그 아이의 과거 물품과 미래를 나타내는 물품을 포함할 수 있기 때문이다. 삶의 많은 측면이 자신의 통제에서 벗어난 시기에 이러한 활동은 〔무엇을 스크랩할지를〕 그 아이가 스스로 통제하는 목적을 지닌 활동이 된다(Sori and Hecker, 2003).

진흙 놀이

진흙은 장소, 사람, 느낌을 모양으로 만드는 데 사용될 수 있다. 진흙을 마음대로 주무르는 것이 마음을 부드럽게 만들어줄 수 있고, 진흙으로 빚어진 물체는 영구하지 않다는 그 성질이 아이의 탐색을 더 과감하게 만들기도 한다(Edwards, 2004; Mallon et al., 2005).

가면

가면 만들기와 가면 장식하기는 모든 연령대의 아이가 할 수 있다. 아이가 사람들의 얼굴과, 사람들이 스스로 느끼는 것을 보여주는 데 이용하는 표현에 관해 생각하도록 돕는 것부터 시작한다. 아이는 이미 만들어진 하얀 가면이나 종이 접시를 장식해 자기가 어떻게 느끼는지 보여준다. 가면 장식으로 양털, 오린 종이, 반짝이, 기타 적절한 것은 어떤 것이든 이용할 수 있다.

자기가 세상을 어떻게 보는지 나타내는 가면과 자기가 바깥에서 어떻게 느끼는지 보여주는 가면을 다르게 만들 수 있다. 마이클 로젠Michael Rosen의 『슬픔의 책Sad Book』은 이를 확실히 그려 보여주기 때문에 청소년이 가면을 만들도록 돕는 자극제가 될 수도 있다(Rosen, 2004). 아이는 다른 사람들이 자기 느낌을 공개적으로는 어떻게 '가면' 속에 감추는지를 이 활동과 관련시켜볼 수도 있다. 만일 이를 그룹 활동으로 하고 있었다면 가면들이 아이들 사이에서 공유될 수 있다.

추억 상자

아이는 고인의 특별한 물건들을 담아두기 위해 상자를 이용하거나 상자를 만들고 싶어 할 수도 있다(Smith and Pennells, 1995; Stokes, 2004). 빈 구두

상자를 흰 종이로 싼 뒤 아이가 그것을 장식할 수도 있고, 당신이 '윈스턴의 소망' 같은 사별 전문 기관에서 추억 상자를 구입할 수도 있다. 그 상자에 사진, DVD, CD 등 고인에 대한 특별한 기억을 지닌 것이라면 무엇이든 담아둘 수 있다.

부모가 죽기 전에 자녀를 위한 추억 상자를 만들어놓는 경우도 있다(Neville, 1995). 이 상자에는 자녀가 특별한 시점에 이를 때, 가령 진학이나 결혼을 할 때 또는 부모가 될 때와 같은 경우에 열어서 읽을 수 있도록 편지를 담을 수 있다. 특별한 가족 이야기나 가족사의 특별한 면들을 담아 자녀가 가족의 지속됨을 느끼게 할 수도 있다.

추억 정원

'추억 정원: 사별 카드 놀이 세트Memory Garden: Bereavement card deck'는 삽화 형식의 카드 세트인데, 카드 각각에는 꽃이 하나씩 그려져 있고 "고인을 생각나게 만드는 향기"라든지 "나는 …… 를 항상 기억할 것이다"와 같은 글귀가 적혀 있다. 이 카드는 상실과 사별의 많은 측면을 다루어주며, 특수교육이 필요한 아이에게 특히 도움이 될 수도 있다. 이 카드 세트는 리사-마리 아나슨Lisa-Marie Arnason이 디자인한 것으로, 영국의 웹 사이트 'www.winslow-cat.com'에서 구입할 수 있다. 그러나 이런 카드를 아이와 함께 만들 수 있고 그 과정에서 어떤 내용과 추억을 담을지 아이 스스로 결정할 수도 있다.

아이가 추억 정원을 만들도록 격려해도 좋다. 어떤 점에서 이는 라비 그롤먼Rabbi Grollman의 말을 반영해준다(Grollman, 2008). "애도란 여름철에 꽃밭에서 잡초를 뽑는 일과 같다. 계절이 바뀔 때까지 잡초 뽑는 일을 하고 또

해야 한다." 아이는 식물과 꽃을 고르고 그것을 좋아하면서 계절이 어떻게 변하는지, 또 삶이 어떻게 순환하며 지나가는지 볼 수 있다.

기억하는 돌멩이

이것은 내가 '윈스턴의 소망' 웹 사이트에서 처음 본 뒤 사별당한 청소년과 다양한 방식으로 이용해온 활동이다. 돌멩이가 느낌과 기억을 표현해준다는 아이디어를 아이들은 쉽게 파악한다. 느낌을 상징하는 데 돌멩이 세 개를 사용한다.

① 하나는 울퉁불퉁하게 찔리는 돌멩이다. 이 돌은 아이가 느끼는, 거칠고 딱딱하며 감당하기 어렵지만 감당해야 하는 느낌을 반영한다. 이 돌멩이를 꽉 쥐면 뾰족한 면이 닿아 아이가 아프다고 느낄 수도 있다. 당신은 그 아이에게 아플지도 모르는 기억이나 느낌을 가질 수 있다는 사실을 지적해줄 수 있다.

② 다른 하나는 부드러운 평범한 돌멩이다. 이것은 아이가 고인에 관해 품은 일상의 기억들, 함께 나눈 시간들을 표현해줄 수 있다. 주말에 함께 DVD 보는 것을 좋아했다거나 고인이 초콜릿 비스킷을 좋아했다는 사실 등을 표현해주는 것이 될 수 있다.

③ 마지막으로 장밋빛 석영처럼 반짝거리며 빛나는 원석이 있다. 이것은 특별하고 귀중하게 보인다. 따라서 아이가 지닌 매우 중요한 기억이나 고인의 품성과 연관될 수 있고, 특별한 휴일이나 성대한 생일잔치 같은 것일 수도 있다.

이 돌멩이 세 개를 한 손으로 잡을 수 있는데, 이는 우리 정신이나 마음에도 다른 느낌들이 한 손에 든 이 돌멩이들처럼 나란히 함께 있을 수 있음을 아이가 인식하게 만들어줄 수 있다.

조개껍데기

돌멩이, 단추, 바위 조각과 매우 유사한 방식으로 이용할 수 있는 것이 조개껍데기이다. 이것도 아이가 자기 느낌을 표현하도록 도울 수 있다. 색, 모양, 질감, 크기가 다양한 조개껍데기를 담은 상자 하나를 아이에게 주면 아이가 자기 삶에서 중요한 사람들을 나타내는 조개껍데기를 하나씩 고를 수 있다. 복합 신체장애가 있는 아이들을 위한 특수학교인 트렐로 학교Treloar School and College의 상담자 재키 버크Jackie Burke는 이 기법이 얼마나 강력한 효과가 있는지 말해준다. 청소년과 그녀 둘 다 더 이상 어떻게 해야 좋을지 모르겠고 꽉 막힌 듯했을 때 이 기법을 이용했는데, 그 결과가 훌륭했다는 것이다.

그 여자아이가 선택한 것 중 몇 개는 나를 매우 놀라게 했다. 그녀는 나에게 자기 세상을 열어 보여주었는데, 그 수준은 이전에 본 적도, 느껴본 적도 없는 정도의 것이었다. 아이에게 그것은 막혀 있던 것을 풀어놓게 만들었다. ...... 이는 또한 그녀가 세상에서 자기 자리라고 생각했던 것의 의미를 알게 해준 첫 번째 시간이 되었다(Burke, 2008: 29).

단추 상자

단추는 느낌, 생각, 사람, 상황을 나타내는 데 이용될 수 있다. 아이가 오늘 기분에 따라 알맞은 단추 하나를 고른다. 그다음으로는 화날 때, 슬플 때, 짜증날 때, 편안할 때의 자기 기분을 나타낼 단추를 하나씩 고른다. 그렇게 모은 단추들을 사진으로 찍어 해당 회기에 대한 기록으로 남겨도 된다.

길가 추모 표지

길가에 있는 추모 표지는 전 세계에서 볼 수 있는데, 이는 교통사고로 죽은 사람들을 애도하는 하나의 의례가 되어왔다. 어떤 경우는 사건 직후에 곧장 만들어지기도 하고, 어떤 경우에는 지속적으로 만들기도 한다(Klaassens et al., 2009). 추모 표지가 교통사고 현장에 만들어지기도 한다. 추모 표지를 만드는 일에 자녀가 함께할 수도 있고, 그 후 표지를 해둔 곳에 찾아갈 수도 있다. 추모 표지는 보통 사진, 메시지, 꽃으로 만드는데 그 표지를 만드는 일은 고인이 죽은 자리에서 고인의 존재를 느끼는 것과 관련된 작업이다(Clark and Franzmann, 2006).

몸의 지도 그리기

이것은 느낌을 탐구하는 방법이며, 어린아이가 자기 감정과 다시 연결될 수 있도록 만들어준다(Hemmings, 1995). 몸 윤곽이 그려진 본보기를 이용하거나, 아이가 충분히 편안해한다면 직접 커다란 종이 위에 누워보라고 할 수도 있다. 〔그 종이로는〕 초벌 벽지가 좋고 비싸지 않다. 누워 있는 아이 둘레로 당신이 선을 그어 몸의 윤곽을 그린다. 굵게 써지는 매직펜을 이용하는 것이 좋다. 그다음 아이는 윤곽으로 그려진 몸 안에 자기가 몸으로 진짜 느껴지는 부분을 색칠하고 〔그 느낌을 표현하는〕 단어들을 쓴다.

아이가 '혼동된다', '염려된다', '겁난다' 같은 단어를 쓸 수도 있다. 당신은 색깔로 암호를 만들라고 할 수도 있다. 예를 들어 '빨강 = 분노', '파랑 = 슬픔' 등으로 정하고 그런 감정을 느끼는 신체의 부분을 그 색으로 표현하는 것이다. 이 활동은 아이가 언제 그렇게 느끼는지, 그런 느낌이 들 때 무엇을 하는지, 그럴 때 누가 도와주는지 이야기 나눌 기회를 열어줄 수 있다. 이렇게 이야기를 나누는 일은 아이가 자신의 강점과 회복탄력성을 쌓도록 하는 데 도움이 될 수 있다(Mallon et al., 2005).

표정에 나타난 감정들

다양한 감정을 담은 표정 이미지를 모으라. 각 표정에 이름을 붙이고 코팅한 뒤 사용하면 된다. 아이가 자기 느낌을 반영해주는 이미지 하나를 고르면, 이것이 바로 감정들에 대해 이야기를 시작하게 만드는 도약판 역할을 한다. 가족이나 친구에 속하는 다른 사람의 이미지를 고르라고 할 수도 있다.

다양한 감정을 나타내는 표정을 당신이 직접 그려도 된다. 표정으로 그리기 적당한 단어는 '걱정되는', '슬픈', '화가 나는', '불행한', '지루한', '죄책감 드는', '행복한', '충격받은', '실망스러운', '버림받은', '안심이 되는', '어쩔 줄 모르는', '상처받은', '비참한', '외로운', '아픈', '무서운' 등 느낌에 관한 단어다.

꼭두각시놀이

꼭두각시놀이는 아이가 자기 감정을 투사하고 그 느낌들을 적극적으로 탐색할 수 있게 해준다. 그 아이는 〔꼭두각시를 사이에 두고〕 자기의 개인적인 경험으로부터 충분히 거리를 둘 수 있기 때문에 괴로운 감정들을 탐색할 수 있고, 꼭두각시를 대화로 끌어들여 자신이 표현하기 어려운 말을 할 수 있다. 꼭두각시 인형은 'www.puppet.co.uk'에서 구입할 수 있지만, 당신이 만들거나 아이가 만들게 돕는 것도 생각해볼 만하다.

콜라주

잡지·천·종이·신문에서 오려낸 것, 지도, 사진, 그 밖에 적당하다고 느끼는 어떤 물건이든 이용해 그런 이미지를 모아 아이가 콜라주를 만들 수 있다. 이로써 아이는 그리거나 색칠할 줄 몰라도 예술 작업의 세계로 들어갈 수 있으며, 어떤 아이에게는 이것이 덜 부담스러울 수도 있다(Rogers, 2007).

헝겊 조각들을 담은 보물 상자

면부터 코듀로이, 공단, 스웨이드에 이르기까지 무지개 빛깔 헝겊을 모은다. 아이가 헝겊의 색깔과 종류를 골라 자기 이야기를 만들게 한다. 또한 헝겊 조각으로 기억 모음 퀼트를 만들 수도 있다.

풍선

풍선을 상징적인 방법으로 이용할 수 있다. 아이가 고인에게 메시지를 써서 풍선에 붙여 날려 보낼 수 있다. 이 활동은 매년 고인의 기일에 반복해도 된다. 죄책감을 푸는 창조적인 접근법 중 하나는 자연 분해가 가능한 헬륨 풍선에 아이가 죄책감을 느끼는 일들을 써서 날려 보내는 것이다(Rothman, 1996).

과도기의 물품

대부분의 아이는 부모의 물건을 간직한다(Worden, 1996). 이는 고인의 선물이거나 생존한 부모에게 받은 것일 수도 있다. 때로는 고인을 생각나게 만드는 것을 지니고 다니기도 한다. 셰릴은 여덟 살 때 할머니를 잃었다. 십년 후 대학 입학을 위해 짐을 싸면서 셰릴은 할머니에게 받은 비누를 엄마에게 보여주며 말했다. "할머니가 기억나게 이것을 가져가고 싶었어. 오랫동안 이 비누 냄새를 맡으면 할머니 냄새를 맡을 수 있었거든. 그런데 냄새가 점점 옅어지고 있어." 바믹 볼칸Vamik D. Volkan은 애도하는 사람을 죽은 이와 계속 연결시켜주는 사물을 묘사하기 위해 '연결시키는 물건linking object'이라는 용어를 만들었다(Volkan, 1972).

사별 아동을 지지하기 위한 주말 숙박 프로그램인 '보물 같은 주말Treasure Weekend' 마무리 시간에 셜리 포츠Shirley Potts는 아동 각각에게 그들 자신의 유일무이함과 개별성을 기억나게 만들어줄 손거울을 준다(Lansdown, 1999).

조약돌 기법*

이 기법은 홀리 반 걸든Holly van Gulden과 리사 바텔스 랩Lisa M. Bartels-Rabb이 고안했다. "조약돌이란 대화가 아니라 짤막한 말인데 그 말로 어떤 이슈가 제기되며, 그다음에는 잔물결이 일어나게 내버려 두는 것이다. 아이가 그것을 알아차릴 때까지 말이다"(van Gulden and Bartels-Rabb, 1999: 200). 이 짤막한 말은 아이가 그림을 그릴 때 이용될 수도 있다. 예를 들어 다음과 같다. "정말 잘 그리네. 그림 재주를 엄마에게 물려받았나 보구나." 그 말을 들은 아이는 어떤 시점에서 자기와 고인의 공통점을 잡아낼 수도 있고, 아니면 다른 점들에 관해 말할 수도 있다. 이렇게 '조약돌'이 대화를 넓혀갈 기회를 제공한다. 그것은 어떤 감정과도 관련될 수 있다. 그 감정들을 이러한 지지 작업에 끌어들이는 방법을 찾아내는 것은 그 아이를 돌보는 어른에게 달려 있다(Di Caccio, 2008).

인형

집에서 만든 것이든 산 것이든 모든 모양과 크기의 인형이 아이나 청소년과 작업할 때 매우 도움이 된다. 일어난 사건을 인형을 통해 연기할 수 있고, 인형을 이용해 대화를 만들 수 있으며, 사랑하는 이가 죽었다면 인형은 어떻게 느낄지를 표현해볼 수 있다. 그저 인형을 꼭 안고 있으면서 위로받을 수

---

* 조약돌로 물수제비를 뜨면 잔물결이 퍼져나가듯이, 짤막한 말을 던져 그 파장으로 아이가 반응하게 하면서 대화를 넓혀가는 기법이다. — 옮긴이

도 있다.

얼굴을 자세히 만들거나 그리지 않은 채 집에서 만든 인형으로 청소년이 스스로에게 맞춰 그 얼굴을 만들 수 있다. 애나가 묘사하듯 말이다. 애나는 내가 어느 치료 관련 학술지에 상실을 경험한 아이와 작업하는 혁신적인 방법들을 알려달라고 요청한 것에 답장을 보내주었다. 그 내용을 약간만 줄여 여기에 길게 포함시킨 것은 그녀가 집에서 만든 헝겊 인형을 어떻게 이용하는지 매우 우아하게 묘사하기 때문이다.

나는 한 초등학교에 책 읽어주는 사람으로 자원했습니다. 바로 얼마 전에 엄마를 여읜 어린 소녀가 있었는데, 그 아이는 선생님들에게 말을 하려 하지 않았습니다. 나는 그 여자애에게 책을 읽어주라는 부탁을 받았습니다. 선생님들은 내가 도울 수 있으리라 느꼈습니다. 처음에는 힘들었습니다. 그녀가 길을 잃은 아이처럼 보였기 때문입니다. 그러다 어느 날인가 내가 딸을 위해 만들었던 인형 중 하나를 가져오자 그 아이는 처음으로 흥미로운 눈빛을 보였고, 나는 그것을 이용해 말문을 열게 했습니다.

아이에게 인형을 하나 갖고 싶은지 물었더니 고개를 끄덕였습니다. 그것이 나에게는 돌파구였습니다. 다음 주에 그 인형을 가져가자 아이는 나에게 마음을 열고 자기 걱정거리를 말하기 시작했습니다. 우리는 "앞뒤가 서로 맞아떨어지지 않는 말들"을 했습니다. 나는 괴로움을 지닌 아이와의 대화가 보통 그런 식이 된다는 것을 알게 되었습니다. 그런 말들이 대화 속에 '던져 넣어지고' 이는 당장의 주제와는 관계가 없지만, 그런 말들이 바로 그 순간 아이가 느끼는 것을 아주 분명하게 말해줍니다. 얼마 후 아이의 아버지는 인형을 준 것에 대해 고마워하면서 그것이 자기 딸을 변하게 만들었다고 말했습니다.

최근에는 중학생들과 함께하고 있습니다. 공예 교실을 시작했는데, 초등학교에서 중학교로 옮겨가는 과정을 어려워하는 학생들을 위한 것입니다. 처음에 시작한 것은 '재료와 방법을 뒤섞어 만든 카드(mixed media card)'를 제작하는 것이었습니다. 학생들이 자기가 주고 싶은 사람을 위해 카드를 만드는 작업이었는데, 어떤 학생은 암으로 죽어가는 엄마를 위해 만들고 싶어 했습니다.

학생들은 주중에 내 사무실에 오곤 했고, 창틀 위의 인형을 보았습니다. 엄마가 암 투병 중인 남학생이 어느 날 들어오더니 인형들에 관해 말을 걸었고, 그것이 시작이었습니다. 몇 주가 지나 그는 인형들을 이용해 자기 느낌을 말하기 시작했습니다. 나는 인형을 하나 갖고 싶은지 물었습니다. 내가 표정도 없고 옷도 입지 않은 인형들이 있다고 말하며 가져올 수 있다고 하자 좋아했습니다. 자기 인형 위에다 자기에게 중요한 단어들을 쓰고 싶다고 말했습니다.

그 학생이 내게 보여주려 그 인형을 한번 가져왔는데, 이는 당시 그의 기분을 그대로 표현해주었습니다. 이후 그 인형을 간직했고, 그가 느끼는 것을 나타내주는 특별한 상징이 되었습니다. 어느 날 인형들을 치우자 어떤 학생이 들어와 인형들이 어디 있는지 물었습니다. 그녀는 인형들을 보는 것을 좋아했고 그 인형들을 보여주러 친구를 데려왔기 때문입니다. 이 학생도 가까운 친척을 잃었고, 말하기 위한 핑곗거리로 인형을 이용했습니다. 아주 흥미롭게도 그녀는 자기 인형을 원하지는 않았으며, 그저 와서 인형들에 관해 말하는 것을 좋아했습니다. 인형들의 이름은 방에 오는 아이들만큼이나 자주 바뀌었습니다.

원래는 인형을 이용할 의도가 없었고, 방의 분위기를 밝게 하려 가져다 놓았을 뿐입니다. 그래서 인형들이 영향을 미치리라고 꿈도 꾼 적이 없습니다. 인형은 나에게 중요합니다. 그것들이 위로한다는 것을 알아냈다는 점에서 그렇고, 다른 사람들에게 어떤 영향을 끼치는지에 내가 늘 놀란다는 점에서도 그렇습니다. 인형을 무서워하는 사람들도 있다는 것을 압니다. 그렇지만 위기를 겪을 때 의지할 인형, 껴안고 있을 어떤 것, 익숙한 어떤 것, 질문들에 대답하지 않아도 당신 자신으로 그냥 있도록 내버려 두는 어떤 것을 지니고 있다는 사실이 주는 영향도 알고 있습니다. 내 인형을 좋아한 학생들은, 그들이 내 방에 있기 좋아한 것도 바로 따져 묻는 질문을 받지 않으며 그냥 자기 그대로 있을 수 있고, 울어도 웃어도 슬퍼도 행복해도 괜찮았기 때문이라고 말해주었습니다.

갖가지 기법

사별당한 아이와 청소년에게 사용할 수 있는 창조적인 기법이 그 밖에도 많다. 그러나 여기서 모든 것을 깊이 탐색하기에는 공간이 충분치 않다. 당신은 음악과 노래(Heath, 2009), 드라마(Casdagli, 1995)를 고려해보고 싶을지도 모르겠다. 춤, 달리기, 펄쩍 뛰어넘기, 그리고 태극권, 요가, 무술 같은 훈련 형태의 신체 활동은 좌절·분노·긴장을 완화해줄 수 있다. 에든버러에 있는 리치먼드 희망 센터에는 '화산의 방Volcano Room'이 있다. 거기에는 어린아이를 위한 샌드백이 있어 때리면 동요가 흘러나온다. 또한 그 방에는 씨름하는 커다란 인형과 푹신한 벽들이 있어 아이가 슬픔을 표현하고 분노의 감정들을 분출하는 데 도움을 준다.

여덟 살 토머스에게 하는 말로 마무리하겠다. "너에게 만일 나무가 있다면 거기에 뭔가 달아도 좋단다. 풍경風聲, wind chimes 같은 걸 말이다. 나도 내 나무에 그것을 걸었는데, 그것이 흔들거리면 아빠 생각이 난단다."

'성찰 공책'과 펜을 준비하라. 과거에 함께했거나 현재 함께하고 있는 사별당한 아동이나 청소년에 관해 생각해보라.

- 시작하게 만들 제목을 쓰라: "_____ 가 죽었을 때 내가 느꼈던 것은 _____ ."
- 그 아이의 목소리로 쓴다.
- 7분 후에 알람이 울리게 한다.

당신의 반응을 써 내려가라. 당신이 쓰고 있는 것을 분석하거나 검열하려 멈추지 마라. 7분이 지나면 멈추라.

당신이 사별당한 그 아이에 관해 쓴 것을 읽고 나면 곧바로 이것이 당신에게 어떤 영향을 끼쳤는지 성찰한다.

- 제한 시간은 7분으로 정한다.
- 시작하는 제목: "내가 쓴 글을 읽었을 때 나는 _____ ."

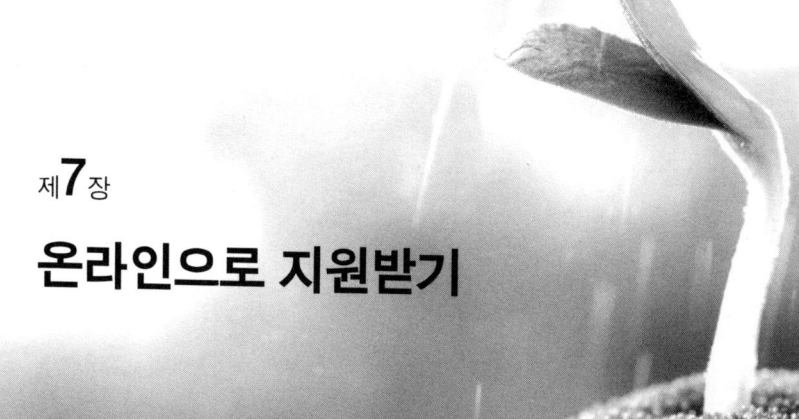

여동생이 교통사고로 죽었을 때 뉴스와 인터넷에 나왔어요. 다른 애들이 인
터넷으로 몰려갈 때 나는 화가 났는데, 남동생은 자기 이름이 거기 나왔다고
좋아하는 거예요. _ 클레어(11세)

인터넷은 아동과 청소년의 삶에 중대한 요소가 되어버렸다. 사별 아동들
은 사망한 친구 또는 가족에 대한 감정을 공유하거나 애도 메시지를 남기기
위해, 또는 스트레스를 받을 때 도움을 구하려고 인터넷에 접근한다(Oliveri,
2003; Salter, 2004). 이번 장에서는 아동과 청소년이 인터넷 게시판이나 채팅
공간이 있는 웹 사이트에서 무엇을 얻을 수 있을지 살펴볼 것이다. 이 웹 사
이트들은 적절히 모니터되고 있는 것들이다. 2008년에 설립된 영국아동인
터넷안전협의회The UK Council for Child Internet Safety는 아동과 청소년이 방문
하는 웹 사이트들의 내용을 모니터링한다. 이런 웹 사이트는 청소년이 즉각
접근할 수 있게 되어 있지만, 청소년에게는 인터넷 사이트에서 얻을 수 있는

것보다 더 많은 도움이 여전히 필요할 수도 있다.

청소년의 SNS 이용이 최근 엄청나게 증가하고 있다. 어맨다 L. 윌리엄스 Amanda L. Williams와 마이클 J. 메르텐Michael J. Merten의 연구에 따르면 청소년은 SNS를 통해 고인에게 하고 싶은 말을 남기기도 하고, 추모 메시지나 최근 사건, 이전에 함께했던 때를 포스팅하기도 하며, 상실에 대처하는 방법, 죽음의 원인에 대한 논의, 종교적 신념, 장례식 참석에 대한 생각을 포스팅하기도 한다(Williams and Merten, 2009). 죽은 친구의 프로필을 정기적으로 들어와서 보는 청소년도 있다. 죽음 직후에는 매일 방문했을 수도 있다(Aitken, 2009). 댓글을 달고 공유하는 한없는 자유로움은 청소년이 외로움을 덜 느끼도록 해주고 고인과의 유대감을 지속할 수 있게 만들어준다.

다음은 영국에서 사별 청소년이 이용할 수 있는 웹 사이트들이다.

널 위한 길 www.rd4u.org.uk

인터넷 사이트에는 자주 묻는 질문FAQs, 애도 과정을 지나가고 있는 청소년의 이야기, 시, 서사가 담겨 있는 경우가 많다. 크루즈 사별지원센터가 제공하는 '널 위한 길Road for you: RD4U'은 청소년이 직접 만든 웹 사이트로, 사별을 겪은 청소년에게 도움이 될 활동들을 제시해준다. 사진을 올릴 수 있는 갤러리도 있다(Salter, 2004). 감각장애가 있어 특수교육이 필요한 아동과 청소년도 웹 사이트에 쉽게 접근할 수 있도록 업데이트되는 중이다.

'널 위한 길'은 크루즈 사별지원센터의 '청소년 참여 프로젝트' 중 하나이며, 청소년은 이메일을 통해 지원을 요청할 수 있다. 그 요구 사항들은 훈련된 자원봉사자들에게 전송되며, 그들이 답장해준다. 청소년은 다른 사별 청소년의 경험을 읽을 수 있고, 다른 청소년이 읽어볼 수 있도록 자기 이야기를 보낼 수 있다. 이 웹 사이트에는 일반적인 조언뿐 아니라, 애니메이션과 게임도 들어 있고, '녀석들만Lads Only'이라는 코너가 있다. 청소년은 이 웹 사이트를 지속적으로 발전시키는 일에 참여하며, 또래를 지원하는 자원봉사자로 일하기 위해 훈련받는 청소년도 있다. 이용자들이 올린 피드백에 따르면 이 웹 사이트에서 고립된 느낌을 덜 받게 되었고, 다른 사람들도 사별 경험을 겪어내고 있는 것을 보았으며, 그래서 자기도 겪어낼 수 있음을 알게 되었다는 것이다.

용감한 아이들 www.bravekids.org

'용감한 아이들Brave Kids'은 만성적 질병이나 생명을 위협하는 질병 또는 장애가 있는 아동과 청소년을 위한 웹 사이트이다. 미주 지역에 기반을 두고 정보를 제공한다. 청소년이 질문과 댓글을 달고 자기 상태에 대한 느낌과 생각을 올릴 수 있는 게시판이 있다.

영국학습장애협회 www.bild.org.uk

영국학습장애협회British Institute of Learning Disabilities: BILD는 학습 장애 아동에게 죽음과 사별을 설명해주는 책 시리즈를 만든다.

아동사별재단 www.childbereavement.org.uk

아동사별재단Child Bereavement Charity: CBC이 만든 청소년 웹 사이트에는 '학교(또는 대학)로 돌아가기', '그 몸〔시신〕을 보든가 아니든가', '변화에 적응하기'처럼 주제를 망라하는 기사나 전단이 들어 있다. 토론장이 있고 추천 도서와 DVD를 올릴 공간도 있다. 이런 책과 DVD는 재단의 온라인 매장에서 구입할 수 있다. 또한 영국의 유익한 웹 사이트들로 연결되는 링크를 제공한다. 이 재단은 아기나 어린 자녀의 죽음으로 사별을 경험한 사람을 위해 특별 지원과 정보 및 훈련을 제공한다.

청소년 자문 그룹이 있어 어떤 느낌이 들 수 있는지, 고인이 된 특별한 사람을 어떻게 기억할지, 사별 후 학교로 돌아가는 일 등에 관해 이야기해준다. 다양한 주제로 글을 올리는 공간도 있다. '특별한 날에 할 열 가지', '아버지날에 할 열 가지', '어머니날에 할 열 가지', '크리스마스에 사람들을 기억하는 15가지 방법'이 그런 주제들에 속한다. 이 웹 사이트는 아주 밝은 색으로 꾸며졌으며, 흥미를 끄는 많은 활동과 다문화적인 이미지를 담고 있다.

아동기사별 네트워크 www.childhoodbereavementnetwork.org.uk

아동기사별 네트워크Childhood Bereavement Network에는 유용한 자료들이 많은데, 그중에는 사별을 경험한 청소년 자신에게 필요한 지원을 대신 설명해주는 편지가 있어서 그 편지를 내려받아 친구에게 보낼 수 있다. 청소년에게 도움이 될 수 있는 비디오도 게시되어 있다. 거기에는 6~12세 아동이 자신의 사별 경험에 대해 이야기를 나눌 수 있는 공간인 '만약 네가 늙더라도 너는 언제나 그들을 기억할 거야'가 있다. '괜찮아질 거야'라는 공간도 있는데, 이는 13~18세의 사별 청소년이 개발해놓은 공간이다.

차일드라인 www.childline.org.uk

차일드라인Childline은 아동과 청소년을 위한 비공개 무료 정보를 제공하고 조언한다. 이 웹 사이트는 여러 이슈에 대한 정보를 담고 있다. '핫 토픽'이라는 게시판이 있고, 광범위한 주제에 관한 많은 정보가 있다. 편지 쓰기를 더 좋아하는 청소년을 위한 주소가 따로 있다. 우표는 붙일 필요가 없다.

위로의 책 www.compassionbooks.com

'위로의 책Compassion Books'은 애도와 사별을 다루는 책을 찾는 사람에게 유용한 미국 웹 사이트이다. 모든 책은 전문가나 사별을 겪은 사람들이 선택·검토한 것들이다. 책뿐 아니라 적절한 비디오와 CD, 기타 자료도 이 웹 사이트에서 구입할 수 있다.

직통연결고리 http://webarchive.nationalarchives.gov.uk/2010020216 1751/http://connexions-direct.com

'직통연결고리Connexions Direct'는 13~19세 청소년을 위한 정보와 조언을 제공한다. 관계, 권리, 사별에 대한 정보를 담고 있다.

더기 센터 www.dougy.org

'더기 센터Dougy Centre'는 애도하는 아동을 위한 또래 지원 모임을 미국 최초로 제공하기 시작했다. 정보를 제공하고 지원하며 다른 서비스를 받기 위한 의뢰 기관의 역할을 한다. 2009년 6월에 일어난 화재로 센터가 무너졌지만 웹 사이트는 여전히 운영되고 있다.

애도 마주침 www.griefencounter.org.uk

'애도 마주침The Grief Encounter' 재단이 만든 웹 사이트에는 '십 대 공간'과 '아이들 공간'이 있고 게임과 정보도 있다. '힘든 시간 라임Bad Time Rhymes'* 은 사별 청소년이 쓴 시를 올리는 공간이다.

애도 네트 www.griefnet.org

'애도 네트GriefNet'는 애도와 죽음, 그리고 주요한 상실을 경험한 사람들의 인터넷 커뮤니티이다. 임상 심리학자이자 트라우마 전문 치료사인 센드라 린Cendra Lynn 박사가 관장하며, 365일 24시간 운영된다. 아동과 청소년을 위한 공간이 있어 자기 경험에 대한 시와 글을 게시할 수 있으며, 미술 작

---

* 잠자리(bed time)에서 동화책이나 자장가를 불러주듯이, 힘든 시기(bad time)를 표현한 운율 맞춘 시라는 의미이다. ― 옮긴이

품을 올릴 수 있는 갤러리도 있다. 또한 중요하지만 빈번히 간과되는 아이의 상실 경험인 애완동물의 죽음을 위한 '아동과 동물'이라는 추모 웹 사이트도 있다. 이 웹 사이트도 사별을 경험한 아동과 청소년에게 적합한 도서 목록을 포괄적으로 제공한다.

자매 사이트 '아이가 말하기를Kidsaid.com'은 아동과 청소년을 위한 곳이다. 이곳에서 '아이끼리'는 12세 이하를 위한 공간이며, '아이끼리-십 대'는 13~18세 청소년용이다. 이 온라인 커뮤니티에 가입하려면 부모나 보호자의 동의를 얻어야 하고, 관리자는 동의 여부를 확인하기 위해 부모나 보호자에게 연락한다. 서비스를 이용하는 청소년의 안전을 보장하기 위해서이다.

치유 자리 www.thehealingplaceinfo.org

'치유 자리Healing Place'는 상실과 변화를 위한 센터로서, 아동·청소년·가족·보호자를 위한 애도 지원 서비스를 제공한다. 온라인 교류가 이루어지는 곳은 아니지만 유용한 정보를 제공한다.

쿠스 www.kooth.com

'쿠스Kooth'라는 온라인 상담 서비스는 11~25세를 위한 것이다. 메시지를 남길 수 있는 게시판과 블로그가 있으며, 또래가 지원하고 상담을 제공하도록 만들어진 웹 사이트가 있다. 서비스 이용자의 89%가 전화 상담보다 온라인 상담을 선호한다.

무슬림청소년구조선 www.myh.org.uk

'무슬림청소년구조선 Muslim Youth Helpline'은 영국의 이슬람 청소년에게 그들의 신앙과 문화를 존중하면서 상담 서비스를 제공한다. 구금된 이슬람 청소년을 파견 상담자들이 방문하기도 한다.

파피루스: 청소년 자살 예방 www.papyrus-uk.org

'파피루스: 청소년 자살 예방 Papyrus: Prevention of Youth Suicide'은 자원봉사 단체이다. 청소년 자살 예방과 정신 건강에 대한 인식 증진, 그리고 청소년의 웰빙을 목표로 한다. 청소년의 자살에 충격받은 사람들을 위한 정보와 지원을 제공한다. 자살을 생각해본 적이 있거나 고려하고 있는 청소년과 어떻게 대화할지에 관해 조언하고 정보를 제공한다. 부모와 보호자, 전문가와 청소년을 위한 자료를 제공한다.

아동의 동반자 www.partnershipforchildren.org.uk

'아동의 동반자 Partnership for Children' 재단의 목표는 전 세계 아동·청소년이 자신의 현재와 미래의 정서적 건강을 증진할 기술을 발달시키도록 돕는 것이다. 부모와 교사, 아이를 위한 사별 관련 자료들을 담고 있다.

리치먼드의 희망 www.richmondshope.org.uk

'리치먼드의 희망Richmond's Hope'은 사별을 경험했거나 심각한 상실을 겪은 아동들을 지원하는 재단이다. "모든 아이에게 이와 같은 도움이 필요하지는 않겠지만, 도움이 필요한 아이를 위해 우리가 여기 있다."

사석 www.riprap.org.uk

'사석沙石, Riprap'은 암 투병 중인 부모를 둔 아동과 청소년을 위해 온라인상의 지원을 제공한다. 아이가 자기 경험을 나눌 수 있고, 죽음과 사별에 관련된 주제로 토론할 수 있는 웹 사이트의 공간이 있다. 암과 관련된 전문용어 목록을 만들어놓았으며, 통증 완화 치료, 예상되는 애도에 관한 설명도 있다. 이용자의 안전을 위한 웹 사이트 내규가 있다.

사마리아인들 www.samaritans.org.uk

'사마리아인들Samaritans'은 스트레스나 절망감으로 고통받는 사람은 누구든, 그리고 자살을 생각하는 사람은 누구든 24시간 비공개로 편견 없이 지원한다. 이메일과 편지에도 반응해준다. 정서적 건강에 대한 정보를 제공하며, 청소년이 면담할 수 있는 지역의 지회로 연결해준다.

형제자매 유가족 www.siblingsurvivors.com

'형제자매 유가족Sibling Survivors'는 형제나 자매가 자살한 사람들을 위한 지지 공동체이다. 미국에 기반을 두고 논문 정보와 지원을 제공한다.

천창 www.skylight.org.nz

'천창天窓, Skylight'이라는 뉴질랜드 웹 사이트(Skylight, 2007)는 사별로 힘들어하는 아동과 청소년에게 도움이 될 제안들을 제공한다. 그중 몇 가지는 다음과 같다.

- 좋은 음식을 먹으라.
- 자고 싶을 때 잘 자고, 쉬고 싶을 때 잘 쉬라.
- 필요한 것을 요구하라.
- 아무것도 하지 않는 시간을 가지라. 친지나 친구와 함께 머물며 쉬는 것도 좋다.
- 몸을 움직이는 일을 하라.
- 느껴지는 대로 느끼라.
- 자신을 칭찬하라.
- 스스로에게 너무 많은 것을 기대하지 마라. 자기 자신을 용서하라.
- 웃으라. 그리고 즐겁게 생활하는 것에 대해 죄책감을 갖지 마라.
- 좋아하는 음악을 들으라.
- 좋아하는 것을 읽으라.

- 좋은 친구들과 어울리라. 계속 관계를 유지하고 남들과 이야기를 나누라.
- 당신을 아끼는 사람들과 함께 시간을 보내라.
- 생각할 시간이 필요할 때는 혼자 시간을 보내라.
- 스스로를 안전하게 지키라. 바보 같은 행동은 하지 말라.

별빛세상 www.starbrightworld.org

이곳에 있는 말을 그대로 옮긴다.

이는 가상 외출이지만, 당신이 집 또는 병원에서 벗어나 이미 지니고 있는 우정을 쌓아올리고 새로운 우정을 만들어낼 수 있습니다. '별빛세상(Starbright World)'은 온라인 사교 네트워크이며 의료적으로 심각한 상태에 있는 십 대 (13~20세)와 심각하게 아픈 십 대 형제자매가 있는 사람들이 채팅, 게임, 게시판, 비디오 등을 통해 서로 연결될 수 있습니다.

가상 추모관

사별을 겪은 아동이나 청소년이 추모 공간을 만들 수 있는 많은 웹 사이트가 있다. '애도 네트'는 사별을 겪은 사람이 세 단계를 거쳐 몇 분 안에 추모 공간을 만들 수 있도록 해놓았다. 그 공간을 나중에 사진, 시, 블로그, 음악 등으로 더 꾸밀 수 있다.

추모 웹 사이트는 친구나 가족, 애완동물, 유명인 또는 그 죽음이 매스컴에서 다룰 대상이 되는 사람들을 애도할 수 있게 해준다. 공개적인 공간에 사진을 올릴 수 있고, 동영상이나 음악도 추가할 수 있으며, 댓글을 달고 조의도 표할 수 있다. 대중적인 사이트들이 많이 있다. '안식하는 친구Friends at Rest', '너무 일찍 떠난 사람Gone Too Soon', '많이 사랑했던 사람Much Loved', '영원한 찬사Lasting Tribute' 등이 그런 웹 사이트이다. '많이 사랑했던 사람'을 만든 조너선 데이비스Jonathan Davies는 이런 현상에 대해 다음과 같은 말을 남겼다. "다이애나Diana 왕세자비의 죽음은 사람들의 공식적인 애도 방법에 변화를 가져왔다. 당시 인터넷은 사람들을 연결해주고 애도할 공간을 마련해주었다"(Saner, 2009: 10). 현재 그의 웹 사이트에는 1만 2000개의 추모관이 있다. 이 같은 웹 사이트들은 감정을 표현하고, 일어난 일들을 받아들이기 위한 공간을 제공해준다.

- 추모 재단 웹 사이트

  www.muchloved.com

  www.remembered-forever.co.uk

목소리 www.voiceyp.org

'목소리Voice'는 공공 보호시설에 있는 아동과 청소년의 목소리가 되어주고 그들을 지원한다. 청소년의 권리에 대한 정보와 전단·포스터를 제공하며, 돌봄을 받는 상태나 보호 감찰 상태에 관한 어떤 문제나 물음에 대해서도 도울 수 있다.

윈스턴의 소망 www.winstonswish.org.uk

'윈스턴의 소망Winston's Wish'은 영국에서 아동기 사별에 관한 선두적인 기관으로 사별 가정을 위한 광범위한 서비스를 제공하고 있다. 이 재단은 부모, 전문가, 아동을 지원하며 자료를 제공한다.

아동과 청소년을 위한 웹 사이트는 재미있게 잘 디자인되어 있으며, 다양한 인종을 표현한다. 이 사이트 안에는 '자주 묻는 질문' 등 탐색하는 영역이 많다. '자주 묻는 질문'에는 의학적 질문을 위한 '더그 의사 선생님께'라는 코너도 있다. '낙서 벽'이라는 것도 있어서 스프레이나 그림으로 메시지를 남길 수 있다. '하늘 풍경' 코너에서는 거기에 있는 밤하늘의 별들을 골라 사별을 겪는 이가 자기 생각을 써 넣을 수 있고, 그것을 다른 사람이 읽을 수도 있다. 대화 코너도 있어 다른 청소년을 위한 메시지를 남길 수 있고, 토론 방에서는 특정 주제로 이야기를 나눌 수 있다. '인트랙트InteEract'라는 코너에는 DVD와 엽서가 있으며 내려받을 수 있다. 그 내용은 모두 아동의 사별 경험에 관련된 것들이다.

또한 '하라Do'라는 이름이 붙은 값진 공간도 있다. 여기에는 사랑하는 고인에 대한 추억이 떠오르는 날의 청소년을 도울 수 있는 방법들이 소개되어 있다. 또한 중요한 날짜를 기록할 수 있는 달력도 있다. 아동과 청소년이 이용할 만한 자료들을 내려받을 수 있게 해놓았다.

이 웹 사이트에는 안전 지침이 있으며, '느낌과 대화'라는 공간에 접근하려는 이용자는 등록이 필요하고 자신의 암호를 입력해야 한다. 이용자 보호를 위해 주소가 기록으로 남고 점검된다.

젊은 마음 www.youngminds.org.uk

'젊은 마음Young Minds' 재단은 모든 아동과 청소년의 정서적 건강을 증진하고 정신 건강을 지원하기 위한 곳이다. 많은 코너가 있고 그 안에는 아동을 위한 공간과 청소년을 위한 공간이 있다. 느낌, 두려움, 특정한 정신 건강 이슈에 대한 정보가 담겼다. 또한 비디오, 엽서, 트위터, 뉴스룸을 제공한다.

제8장

트라우마를 남기는 죽음과
그 영향

트라우마를 남길 정도의 충격적인 사건들에 대한 반응은 아이마다 다르지만······ 일관되게 분명히 나타나는 주요 반응은 불안감이 높아지고, 무엇이든 두려워하며, 자존감을 상실한다는 것이다(Garbarino, 1992: 69).

트라우마가 될 만한 상황에서 발생하는 급작스러운 죽음은 그 사별을 겪은 아이에게 아주 깊이 영향을 미친다. 교통사고로 인한 죽음 또는 심장마비 같은 순식간의 죽음을 목격하는 일이 그럴 수 있다. 이런 경험이 아이의 무의식에 단기적·장기적으로 의미를 남기고, 나머지 생애에 영향을 미친다(black, 1996; Perry and Szalavitz, 2006). 살인이나 자살, 그 밖의 황폐하게 만드는 상황들로 인한 죽음은 아이에게 외상 후 스트레스 장애를 유발할 수 있다(Trickey, 2005; van der Kolk et al., 2006). 요즈음 많은 트라우마가 청소년의 삶에 들어와 있는 조직 폭력, 총기 범죄, 자살과 연관이 있다(Batmanghelidjh, 2007). 범죄 활동의 결과로 많은 청소년이 보호소에 수감되거나 기타 사유로 지역 당국의 관리를 받고 있다(CBN, 2008). 이 아이와 청소년은 사회에서 가장 혜택받지 못하는 자들 가운데 있을 수도 있고, 그래서 사별자를 지원하는 사람들에게 심각한 과제를 던져준다(Penny, 2009a).

트라우마로 남을 상황에서의 죽음

> 애도를 가장 잘 묘사하는 단어는 슬픔이며, 트라우마를 가장 잘 묘사하는 단어는 공포이다. _ 애넌Anon(트라우마와 상실을 위한 전국협회National Institute for Trauma and Loss)

트라우마는 "삶과 신체의 온전함을 위협하는 경험이며, 개인의 대처 능력을 압도해버리는 경험"이라고 정의된다(아동의 외상 후 스트레스 전국네트워크 National Child Traumatic Stress Network). 트라우마는 강렬한 두려움과 무력감을 갖게 한다. 트라우마를 낳을 사건이란 갑작스러운 자동차 충돌 사고처럼 단기적인 것일 수도 있고, 지속적인 성폭력이나 조직 폭력 문화로 인한 계속적인 가해처럼 장기간 지속되는 일일 수도 있다.

로니 재노프 불먼Ronnie Janoff-Bulmand의 연구는 트라우마적 사건의 충격을 부각한다. 그녀에 따르면 트라우마적 사건이 심리적으로 해로운 것은 〔그런 사건으로 생기는〕 두려움 때문이 아니라, 그런 사건이 세상에 관한 우리의 기본적인 전제, 즉 이 세상은 안전하고, 질서 있으며, 정의롭고, 돌봐주며, 결국 의미 있는 곳이라는 기본 가정을 무너뜨리는 방식 때문이다. 이는 콜린 머리 파크스의 견해와 비슷하다. 그는 우리가 '가정하는 세상'이 갑작스러운 죽음으로 파괴되는 방식에 관해 썼다. 삶이 정상적으로 계속되리라는 우리의 가정은 사랑하는 누군가의 충격적인 죽음으로 산산조각 난다. 아이에게는 이것이 더 강렬하기가 쉽다. 아이가 자기 세상을 안정시키려면 주변 사람들에게 의존해야 하기 때문이다(Black and Trickey, 2005).

궁극적으로 아이가 어떻게 신체적·정서적·심리적으로 트라우마를 이겨낼 수 있을지 결정하는 것은 주변 사람들, 특히 아이가 신뢰하고 의지할 수 있을 어른들이 사랑과 지지와 격려를 보내며 그 곁에 있는지 여부에 달려 있다(Perry and Szalavitz, 2006: 5).

트라우마로 촉발된 '공격' 반응이나 '도피' 반응이 생길 때 몸에서 화학물질이 나온다. "아드레날린이 노드레날린nordrenalin(도망-겁냄 호르몬)뿐 아니라 코르티솔cortisol(스트레스 호르몬)과 상호작용해 복잡한 화학작용을 만든다. 즉, 스트레스와 싸우면서 스트레스를 생성한다"(Batmanghelidjh, 2007: 57). 사건 후 지속되는 긴장감은 몸의 원기를 고갈시켜 아이의 면역 체계를 망가뜨릴 수 있고, 그래서 질병과 감염에 더 취약하게 만들 수도 있다(Pfeffer, 2007). 유아가 트라우마적 상실을 당하면 그 두뇌는 새로운 정보를 정리하고 내면화하는 방식을 변경할 수 있다. 덧붙여 말하면 "우뇌 안와전두피질right orbitofrontal cortex에서 조정하는 신경심리 기능과 감정 발달에 영구적 변화가 생길 수" 있다(Perry et al., 1995). 초기 트라우마는 대뇌 변연계limbic system에도 치명저으로 중요한 변화를 가져올 수 있다(Di Ciacco, 2008). 이 부분은 감정 조절과 연관된다. 애도 과정을 도울 주요 보호자가 없고 아이가 지지받지 못하면 감정 조절 발달 과정이 멈출 수 있다. 따라서 건강한 정서적 기반을 형성해야 할 초기에 중요한 점을 놓칠 수 있다(Chrouso et al., 2003; Cozolino, 2002; Siegel, 1999). 다음은 충격적인 사별 이후 나타나는 일반적인 반응이다.

▶▶ 트라우마적 사별에 따른 일반적 반응

인지적 반응

- 사고(思考)의 혼동
- 악몽, 고통스러운 꿈
- 빈약한 집중력
- 이전에는 중요했던 일들에 대한 흥미 감소
- 이미 일어난 일에 관해 되새김
- 자신이 이겨낼 수 없다는 생각
- 사건에 대한 생각과 이미지의 반복 출몰

정서적 반응

- 불안
- 죄책감
- 두려움
- 쉽게 화냄
- 짜증
- 분노
- 압도되는 기분
- 혼란스러운 기분
- 공황 증상과 공황장애
- 후회스러움
- 부담감

행위 반응

- 식습관 변화
- 수면 습관 변화
- 과잉 행동
- 과도한 흥분
- 시비 걸기
- 위축
- 공격적
- 의존성 증가
- 침착하지 못함

- 피곤하고 지친 느낌
- 가만히 있지 못함
- 한기와 오한
- 구역질 나는 느낌
- 근육긴장
- 복통
- 자해
- 해리 현상

트라우마적 사건으로 사별당한 아이

　트라우마를 경험한 아이 모두가 애도 과정을 트라우마를 겪듯이 지나가는 것은 아니다. 정상적인 애도 반응이나 복잡하지 않은 단순한 사별을 경험하는 아이가 많다. 그러나 지원이 필요한 아이도 상당히 많다. 심리적 외상과 트라우마를 입은 아동·청소년과 함께할 때의 목표는 느낌을 풀어놓을 안전한 분위기를 조성해주는 것, 자신이 조정한다는 느낌을 되찾게 해주는 것, 일어난 일을 명료하게 이해해 자기 비난을 감소시키거나 없애도록 하는 것이다. 또한 미래를 신뢰하는 감각을 얻고 그 사건을 제대로 바라볼 수 있게 하는 것이다. 아이는 비슷한 일이 다시 생길까 봐 두려워할 수도 있고, 자신이 홀로 남겨질까 봐, 잘 대처할 수 없을까 봐 겁낼 수도 있으며, 자기가 학교에 있을 때 남은 부모에게 끔찍한 일이 생길까 봐, 다음에는 자기 차례일지 몰라 두려워할 수도 있다. 아동과 청소년 스스로 안전하다고 생각하도록 구체적으로 안심시키는 일이 필요할 때가 많다. 트라우마의 흉터가 남게 되더라도 사건 직후 생채기가 난 그대로 계속되는 상처일 필요는 없는 것이다.

트라우마적 죽음이 일어났을 때 사별을 경험한 사람은 경찰이나 피해자 지원 센터, 또는 사회봉사 단체의 도움을 받을 수도 있다. 그러나 이것이 오히려 아이와 청소년에게 생길 수 있는 방향 잃은 느낌을 가중시킬 가능성이 있다. 그들 세상의 일상적인 일이 심각하게 방해받을 수 있기 때문이다. 아이는 낯선 것에 겁낼 때가 많은데, 특히 학습 장애 아동의 경우 더욱 그렇다. 트라우마가 아이의 사고 능력에 영향을 주어 산만해질 수 있고, 혼란을 느낄 수도 있으며, 그래서 삶의 나침반을 잃어버린 것처럼 보일 수도 있다.

아이는 또한 두려운 느낌에 지치게 된다(Stokes, 2004). 트라우마에 뒤따르는 안정되지 않은 느낌들이 그 트라우마와 연관된 큰 소리나 냄새 또는 물체에 의해 건드려질 수 있다. 아이는 이러한 매개 요인을 인식하지 못하고 있을 수도 있다. 따라서 이런 아이와 함께할 때는 반응에 패턴이 있는지 살펴보고 아이가 자기 곤경의 원인을 이해하도록 돕는 것이 유용할 수 있다.

아이는 자기의 트라우마를 행동이나 그림, 예술 작품, 연극에 반영한다. 그러므로 6장에서 설명되었듯, 아이가 자기 관심사를 비언어적 방법으로 표현할 다양한 기회를 제공하는 것이 중요하다. 이때 자신에게 일어난 일에 대한 지배력을 다시 얻으려는 그의 무의식적 시도가 반영된다. 특히 아이가 자기에게 일어난 일에 대한 느낌을 언어로 설명할 수 없을 때는 더욱 그렇다.

언어란 기억을 선언하는(declarative memory) 기능인데, 일반적으로 트라우마적 사건 이후에 그 생존자는 〔언어의 그 기능에〕 접근하기가 쉽지 않다. 그것은 나이와 상관없다. 특히 언어를 조정하는 두뇌의 한 부분인 브로카 영역(Broca's Area)이 영향을 받기 때문에 그 트라우마를 말로 풀어내기 어렵게 만든다. 실제로 트라우마 생존자가 말하려 할 때 양전자 단층촬영(PET) 스캔을 해보면 그 브로카 영역이 닫히는 경향이 있음을 보여준다(Malchiodi, 2008: 2).

큰 재난

재난이 발생하는 맥락은 모두 다르다. 세계적으로 일어나 많은 국가와 대륙에 영향을 미칠 수도 있고, 국지적으로 일어나 인근 지역사회에 영향을 끼칠 수도 있으며, 개인적으로 일어나 당사자와 그 가족에게 영향을 줄 수도 있다. 부모가 살해당하거나 형제가 자살 또는 끔찍한 교통사고로 죽음을 맞은 경우, 개인에게 즉각적인 영향을 미친다. 그러나 트라우마적 죽음은 세인의 이목을 끌기 때문에 그 개인적 비극이 공개되는 경우가 많다. 재난의 성격이 무엇이든 미디어의 관심은 그 죽음에 대한 그 청소년의 반응을 더욱 복잡하게 만들 수 있고, 애도 과정을 지연시킬 수도 있다(Christ and Christ, 2006). 뉴스나 지역 언론에 등장하는 예상치 못한 이미지들은 사별 당사자들이 훨씬 더 큰 트라우마를 갖게 만든다. 그런 이미지들이 원래의 트라우마에 아무 대비 없이 다시 노출시키는 원인이 되기 때문이다(Libow, 1992). 트라우마를 일으킬 일에 그 아이가 이미 노출되었는데, 또 다시 노출되는 것일 수 있다(Kosminsky, 2008). 경찰의 개입으로 인한 격동, 검시 보고서가 나오기 전까지의 장례식 연기, 가족 모두에게 영향을 미치는 법적 절차 같은 이차적 곤경은 사별의 짐을 더욱더 무겁게 만든다. 9·11 테러 이후 소방관들 및 그 가족들과 함께했던 그레이스 크리스트Grace Christ가 강조한 것은 미디어가 애도를 지연시키는 역할을 한다는 점이다. 사별당한 사람들이 그 재난의 이미지에 반복적으로 노출되기 때문이다(Christ and Christ, 2006).

아동과 청소년은 학교에서 일어나는 사건으로 재난에 빠질 수도 있다. 이때 학교가 「위기 대응 계획」을 지니고 즉각적인 조치를 취할 수 있는 것이 중요하다(Harrison, 2002). 한편으로 어느 시점에는 아이에게 전문가의 도움이 필요할 수도 있다. 소아정신과 의사이자 아동에게 미치는 트라우마의 영향에 관한 전문가인 도라 블랙은 다음과 같이 말한다. "아이를 치료하는 목표는 …… 매일 기억나게 만드는 것들에 대해 그 아이가 예상하고 이해하며 다룰 수 있도록 도와주는 것이다. 그래서 기억나도록 만드는 것의 강도를 줄여가고, 그런 것들이 일상의 기능을 방해하는 정도를 줄일 수 있게 돕는 것이다"(Harris-Hendriks et al., 2000: 49). 트라우마적 상실이 있을 때 아이가 트라우마를 겪은 전력이 있는지 확인해 적절한 개입을 할 수 있다면 도움이 된다. 트라우마가 재발하면 아이의 취약함이 증가해 애도 과정이 복잡해진다.

재난 이후에는 자신이 조정한다는 감각을 되찾는 것이 중요하다. 아이와 청소년이 자기 삶의 어떤 영역을 스스로 통제할 수 있는지 인식하고, 자기가 계속 안전할 수 있도록 도와줄 어른들이 있음을 이해한다면 도움이 될 수 있다. 우리는 아이에게 사건이 끝났으며, 그의 안전을 지켜주기 위해 할 수 있는 모든 것을 할 것이라고 보장할 수 있다. 규칙적인 일과와 식사, 휴식과 놀이 모두 치유 과정에 도움이 된다(Goldman, 2000). 하지만 이렇게 재보장의 역할을 하고 있는 일상의 일들은 빈번하게 훼방받는다. 사실 "최근의 재난 연구들은 재난 이후에 가정 폭력, 아동 학대, 무단결석이 증가한다고 기록"해준다(van der Kolk et al., 2006: 346에서 재인용).

재난 경험과 기타 트라우마를 유발하는 사건은 아동과 청소년에게 나타나는 해리 증상의 원인이 될 수도 있다(Laor et al., 2002; Silberg, 2003). 이 증상은 넋이 나간 상태나 블랙아웃〔정전되듯이 의식이 순간 멈추는 증상〕, 장기간의 비非반응이나 주의 결핍, 이인증, 트라우마를 일으킨 사건에 대한 기억상실 등으로 나타날 수도 있다(Carrion and Steiner, 2000). 이런 증상은 매체의 이미지로 촉발될 수도 있다. 따라서 사별당한 사람이 그 재난에 관련된 뉴스 시청을 줄여 너무 많은 자료를 보지 않도록 보호될 수 있다면, 그가 받는 고통의 원인에 노출되는 빈도를 줄이는 데 도움이 될 것이다.

트라우마적 사별을 경험한 사람들이 직면하는 문제는 다른 사람들의 이해와 경험을 뛰어넘는 것일 경우가 많다. 예를 들면 2008년에 호주에서 일어난 산림 화재는 죽음과 파괴뿐 아니라 화재로 타격을 받은 사람들에게 일상적인 생활 자원이 끊기도록 만들었다. 이렇게 증가된 고립감이 재난에 빠진 사람들의 고통에 추가된다. 충격적인 상실을 경험한 아동과 청소년은 자기 또래에서 고립된 느낌을 받을 수도 있고, 그래서 위축되거나 남들과 함께하는 활동에 참여하지 못할 수도 있다. 덧붙여 말하자면 트라우마가 생긴 아동·청소년과 함께 일하는 사람도 이들의 이야기를 듣고 이야기에서 표현되는 극심한 감정들을 목도하며 이차적 트라우마를 경험할 수 있다.

상실에 대한 아이의 적응은 계속되는 과정이기에 발달단계마다 다른 문제가 나타날 것이다(Kosminsky, 2008). 우리는 아이가 긍정적 관계를 형성하도록 격려하고, 낙관적인 감각과 희망을 지닐 수 있게 장려하며, 문제를 해결하는 능력을 배우도록 도와줌으로써 그 아이가 회복탄력성이 더 많은 사람이 되도록 도울 수 있다. 희망은 재난 이후에 더 나아지고 있는 것으로 예측할 수 있는 가장 강력한 요소 중 하나이다(Raphael, 2005).

자살

아버지가 가긴 했지만 가버린 건 아니에요. 내가 매일 아버지를 생각하니까요. _ 해너(10세, 아버지가 자살)

영국에서 자살은 15~19세 청소년의 사망 원인 중 네 번째를 차지한다(Silva and Cotgrove, 1999). 이는 많은 청소년이 또래의 자살에 직면할 수 있음을 의미한다. 미국 청소년의 사망은 약 74%가 사고나 살인 또는 자살로 인한 것이다(Corr et al., 2003). 이런 죽음은 강한 감정을 불러일으킨다. "자기 생명을 버린 사람은 암묵적으로 생명을 거부하는 것이지만, 그렇게 함으로써 또 가족과 친구들을 거부하는" 것이기 때문이다(Eke, 2009: 31). 그런데도 많은 경우, 살아 있는 또래의 애도함이 박탈당할 수 있다. 슬퍼할 이유가 없다고 간주하는 사람들이 있기 때문이며, 특히 범죄행위가 연루된 경우에는 더욱 그렇다(Oltjenbruns, 1996). 식구의 죽음이 아니면 그 죽음이 별로 중요하지 않다고 생각하며, 친구 관계가 이 연령대에서 핵심적으로 중요하다는 점을 인정하지 않는 사람들도 있기(Hooyman and Kramer, 2006) 때문이다.

자살이라는 문제를 둘러싼 낙인이 아직도 대단히 많다. 영국에서는 '자살법령Suicide Act of 1961' 이후 자살이 더 이상 범죄행위가 아닐지라도 그렇다. 많은 사람이 자살을 미친 짓이나 이기적인 행위로 간주하며 자기 생명을 버린 사람을 거의 동정하지 않는다. 그 죽음이 자살이었음을 듣지 못했거나 죽음의 원인이 비밀에 부쳐진 경우 아이는 배제된 느낌을 갖고 혼란스러워할 수 있다(Lukas and Seiden, 2007). 사별과 애도의 과정이 창피함과 수치심 때문에 복잡해질 수도 있다(Heikes, 1997; Lowton and Higginson, 2002). 이 때문에 아이나 청소년은 고인의 죽음이 자살이었음을 부정할 수도 있다. 아이를 포함한 가족은 그 자살로 인해 "비난당하고 수치당하는" 느낌을 받을 수도 있다(Ratnarajah and Schofield, 2008: 625). 부모 중 누군가가 자살하면 그 자녀는 즉시 염려 불안이 생기며 6개월 후에는 분노, 1년 후에는 수치심이 생긴다고 보고된다(Cerel et al., 1999). 어떤 아이나 청소년이 자기 부모 중 누군가가 자살했다고 말하기를 아주 어려워하는 것은 그런 이유 때문일 수 있다. 그러나 진실을 전할 말을 찾는 것이 중요하다(Winston's Wish, 2008). 어른들이 트라우마적 죽음에 대한 언급을 회피할 수도 있으나 이러한 회피는 아이의 트라우마를 연장한다(Black and Trickey, 2005).

자살로 사별당한 사람들은 그 죽음의 의미를 알려고 무척이나 힘들어한다(Beautrais, 2004; Jordan, 2001). 연구들에 따르면 부모 어느 쪽이든 자살한 아이에게는 정신의학적 증상과 행위의 문제, 사교상 어려움이 상당히 증가하는 것을 볼 수 있다(Cerel et al., 1999; Pfeffer et al., 2000). 또한 아이는 부모의 자살 이후에 끝없이 지속되는 공허함을 경험하기도 한다(Stimming and Stimming, 1999).

자살과 같은 치명적 사건은 한순간에 일어나며 〔그런 일을 당한〕 사람의 삶과 상황에 대한 통제감을 공격한다(Mitchell et al., 2009). 또한 그 상실은 집과 학교를 옮기게 하거나, 가족의 경제적 어려움을 증가시키거나, 남은 부모의 정서적 위축 같은 이차 상실을 유발하기도 한다(Ratnarajah and Schofield, 2007). 식구나 친구를 자살로 잃은 사람은 그것이 어느 정도는 자기 책임이며 자기가 그 죽음을 막았어야 한다고 〔사람들로부터〕 심판받는 느낌이 들기도 한다(Martin, 2000).

청소년은 또한 그 부모가 힘들어한 정신 건강상 문제를 자기가 물려받을까 봐 염려하고, 어려움을 겪을까 봐 두려워할 수도 있다. 그래서 가족 안에서 일어난 자살은 다른 식구까지 자살 행위의 위태로움에 놓이게 할 가능성을 높인다(Brent et al., 1988; Ellenbogen and Gratton, 2001; Jordan, 2001). 그 아이는 자기도 고인이 자살한 나이가 되어갈 때 똑같은 행동을 하게 될까 봐 두려워할 수도 있다(Linn-Gust, 2006). 이 두려움은 말로 표현되지 않는 경우가 많지만, 그 그림자가 오랜 기간 지속될 수도 있음을 알아차리는 것이 중요하다(Sethi and Bhargava, 2003; Simone, 2008).

리처드 에커슬리Richard Eckersley와 키스 디어Keith Dear는 자살을 "고통의 바다에 있는 빙산의 일각"이라고 묘사한다(Eckersley and Dear, 2002: 1900). 아동 및 청소년과 함께할 때 중요한 것은 자살 이전 그 가족의 상황을 인식하는 것이다. 자살로 사별당한 아동이나 청소년에게 무엇이 필요할지 검토하면서 고려해야 할 것에는 자살 이전의 생활 이야기, 죽은 이와 그 아이의 관계의 질과 강도强度도 있다(Silverman et al., 1994-1995). 연구들이 보여주는 바는 자살로 사별당한 아이가 사별 이전에 몇 년은 아니더라도 몇 달 동안 정신 건강에 문제가 있는 부모나 식구와 지냈을 수 있다는 것이다(Cerel et al., 2002). 이러한 환경에서 살아가는 긴장은 모든 식구에게 영향을 끼치며, 그 자살은 괴롭고 불안정한 기간의 정점이 될 수도 있다. 따라서 그 자살은 긴장과 심리적 아수라장이 마침내 끝났다는 안도감을 포함해 상반된 느낌들을 가져올 수 있다(Wertheimer, 2001). 자살로 인한 사별의 핵심 측면은 버림받은 느낌이다(Ratnarajah and Schofield, 2008). 아동이나 청소년은 그 자살이 벌어지기 전에 이미 버림받은 느낌이었을 수도 있다. 예를 들어 부모가 약물 또는 알코올에 중독되어 있었거나, 정신 질환 혹은 우울증의 전력이 있었다면 더욱 그렇다. 자살 이후 남겨진 자들은 주변 세상으로부터 고립되었다고 느낀다(Rubey, 1999). 배리 라이트Barry Wright와 이언 패트리지Ian Partridge의 견해에 따르면, 자살을 한 사람이 자녀가 그 시신을 발견하리라는 점을 알았을 경우 그것은 일종의 아동 학대가 된다(Wright and Partridge, 1999).

"반복적으로 발견되는 아주 중요한 점은, 자살이 있을 경우 가족끼리 함께 애도를 표현하지 못할 때가 많다는 것이다"(Simone, 2008: 44). 대화의 이런 부족은 그 아이나 청소년이 거부당한다는 느낌을 받게 할 수 있다. 소통이 '닫히면' 긍정적인 방법으로 애도할 수 없기 때문이다. 콘스턴스 A. 발로Constance A. Barlow와 헤더 콜먼Heather Coleman의 조사·연구가 지적하는 바에 따르면, 직접 열어놓고 대화하는 가족이 힘을 모아 애도의 과정을 지나갈 수 있다(Barlow and Coleman, 2003). 그 가족은 서로 동반자가 되어 애도의 여정을 함께하며 서로 지지하는 행동을 한다(Schoka et al., 2003). 그 아이가 다른 식구들의 마음이 뒤집어질까 봐 겁나서 자기 슬픔을 숨긴다면 애도 과정은 억제된다(Holland, 2001). 아이는 말하고 싶을 때 그 자살에 관해 말할 수 있어야 한다(Campbell, 1997; Hammer, 1991; Stimming and Stimming, 1999).

앨리슨 베르트하이머Alison Wertheimer는 자살로 사별당한 사람들을 '생존자survivors'로 묘사하는데(Wertheimer, 2001), 자살로 사별당한 사람을 위해 일하는 이들은 이차 생존자가 될 수도 있다. 그 생존자와 함께하는 일의 영향으로 불안과 힘의 박탈감을 느낄 수 있고, 특히 사별당한 이가 죽은 그 사람에게 '합류하기' 원하거나 생존자로서 죄책감을 느낀다면 더욱 그렇다. 그러므로 자살로 사별당한 청소년을 상담하거나 지원하는 사람이라면 누구나 슈퍼비전이 반드시 필요하다(Eke, 2009).

자살 사건 이후 아동과 청소년에게 필요한 것은 무엇인가?

아동과 청소년의 나이를 고려해 가능한 한 정직하게 정보를 주는 것이 필요하다(Baugher and Jordan, 2004). 진실을 말함으로써 아이가 끔찍한 시나리오를 만들어 상상하지 않도록 방지할 수 있다. 아이는 실제 사건보다 훨씬 더 좋지 않은 쪽으로 상상하는 경우가 많기 때문이다. 아이의 질문에 대답하고, 그 상황의 내용과 이유에 관한 그의 탐색에 열린 마음으로 대함으로써 우리는 아이가 무슨 일이 일어났는지 생각해볼 공간을 허용하는 셈이 된다. 이는 그 아이가 침묵의 절망 속에서 스스로를 비난하는 일을 피할 수 있게 해준다. 아이나 청소년은 당시 자기에게 필요한 만큼 정보를 얻겠지만, 그 주제로 자꾸 되돌아갈 수도 있다. 성숙해가면서 다른 수준의 이해도와 발달 단계에 이르기 때문이다. 겁먹게 하는 악몽 같은 일들을 겪으며 살고 있는 아이라도 자기를 돌보는 유능한 어른이 있다면 이러한 역경을 견뎌낼 수 있다(Masten et al., 1990).

트라우마를 일으킬 사건에 대한 일반적인 반응을 알면 아동과 청소년에게 매우 도움이 될 수 있다. 충격적이고 갑작스러운 죽음에 대한 자기 반응이 비정상적 상황에 대한 정상적 반응임을 이해하면 자신이 허물어지거나 미쳐간다고 느끼지 않을 수 있다. 예를 들어 아이는 괴로운 꿈에 시달릴 수도 있지만, 그런 꿈이 트라우마적 사건에 대한 전형적인 반응 중 하나임을 알면 겁이 덜 날 수도 있다.

베벌리 코베인Beverly Cobain과 진 라치Jean Larch가 저술한 『죽어서 자유로워진다면Dying to Be Free』에서 저자 한 명은 거의 죽을 뻔했던 자기의 자살 시도에 관해 말한다(Cobain and Larch, 2006). 그녀의 이야기는 죽음이 자기에게 제공할 자유에 대한 생각 때문에 뒤에 남겨질 사람들을 생각하거나 고려하는 일이 어떻게 전적으로 막혀버리는지에 관해서 알려준다. 이것이 아이는 물론 어떤 사람도 이해하거나 받아들이기 어려운 개념일 수 있다. 그러나 자살을 선택한 사람이 뒤에 남을 사람들과 사랑하는 관계였음에도 자살을 앞에 놓인 최선의 방법으로 믿었다고 생각할 수 있다면, 〔남은 사람에게〕 어느 정도 위로가 될 수도 있다.

사별 이후의 자해

자살과 자해는 청소년의 건강을 해치고 죽음을 가져오는 주요한 원인이다(Silva and Cotgrove, 1999). 남자 청소년의 경우 목을 매는 것이 가장 일반적인 자살 방법이며, 여자 청소년은 대부분 약물을 선택한다〔저자가 영국인임을 고려하라〕. 미국에서는 자살로 죽는 청소년의 50% 이상이 총기를 이용한다.

어릴 적에 한쪽 부모와 사별하거나, 부모가 별거 또는 이혼함으로써 한쪽 부모를 상실하는 것은 청소년기에 자살과 자해 둘 다를 일으킬 수 있는 위험 요소로 보인다(Adams, 1982; Gutierrez, 1999). 살아남은 자의 죄책감은, 행동으로 옮기건 아니건 자해, 자살 생각, 약물 남용을 유도할 수도 있다. "아동기 초기에 겪은 사별은 이후에 자살과 연관된 소인素因 중 하나임이 틀림없다. 그것 말고도 다른 많은 소인이 있기는 하지만 말이다. 그런데 그 많은 소인의 공통점이 혼돈인 것처럼 보인다"(Silva and Cotgrove, 1999: 7). 에드워드 실바Edward Silva 와 앤드루 코트그로브Andrew Cotgrove 는 최근에 사별을 겪은 청소년의 자해 위험을 표시해주는 목록을 제공한다.

- 우울한 기분
- 최근의 행동 변화
- 자해 전력(前歷)
- 정신 질환 전력
- 자해하겠다는 위협
- 약물 남용
- 충동성
- 적대적이고 거부하는 태도
- 지지의 약화
- 법적 문제

특수한 돌봄이 필요하거나 특수한 환경에 있는 아이도 충격적 사별에 대해 반응을 보이는 것이 일반적이다. 그 반응은 그들의 이해 수준과 지원받는 수준에 영향을 받는다. 모든 아동과 청소년에게 필요한 것은 죽음과 그 트라우마에 대한 간단한 설명이다. 그리고 트라우마의 힘을 억제하며 그 아이의 두려움을 달래주는 돌봄이 필요하다. 아이의 개인적 기질과 본성은 자살로 인한 상실에서 그 아이의 반응에 영향을 미친다(Mandleco and Peery, 2000).

트라우마가 생긴 아이와 일하는 사람들은 즉각적 개입이 필요하다고 알려주는 신호일 수도 있는 예후를 기억해두면 유용하다.

- 자신이나 타인에게 위험이 되는 행동
- 자살에 대해 이야기하거나 죽고 싶은 바람, 또는 고인과 함께 있기를 원함
- 현실과 망상을 구분하지 못함
- 부모의 취약한 정신 건강 또는 우울증이나 심각한 슬픔 때문에 그 자녀에게 필요한 것을 채워줄 여지가 없는 경우

어떤 개인의 이야기

아들이 태어난 지 몇 달 되지 않았을 때 남편이 자살했습니다. 이제 아이는 네 살인데 나에게 계속 묻습니다. 때로는 힘들지만, 그래도 나는 그저 흘러가는 대로 갈 수밖에 없고, 가능한 한 솔직하게 할 수 있는 만큼 대답하지요. 어느 날, 남편의 기일이었는데 어린이집에서 눈물이 조금 나더라고요. 그곳은 아주 좋은 곳이었는데, 누군가가 이렇게 말했어요. "자, 긍정적으로만 생각해봐요. 최소한 말다툼할 사람은 없는 거잖아요." 어쨌든 그녀는 나와 같은 경험을 해본 적이 없으니 이렇게 사별자가 된다는 게 어떤 건지 모르니까 고맙다고 할 밖에요. _ 글래스고 컨퍼런스(Glasgow Conference)의 한 참가자(2009년 5월)

교통사고로 인한 죽음

도로 안전 재단 '브레이크Brake'에 따르면 교통사고 때문에 30초에 한 명 꼴로 죽는다. 전 세계적으로 매년 120만 명의 교통사고 사망자와 5000만 명의 부상자가 생긴다(Brake Conference, 2009). 이러한 갑작스러운 죽음은 남겨진 가족의 삶을 휘청거리게 만든다. 가족마다 고유한 성격이 있지만, 공통된 반응은 사랑하는 식구에게 무슨 일이 일어났는지 진실을 알기 원하는 것이다. 트라우마가 생기는 다른 상실에서와 마찬가지로, 사별당한 아동이나 청소년은 자기 삶이 다시는 이전과 같지 않음을 알게 될 수도 있다.

어떤 개인의 이야기

네 살 레이철의 아빠, 그리고 레이철 오빠의 가장 친한 친구가 죽었다. 그들이 탄 차가 법정 알코올 한계 수치를 넘어선 음주 상태에서 휴대폰을 사용하던 운전자의 자동차와 충돌했기 때문이다. 남은 식구들의 충격은 절망적이었다. 레이철은 아빠의 슬리퍼를 나흘 동안 신으며 아빠가 부활절 주일에 돌아오느냐고 질문했다. 그 애는 아빠가 예수님처럼 돌아오지 않을 거라는데 진짜로 화가 났다. 비극이 일어났을 당시 함께 차 안에 있었던 레이철의 여덟 살짜리 오빠는 아홉 살이 되는 생일 전날 죽으려고 했다. 가장 친한 친구가 죽있는데 그 친구보다 더 오래 산다는 생각을 견딜 수 없었기 때문이었다. 그 애는 자기 친구가 죽었을 때 살아남아서 생존자의 죄책감을 느꼈으며, 사고가 일어나기 전 자리를 바꿔 앉았기 때문에 더욱 그랬다(레이철의 엄마 루스).

살인과 과실치사

살인을 목격했거나 사랑하는 사람이 살해당하는 것을 경험한 아이는 누구라도 그 영향을 받으며, 어떤 의미에서는 그 아이도 공동 희생자이다. 식구가 죽임을 당하면 희생자는 죽은 그 한 사람 이상이 된다. 식구 모두 자기가 파멸되었다는 느낌을 받을 수도 있다(Morrison, 2001). 이러한 상황에서 애통함은 심각하고, 또 만성적이다. 그러나 살인 때문에 사별당한 아동이나 청소년에게는 그 희생자의 배우자 또는 부모에 비해 주변에서 주의를 덜 기울일 수도 있다.

정신과 의사 도라 블랙은 아내 살해, 배우자 살해가 그 자녀에게 미치는 충격을 우리가 자각하도록 중요한 공헌을 했다. 그녀는 다음과 같이 말한다.

> 우리는 부모 한쪽이 다른 쪽을 살해한 일을 겪은 아이 500명 이상을 보았다. 그중 3분의 2는 이전에 이미 가정 폭력을 경험했다. 엄마가 죽은(우리 사례 중 90%를 차지한다) 아이를 만났을 때, 그 아이는 자기가 부모 사이에 불화가 생기도록 해 살해가 일어난 것으로 느낀다고 말했다. "네가 태어나기 전에는 우리가 말싸움을 한 적도 없었어"라는 말을 들은 아이들도 있었다(Black, 2007).

아이가 부모 한쪽의 살인을 목격한 경우 외상 후 스트레스 장애를 지닐 확률이 높았다(Black and Trickey, 2005).

살인은 오랜 가정불화의 비극적 결말일 수도 있다. 부모 한쪽이 다른 쪽을 죽인 사건 이후를 다룬 어떤 연구에 따르면 적어도 아이들 3분의 2가 부모의 갈등을 장기간 경험했고, 절반가량은 살해 현장에 있었으며, 절반 정도의 아이들은 이것을 말하면 안 된다고 느꼈다. 사례들 중 3분의 1에서는 친족의 노골적인 적대감이 있었다(Black and Trickey, 2005). 이런 비극 이후의 혼란에는 가해자가 구금된 후 아이가 아동보호기관이나 위탁 가정에서 살게 된다는 의미도 포함될 수 있다. 수감 기간이 끝나면 그 아이는 살인을 저지른 부모에게 돌아가 살게 될 수도 있다. 이는 아이를 지극히 혼란스럽게 만들 수 있다. "우리의 임상 경험상, 남아 있는 부모에게 돌아간 아이들은 대체로 좋지 않았다"(Harris-Henricks et al., 2000: 212).

살인으로 한 식구가 죽은 열 가족에 대해 볼비가 말한 애도 반응의 국면들, 즉 저항·절망·분리의 국면을 고려한 연구가 시행된 적이 있다. 연구가 발견한 것은 저항의 국면에서 살인의 생존자들은 바로 볼비가 묘사한 그 국면의 특징적 반응들을 경험했다는 점이다. 덧붙여 말하자면 슬픔의 느낌들을 흔히 무색하게 만들 정도로 압도적인 분노를 경험했다는 것이다. 또한 복수하고 싶은 강한 충동도 있었다. 이 국면에 있는 아이들도 비슷한 느낌들을 드러냈는데, 아울러 퇴행과 심각한 학교 문제도 나타났다(Poussaint, 1984).

"재앙과 같은 사건으로 사별당한 아이와 어른은 특히 정신 질환을 앓을 위험이 있다"(Black, 1996: 1). 이를 뒷받침하는 조사·연구가 많다(Goodyer, 1990; Pynoos et al., 1993). 아동과 청소년은 자신의 안전을 겁낼 수 있고, 자기가 다음번 희생자가 될 수도 있다는 생각에 괴로워할 수 있다. "폭력 사건에 노출된 아이는 가능한 한 빠른 시일 내에 그 트라우마적 경험을 자세히 개별적으로 탐색할 기회가 필요하다"(Pynoos and Nader, 1990).

전쟁, 테러, 내전

전쟁이 아이에게 미치는 영향은 처참하다. 현재 전 세계 서른 곳에서 전쟁을 하며, 최근 10년간 최소 200만 명의 아이가 죽고, 500만 명이 장애를 입었으며, 1200만 명이 살 곳을 잃었다. 무기로 인한 희생자의 약 90%가 민간인이며, 그중 50% 이상이 아이이다(Tufnell, 2005). 피난민으로서 전쟁을 피한 아이들과 망명지를 찾는 사람들이 폭력, 강간, 살인, 고문을 경험하거나 목격했을 수 있다. 이는 불안과 우울증, 심리 마비, 외상 후 스트레스 장애를 낳을 수도 있다. 또한 분노를 지속시켜 그 분노가 폭력적으로 분출될 수도 있다(Barenbaum et al., 2004; Yule, 2000). 우리는 자기 삶에서 아주 많은 것을 사별한 이 청소년들의 욕구를 무시할 여유를 부릴 수 없다(Black, 1996).

전쟁 중이거나 테러 위협처럼 고도의 스트레스가 있을 경우 아이에게 보통 때보다 더 많은 지원이 필요하다(Goldman, 2002a). 심각한 트라우마를 만들 사건에 가장 가까이 있는 아이는 불안, 두려움, 무기력이라는 강도 높은 느낌으로부터 큰 영향을 받게 된다. 이런 일이 미국에서 2001년 9월 11일에 일어났다. 두 대의 비행기가 세계무역센터 쌍둥이 건물 두 개를 들이박았다. 이 사건은 직접 노출되었을 뿐 아니라 TV로 수백만 명의 사람이 목격했다.

유니세프의 레일라 M. 굽타Leila M. Gupta 박사는 분쟁 상황에서 가족들에게 트라우마가 생길 정도로 충격적인 사별에 대해 광범위한 조사·연구를 완성했다(Noppe, 2008). 르완다와 시에라리온과 아프가니스탄에서 이루어진 이 연구에는 아이들의 이야기가 포함되어 있다. 시체 밑에 숨어 있던 아이, 가족과 친구가 당하는 고문과 살해를 목격한 아이, '군인들'에게 사지를 절단당하는 처벌을 목격한 아이가 말해준 이야기들이다. 굽타 박사에 따르면 "몇십 년도 안 되는 기간에 전쟁으로 300만 명 이상의 아이가 죽었으며, 약 1억 4300만 명의 아이가 부모 중 누군가 또는 둘 다와 사별"했다(Noppe, 2008: 1). 그 아이들의 경험은 끔찍했지만, 자기 트라우마를 전달할 수 있도록 고안된 개입 프로그램들은 치유적 효과를 보여주었다(Gupta and Zimmer, 2008). 이

프로그램들에는 이야기하기, 그룹에서 함께 나누기, 그림 그리기, 글 쓰는 활동, 역할극, 드라마, 전통적인 노래 부르기가 포함되어 있다. 단기간의 개입조차 "아이가 기분이 좋아지고 악몽을 덜 꾸며 안도감을 경험해, 자기의 끔찍한 경험들을 표현할 수 있게 해주었다고 말하게끔" 했다(Noppe, 2008: 2).

다른 곳에도 전쟁이 있지만 최근 아프가니스탄과 이라크에서 일어난 전쟁은 군인과 민간인 둘 다의 생명을 앗아갔다. 친·인척을 잃은 아이와 청소년은 심각한 영향을 받고 자기 나름대로 애도한다. 조디는 17세 때 오빠 차가 폭발했다. 그녀는 오빠 무덤을 찾아간 일에 대해 다음과 같이 말했다.

> 나는 무덤에서 오빠에게 말을 걸어요. 어떤 때는 서서, 어떤 때는 무릎을 꿇고, 오빠가 그 자리에 있는 것처럼 말하지요. 울 때도 있어요. 어떤 날은 그냥 시간을 흘려보내요. 내가 바보 같이 무덤에다 대고 말한다는 것을 알지만, 주위를 둘러봐도 날 쳐다보는 사람은 아무도 없어요. 묘지에는 다른 사람들도 있지만 그들은 나름대로 울고, 곡을 하며, 사랑하는 사람에게 말하고, 기도하지요. 그건 확실히 치유 효과가 있어요(McDougall, 2008).

그녀는 또한 '전쟁 영웅'으로 죽은 오빠 때문에 다른 사람들이 자기를 존중하면서, 또 불쌍하게 본다고 말했다. 그러나 우리는 전쟁터에서 돌아오는 군인들이 그 경험에서 깊은 영향을 받았을 수 있음을 안다. "전쟁 지역에서 상담할 때 우리가 주목한 사례 중에는 전쟁에서 돌아와 무기로 자살한 군인들이 있었는데, 트라우마나 우울증 때문인 경우가 많았고, 그런 후유증을 자녀들이 목격한 경우도 있었다"(Pynoos et al., 1996: 346). 이렇게 아동과 청소년은 전쟁에 직접 영향을 받을 수도 있다. 전쟁 현장에 있었는지 여부와 상관없이 말이다.

폭력적인 죽음, 폭력에 노출된 삶

조직 폭력이나 학교 총기 사건, 무차별 테러, 거리 범죄가 있는 세상에서 살아가는 청소년들이 있다(Batmanghelidjh, 2007). 이런 일을 개인적으로 경험했든, 아니면 미디어를 통해 보았든 상관없이 그것은 청소년에게 심한 스트레스를 주어 경계심을 고조시키며 살아야만 하도록 만든다(Goldman, 2002b; Nader et al., 1999). "폭력에 직접 노출되지 않은 청소년일지라도 미디어, 인터넷, 광고, 비디오게임, 게임 속 공동체 안에서 폭력적인 죽음의 이미지에 둘러싸여 있다"(Hooyman and Kramer, 2006: 155). 청소년이 폭력 조직과 관련된 충격 사건 같은 지역사회의 폭력을 목격하면 그 트라우마는 단번의 일이 아니라 지속적인 것이 될 수도 있다. 이러한 사건은 청소년이 계속 고조된 경계심을 갖게 만들어 그의 정서와 신체 건강을 해친다(van der Kolk et al., 2006). 어떤 도시에서는 아동과 청소년이 전쟁터에 사는 것처럼 느낀다(Corr et al., 2003). 우리가 알고 있듯이 노상 범죄가 증가할수록 폭력으로 죽을 위험에 놓이는 청소년이 많아진다(Doka, 2003). 학생은 자기 학교에서나 등·하굣길에 학교 근처에서 폭력에 노출될 수도 있다(Williams, 2009).

1999년 4월 20일 미국 콜로라도 주 콜럼바인 고등학교에 학생 두 명이 들어와 파이프 폭탄과 반자동무기로 학생 12명과 교사 한 명을 죽이고 많은 사람에게 장애를 입혔다. 미국 역사에서 최악의 대량 살상 중 하나인 이 사건을 겪은 지 10년 후에도 생존자들은 자기가 경험한 악몽을 지닌 채 살고 있다. 발린 슈너Valeen Schnurr는 사건이 일어났을 때 거기에 있었다.

나는 앞으로 결코 정상적이지 못할 겁니다. 난 진짜로 생존자 죄책감과 싸웠습니다. 내 친구가 왜 죽어야 했는지 죄책감에 시달렸습니다. 그 애들이 한

짓을 용서했지만, 이처럼 트라우마적 사건은 사람을 변화시킵니다. 그게 당신을 다른 사람으로 만들어버립니다(Day, 2009).

사회적 폭력에 노출된 아동과 청소년은 학업에 부정적인 영향을 받는다(Saltzman et al., 2001; Schwartz and Gorman, 2003). "트라우마를 겪는 청소년은 핵심 주의력과 과제 관련 능력에서 무너지는 경험을 하며 학업 수행이 전과 달라질 수 있다"(Dyregrov, 2004: 79). 더구나 "사고로 갑작스럽게 어떤 학생이 죽는 것을 경험한 같은 반 학생 다섯 명 중 한 명은 그 상실 이후 9개월 동안 고도의 스트레스를 경험했다"는 점이 발견되었다(Dyregrov, 2004: 80).

아이와 청소년이 가정 폭력이나 조직 폭력 문화, 괴롭힘, 학대 등을 목격함으로써 트라우마가 축적되면 학습 능력에 부정적 영향을 미치는 요소가 된다(Juvonen et al., 2000). 스트리크 피셔Streeck Fisher와 판데르콜크van der Kolk의 조사·연구는 그런 경우 주의력에 문제가 생기고, 감각적 인식이 곤란해지며, 경험으로부터 배우는 능력이 감소되고, 시각적 자극과 공간적 자극을 이해하는 데 문제가 생기며, 정보를 기억하는 능력이 빈약해짐을 말해준다(Fisher and van der Kolk, 2000). 그 이유는 트라우마가 두뇌의 특정 영역에 영향을 미치는 방식에 있다. 덧붙여 말하자면 사별로 인한 상실은, 5장에서 탐구했듯이 청소년의 동기 유발과 새로운 정보를 받아들이는 능력 둘 다에 영향을 끼친다.

내가 열다섯 살 때 여동생이 살해당했어요. 동생은 친구 집에 갔다가 영영 돌아오지 못했어요. 8시 45분에 전화해서 이제 집에 간다고 말해놓고 오지 못했어요. 그날 밤 어떤 아주머니가 개를 데리고 산책하다가 동생을 발견했어요. 동생은 목이 졸려 죽었어요. 아빠가 집에 와서 "네 동생은 이제 집에 오지 않을 거야"라고 말하며 울음을 터뜨렸어요. 그다음 몇 달은 뭐가 뭔지 흐릿했어요. 동생 장례식이 기억나요. 사방에 기자들이 있었고, 나는 울음을 걷잡을 수 없었어요. 동생이 돌아와 이 모든 것이 장난이라 말할 것이라고 계속 생각했어요.

나중에 우리는 먼 곳으로 이사를 갔어요. 나는 제대로 생각할 수 없었기 때문에 1년을 유급할 수밖에 없었어요. 한편으로는 살인자를 절대 찾지 못하기를 바랐는데, 그것이 모든 것을 다시 질질 끌고 갈 것 같아서요. 죄책감을 느꼈는데, 동생이 죽을 때 나보다 두 살 어렸기 때문이고요. 내가 이기적이라고도 느꼈는데, 내가 그냥 내 삶을 살아가길 원했기 때문이에요.

나는 끔찍한 꿈들을 꿨지요. 어떤 사람이 나를 칼로 찌르는 꿈이요. 지금은 스무 살이지만 아직도 혼자 밖에 나가기가 겁나요. 언젠가 극복할 거라고는 생각되지 않아요. 당신이라도 못할 거라고 생각해요. _ 셸리

- 트라우마적 사별 경험이 셸리의 삶을 어떤 식으로 바꾸어놓았는가?
- 죄책감은 어떤 영향을 미쳤는가?
- 셸리의 학업이 어떤 식으로 영향을 받았는가?
- 청소년이라는 상황이 그녀의 반응 방식에 어떤 특별한 의미를 주었다고 생각하는가?
- 여동생 살인 사건을 겪은 지 5년이 지난 셸리 같은 사람을 어떻게 도울 수 있겠는가?

제9장

꿈 작업으로 애도 과정을
수월하게 만들기

> TV를 보고 있는 꿈을 꿨어요. 그런데 TV가 사라지고 아빠가 나타났지요.
> 모든 천사가 와서 아빠와 나를 둘러쌌어요. _ G(10세, 아빠가 돌아가신 후)

애도 과정에서 꿈을 꾸기도 하는데, 우리는 사별을 경험한 아동과 청소년을 도울 때 꿈의 힘을 이용할 수 있다(Cooper, 1999; Mallon, 2002). 우리는 꿈 꾸는 사람이 꿈속에서 무감각이나 분노, 또는 죄책감이나 절망을 느끼는 것을 본다. 또 죽은 사람이 살아 있어서 사랑하는 사람들을 방문하고 소통하는 꿈을 꾸는 경우도 본다. 사별 이후 꾸는 꿈의 내용은 문화와 상관없이 보편적이다(Bullcley, 1995). 죽은 자와 산 자를 계속 연결해주는 꿈도 있다. 특히 기념일과 같은 특별한 날에 꾸는 꿈이 그렇다.

분노, 죄책감, 슬픔, 무기력, 버림받은 느낌 같은 애도 반응이 사별당한 사람의 꿈속에서 발견된다(Adams et al., 2008; Davidson et al., 2005). 꿈꾸는 일은 일반적으로 낮 동안 경험한 것들에 대한 반응이며(Punamaki, 1999), 그렇기 때문에 죽어가는 사람과 함께 있는 사람이나 사별당한 사람이 이 사건을 반영하는 꿈을 꾸는 것은 놀라운 일이 아니다. 정서적 흥분은 꿈의 길이 또는 특정한 내용보다는 강렬함의 정도에 영향을 준다(Hartmann and Basile, 2003). 따라서 사별을 앞둔 사람, 사별을 겪은 사람, 임종을 앞둔 이는 꿈속에서 고조된 강렬함을 경험할 수도 있다. 어떤 꿈의 내용 또는 분위기가 아이나 청소년을 며칠 동안 괴롭힐 수 있다. 내면에 머물러 있는 두려움이나 불안이 그 아이의 기분을 물들이기 때문이다. 꿈을 가지고 작업하는 법을 배움으로써 우리는 아이나 청소년이 자기의 두려움을 직면하고 회복탄력성을 얻을 힘을 실어줄 수 있다(Barrett, 1992; Garfield, 1997; Schredl, 2000).

세상 모든 사람이 꿈을 꾸며, 아이도 꿈을 꾼다. 꿈이란 두뇌에서 학습을 내려놓고 기억을 분류하며 저장하는 인지 과정의 일부이기 때문이다(Evans, 1983; Mallon, 2002). 잠잘 때의 두뇌는 깨어 있을 때의 경험을 샅샅이 살펴 계속 문제를 해결하고 있다. 어떤 아이의 삶에 트라우마적 사건이 있을 때는 그 아이의 무의식이 그 사건의 의미를 알아내려고 계속 애를 쓴다. 인간으로서 우리는 경험한 것의 의미를 만들려 노력하는 존재이기 때문이다(Neimeyer, 2001). 사별당한 자의 꿈도 이러한 의미 만들기 과정의 일부이다. 우리는 일어난 일을 이해하면서 그것과 어느 정도 화해하려고 시도하기 때문이다. 꿈은 애도 과정을 설치해준다(Knudson et al., 2006; LoConto, 1988; Mallon, 2006a). 그러므로 사별 이후의 꿈은 애도 과정의 단계나 진전을 반영해주는 것일 수도 있다(Garfield, 1996).

우리는 유년기의 어떤 시점, 빠르게는 세 살부터 아이가 특정한 꿈을 꾸고, 보통 그것을 연결시킬 수 있음을 안다(Bulkeley et al., 2005). 초기 이론가들은 꿈을 각기 다른 방식으로 보았다. 지그문트 프로이트는 아동의 꿈을 주로 소원 성취에 관한 것으로 보았다[Freud, 1965(1900)]. 그와 동시대에 살았던 카를 융은 초기 아동기의 꿈이 원형적元型的이라고 주장했다(Jung, 1965). 평생 그 사람과 머무르는 경우가 드물지 않은 '큰 꿈big dreams'이라는 것이다. 최근 안티 레본수오Antti Revonsuo는 아동의 꿈에 추격이라는 주제가 만연하다고 지적하며, 그의 '위협 가상연습 이론threat simulation theory'을 뒷받침하는 증거로 삼는다(Revonsuo, 2000). 아동과 청소년의 꿈에는 정말로 위협과 공포, 위험과 불안, 무력감이 만연한다(Mallon, 1998; Punamaki, 1999).

내가 아동 및 청소년과 일하고 조사·연구하며 발견한 사실도 사별 이후나 직전에 꿈의 강도가 고조되는 경우가 많다는 것이다(Goelitz, 2007; Grubbs, 2004; Mallon, 2000a). 켈리 버클리Kelly Bulkeley와 퍼트리샤 버클리Patricia Bulkley는 죽어가는 사람이 어떻게 꿈을 꾸며 그 꿈에 큰 영향을 받는지 자세히 말해준다(Bulkeley and Bulkeley, 2005). 그 꿈이 두려움을 줄이는 데 도움을 주거나, 살고 죽는 것에 관한 자기 문제에 직면하도록 만들어준다는 것이다. 꿈은 또한 이 최종 전환기에 그를 돌보는 사람과 이야기 나눌 발판을 제공한다. 시한부 환자 중에는 죽은 친척이 그를 다음 단계의 여정에 동반하는 꿈을 꾸는 사람도 있다. 이러한 꿈은 보통 큰 위로가 된다. 관계가 한 번 더 연결되기 때문이다(Mallon, 2000b).

꿈과 악몽은 아동·청소년이 삶에서 받는 스트레스를 보여주는 가장 중요한 지표 중 하나이며, 사별을 겪은 아이는 나쁜 꿈을 기억하고 말해주는 경우가 많다(Abdelnoor and Hollins, 2004b). 그 꿈들은 총에 맞고, 칼에 찔리며, 목을 졸리고, 납치당하며, 독살되는 내용이다. 최근의 연구는 "아이가 ······ 꿈속에서 신체적으로 취약함을 느끼는 정도가 어른보다 더 크다. 이는 대부분 아이가 깨어 있을 때 경험한 정서를 정확하게 반영하는 것처럼 보인다" (Bulkeley et al., 2005)고 지적한다. 이 견해는 카밀라 배트맹겔리지의 연구로 뒷받침된다(Batmanghelidjh, 2007).

꿈의 보편적인 주제

다음은 아이의 꿈에 전형적으로 나타나는 주제나 '반복되는 주제motif'로서, 켈리 버클리와 그 동료들이 초기 아동기 꿈을 조사·연구하며 발견한 것이다(Bulkeley et al., 2005). 그 각각에 내가 함께한 아동이나 청소년의 사례를 붙였다.

① **위협적인 상황**: 꿈에서 어떤 사람이나 동물 또는 어떤 생명체에게 위협받는다.

　　방학이었어요. 산책을 갔는데 이 남자가 언덕으로 칼을 들고 쫓아왔어요. 나는 어떤 집으로 달려갔는데, 그 남자가 거기서 나를 죽였어요. _ 타라(13세)

② **불운**: 꿈에서 사고나 부상 또는 예상치 못한 곤경 같은 불행한 사건을 만난다.

　　어떤 남자가 나오는 꿈을 꾼 적이 있어요. 군인이었는데 바로 내 눈앞에서 그의 몸이 폭발했어요. 그다음엔 내가 눈에 세 방을 맞았지요. 그래서 그의 몸을 폭발시킨 사람을 알아볼 수 없었어요. _ 에마(10세)

③ **가족**: 꿈에서 자기 식구가 위협당하는 것을 목격하거나 자기도 함께 위협당한다.

　　이 남자가 들어와서 엄마와 말다툼을 했어요. 그리고 남동생을 붙잡고 데려가 바닥에 내팽개쳤어요. 그다음엔 내 동생을 붙잡고 목을 졸랐는데, 동생 목이 가는 선처럼 되었어요. _ 이언(10세)

④ **텅 빈 광경**: 꿈에서 낯설고 한없는 자연 풍경이 펼쳐진다.

꿈에서 내가 언덕으로 뛰어올라가고 있는데 바위 하나가 내 뒤로 굴러 올라오는 거예요. 아무도 없는 그곳은 모두 황량하고 진짜로 이상했어요. _ 톰(14세)

⑤ **소원 성취**: 꿈속에서 기분 좋고 바라던 것을 가진다.

내가 원하는 대로 변할 수 있고, 원하는 것은 무엇이든 할 수 있는 거예요. 나는 세상에서 가장 강한 사람으로 변신해 불 속에 있는 사람들을 도우러 갔지요. _ 케지아(6세)

⑥ **신비로움**: 꿈속에서 특별한 힘을 지닌 초자연적 또는 영적 인물 앞으로 나간다.

예수님이 나를 자기의 첫 번째 천사로 뽑았어요. 난 아주 자랑스러웠어요. _ 패티(7세)

⑦ **날아다님**: 꿈을 꾸는 자신이나 다른 인물이 날거나 땅 위로 오른다.

여동생 둘이랑 외딴섬으로 날아갔는데 바다의 왕이 와서 그 섬을 들어올렸어요. 그리고 우리를 천국으로 데려갔어요. 거기는 천사들이 날아다니고, 천국

의 문에서 나를 환영하는 천사들을 보았지요. _ 숀(11세)

위협이라는 소재는 아동과 청소년의 꿈에 많이 나타나며, 특히 가족이나 자신에 대한 염려, 그리고 자기가 살고 있는 사회에 관한 두려움이 있을 때는 더욱 그렇다(Barrett, 1996; Revonsuo, 2000).

자기가 죽는 꿈을 꾸는 아동과 청소년

해몽하지 않은 꿈은 뜯지 않은 편지와 같다. _ 『탈무드(The Talmud)』

아동과 청소년은 죽음에 관한 생각을 하고 꿈도 꾼다(Adams et al., 2008; Mallon, 1989). 청소년기에는 특히 사멸성에 대한 관심이 증가한다. 질풍노도의 시기라고도 불리는 이 발달단계에서는 생물학적·심리적·사회적으로 급속한 변화가 일어난다.

인생의 단계 중 어느 다른 국면에서도 자아를 찾아야 하는 압박감과 자아를 상실할지 모른다는 위협감이 이토록 밀접하게 하나가 되어 있는 시기가 없다 (Erikson, 1968).

또래와 더 가까이 결속하기 위해, 부모에게 의존적으로 가까이 묶였던 결합을 포기하는 과정은 급격한 변화와 스트레스를 야기한다(Mallon, 1989). 개인의 능력과 성 정체성, 미래에 관한 불확실성을 감당하는 것만으로도 충분히 힘든 일인데, 사별을 겪으면 더욱 힘들어진다. 꿈은 "무의식이 무엇에 몰두하고 있는지를 드러낸다"는 점에서 중요하다(Batmanghelidjh, 2007: 33).

집에 불이 났다고 생각했어요. 내가 창가에서 기침을 했고 엄마, 아빠, 여동생은 모두 집 밖으로 나갔는데, 나는 아니었어요. 그리고 나는 불탔어요. 그다음에 소방관이 왔는데, 그때 꿈에서 깼어요. 나는 내가 죽은 줄 알았어요. 내가 죽는 꿈을 꾼 거예요. _ 매디(11세)

8장에서 말했듯이 청소년은 자살에 관한 생각을 할 수도 있다. 그래서 다음의 예가 보여주듯이 자신의 죽음에 대한 꿈을 꾸는 것은 별로 놀라운 일이 아니다.

어두웠어요. 내가 둘이 되어 있는데, 호수 같은 데 서 있는 내가 있고, 내 어깨 위에 서 있는 다른 '내'가 있는 거예요. 물이 차오르고 있는데 난 움직일 수 없었어요. 물이 턱까지 차오를 때 내 어깨 위에 서 있는 '내'가 말하기 시작하고, 그다음에는 '내' 손에 칼이 나타나고요. '내'가 몸을 숙이고 바닥에 서 있는 내 목을 베요. 내가 둘 다 물에 빠지는 거예요. 첫 번째 나는 피를 철철 흘리고, 두 번째 나는 물에 가라앉고 있어요. 나는 꿈에서 깼지요. _ 에즈미(16세)

이 강렬한 꿈 이야기는 자기 살해와 관련이 있고, 어떤 청소년이 느끼기도 하는 〔사이〕 문열을 보여준다. 두 명의 '나'는 모두 위험한 상태에 있다. 하나는 불어나는 물로 위태롭고, 다른 하나는 칼 때문에 위태롭다. 어느 쪽이든 커다란 위협이며, 꿈꾸는 자는 깨어나는 수밖에 살아남을 방법이 없다. 이렇게 압도하는 꿈은 트라우마를 겪은 후에 자주 경험된다(Barrett, 2001). 에즈미가 이 꿈을 꾼 때는 심한 불안과 저조한 기분을 한동안 느끼고 있던 시기였다.

꿈은 우울한 청소년과 함께 일하며 그들을 지원하는 사람들에게 경고를 줄 수 있다. 꿈꾼 것을 듣는 일은 자해로 이어질 수도 있는 느낌들을 탐색할 기회를 제공할 수 있다. 염려가 되지만 당신이 적절한 수준의 지원을 제공할 수 없다고 느낀다면, 정신 건강 전문가에게 의뢰할 필요가 있음을 그 청소년이 이해하도록 도와주어야 한다.

꿈을 꿨는데 내가 내 장례식에 가고 있는 거예요. 그날 아주 화가 나 있었기 때문에 아마 그런 꿈을 꾼 것 같아요. _ 피오나(13세)

내가 꾸는 악몽은 물에 가라앉거나 높은 건물 옥상에서 떨어지는 거예요. 그것이 어떤 것인지 느낄 수가 있어요. 내 몸 사방에 물이 있고, 바람이 휙 소리를 내며 귓가에 스쳐 가지요. _ 리(12세)

꿈은 청소년의 삶에 발생한 트라우마적 사건을 재연하기도 한다. 열네 살인 샘은 말했다. "주로 사고가 일어나는 꿈을 꿔요. 차에 치이고, 대못 위에 떨어지는 거예요. 이건 둘 다 실제로 나에게 일어났던 일인데, 그걸 자꾸 꿈으로 꾸지요"라고 했다.

다른 사람이 죽는 꿈

아동과 청소년은 다른 사람이 죽는 꿈도 꾼다. 이런 꿈은 자기에게 소중한 사람이 어떻게 될지도 모른다는 두려움이 생기고 있음을 반영하거나 버림받을지 모른다는 깊은 불안감을 나타내는 것일 수도 있다.

엄마가 돌아가시는 꿈을 두 번 꿨어요. _ 앨리스(15세)

꿈속에서 아빠가 너무 늙고, 진짜 아픈 거예요. 나중에 돌아가시는데, 이것이 내 잘못 같아서 정말로 화가 났어요. _ 톰(13세)

바위산에서 내가 오빠에게 쫓기고 있는 거예요. 결국 나는 떨어졌는데, 떨어지면서 하고 있던 것은 코란에 나오는 이 중요한 기도였어요. 내가 천국에 가도록 말이에요. _ 미나(15세)

사람들이 죽어가면서 내게 정리할 것들을 남겨주는 꿈을 꿨어요. 가장 무서웠던 꿈은 세상 사람이 다 죽고 나 혼자만 살아 있었던 꿈이에요. _ 필립(12세)

가상 인물에 관한 꿈 또한 염려가 생김을 반영해준다.

땅속에 있는 아빠를 생각하기 싫지만요, 어느 날 꿈을 꿨는데 아빠가 밧줄을 당기니까 캄캄한 아빠 관 속에 불이 켜졌지요. 그 꿈은 땅의 단면을 보여주었는데, 가느다란 초록 풀 줄기가 있고, 그다음에는 두터운 갈색 흙이 있고 그다음에는 아빠가 관 속에 누워 있어요. 관에는 아빠 머리 옆에 전구가 있어 그 상자를 비추고 있었지요(Pascoe, 2002: 2).

질병

자신이 앓든 다른 사람이 앓든 질병은 아이가 꾸는 꿈의 종류에 영향을 끼친다. 어떤 꿈은 아이의 두려움을 반영하는데, 열두 살 나디아의 꿈이 그런 경우이다. "내가 아플 때 꾼 꿈은 약이 독약이라서 죽게 되는 거였어요."

여섯 살 리키는 나쁜 꿈을 많이 꾼다. 낯선 사람에게 납치되어 칼에 찔리는 꿈도 꿨는데, 꿈을 꾸기 몇 달 전 형이 어떤 사람에게 '거의 유괴될 뻔'했다가 도망쳐나온 일이 있었다. 어떤 꿈에서는 자기가 암에 걸려 죽었다. 이 꿈도 실제 사건의 영향을 받았다. 리키의 외할머니가 암에 걸렸는데, 그는 외할머니의 신체적 변화를 보고 겁을 먹었으며 엄마가 두려워하는 것도 보았다. 그 꿈들은 리키가 자기 형의 안전에 대해 겁먹었고, 따라서 자신의 안전에 관해서도 겁먹었음을 표현해준다. 큰형이 그 '나쁜 사람'에게서 간신히 도망친 것이라면, 자기는 이런 봉변을 피할 수나 있었겠는가?

열한 살 존은 할머니가 죽는 꿈을 꿨다. 할머니는 만성 불치병을 앓고 있었다.

어떤 아이는 자기 장례식에 가는 꿈을 꾸기도 한다(Mallon, 1989). 열세 살 재닛이 묘사하듯이 말이다.

홍역에 걸렸을 때 꿈속에서 내가 죽고, 내 장례식에 갔어요. 관에 누워 있는 나를 보았어요. 관은 푸른 대리석이고, 하늘색 실크 위에 누워 있는 거예요. 가슴에 손을 얹고서요. 내가 관에 있는데, 또 나는 내 장례식에서 울며 관 앞에 꽃을 놓고 있었어요. 그러고는 깼는데, 내가 살아 있는 걸 확인하려고 거울을 보았어요.

열다섯 살 모이라는 다음과 같은 꿈을 반복해 꿨다.

공원묘지를 걷고 있는데 갑자기 멀리서 내 무덤이 보이는 거예요. 내가 거기에 있다니 충격을 받았어요. 뭘 해야 할지 어쩔 줄 모르겠는데 엄마, 아빠도 이미 돌아가신 거예요. 부모님 무덤도 볼 수 있었거든요. 뭘 해야 될지 모르겠고, 그저 악몽이었어요. 나는 그냥, 내 생명이 부서졌다고 느껴지고요.

모이라는 자기 불안감을 사람들 눈에 띄지 않게 관리한다. 그녀는 내게 말했다. "나는 많이 울어요. 엄마, 아빠가 돌아가시면 어떨지 모르기 때문에요. 부모님이 없으면 내가 어떻게 될지 모르잖아요"(Mallon, 1998: 54). 아동과 청소년은 불안감을 부모에게 숨기는 경우가 많다. 특히 불안감이 부모의 질병이나 죽음과 관련된 경우에 그렇다. 이런 이야기를 꺼내면 더 구체적인 것이 되고 현실이 될 것처럼 느낄 수도 있기 때문에 아이는 말하기 싫어하고 자기의 염려를 함께 이야기하지 않는다. 질병에 대한 두려움이나 자기가 죽을 수도 있다는 두려움으로 이런 꿈을 꾸기도 한다. 어떤 경우에는 죽음이 있은 후에나 비로소 알 수 있는 느낌을 미리 반영해주는 것일 수도 있다.

방문하는 꿈

사별을 경험한 많은 청소년이 느끼는 것은 꿈속에서 고인이 자기를 찾아왔다는 것이다. 이러한 꿈은 오래 조사·연구 되어왔으며, 드물지 않게 꾼다 (Adams et al., 2008; Bulkeley, 2000; Mallon, 2008; Moody, 1993; Vickio, 1998). 죽은 사람이 방문하는 꿈은 꿈꾸는 사람이 고인이 죽었음을 믿지 못하는 단계에서 수용하는 단계로 움직였음을 가리켜주는 것일 수 있다. 그들이 계속 관계를 유지하고 있다는 꿈속의 표시를 통해서 말이다(Mallon, 2006).

고인이 돌아오는 '방문하는 꿈'은 위로를 주기도 한다.

> 문을 두드리는 소리가 났어요. 아빠였어요. 아빠는 정말 건강해 보였고, 짐
> 가방을 들고 있었어요. 아빠가 말했어요. "내가 온 건, 내가 괜찮고 이제 휴가
> 가려는 중이라고 말해주려고. 내가 다 괜찮다는 걸 네가 알기를 바랄 뿐이란
> 다." _ 빌리(13세)

이 꿈을 꾸고 빌리는 아주 편해졌다. 이것이 늘 그렇지만은 않다. 이런 꿈에서 깬 후에 어떤 아이는 상실감에 빠진다. 고인이 실제로 이 세상에 없다는 점이 상기되었기 때문이다.

> 가장 행복했던 꿈은 할아버지가 살아 돌아오셔서 볼 수 있었던 거요. _ 밀리
> (12세)

소설가 제러미 개브런Jeremy Gavron의 어머니는 그가 네 살 때 자살했다. 그가 어른이 되어 어머니 꿈을 꿨다.

> 어머니에 관해 기억나는 꿈은 딱 한 번이다. 어릴 적에 나는 어머니가 실제
> 로는 죽지 않았고 언젠가 돌아올 거라는 환상을 품곤 했다. 어머니는 회색 머
> 리의 통통한 중년이었고 엄마 같은 분이었다. 그 꿈을 이제는 자세히 기억할
> 수 없지만, 잠에서 깰 때 느낀 강렬한 행복감은 기억한다. 그 기분은 며칠간 지
> 속되었고, 그냥 꿈일 뿐이라는 것을 알았지만 좋은 기분이 줄진 않았다.

그의 어머니가 남긴 유서에는 "추신, 아이들에게 내가 사랑했다고 전해주세요"라는 말이 있었다(Gavron, 2009: 2).

꿈을 꾸고 안심할 수도 있다. 예를 들어 죽음의 이유가 설명될 수도 있다(Barrett, 1992). 미국 더기 센터 Dougy Center 의 센터장 도나 슈어먼은 어느 십대 소년과 인터뷰한 내용을 말해준다.

필립은 꿈속에서 고인이 된 엄마를 만났다고 말했다. 꿈속에서 엄마에게 왜 자살했는지 물었는데, 엄마는 자기가 결코 건강해지지 않을 것을 알았으며, 필립이 자기의 위태롭고 예측 불가능한 행위로부터 벗어나 자유롭게 살기를 원했다고 말했다는 것이다. 필립은 나를 보며 말했다. "그래서 나는 엄마에게 이해한다고 말했어요. 그리고 엄마를 용서했어요"(Schuurman, 2008: 9).

하지만 필립은 아빠에게 말하지 않았다. 필립이 생각하기에 아버지는 꿈에 엄마가 나올 때마다 엄마에게 이것저것 물어보라고 계속 요구할 것 같았기 때문이다.

아동의 심리적 외상

트라우마는 예측하지 못하거나 갑작스러운 사건, 또는 완전히 이상한 사건이 아이의 대처 능력을 압도할 때 생긴다. 트라우마는 아이가 살면서 겪는 보통 스트레스와 다르다. 느닷없이 오고, 그래서 아이가 그것에 대해 준비할 시간이 없기 때문이다. 무기력감이 그 아이를 덮치는 경우가 많고, 아이가 어찌할 수 있는 명백한 방법이 없다. 이러한 무력감은 그 아이를 훨씬 더 강아먹는다. 이러한 느낌들이 트라우마를 겪는 아이의 꿈과 악몽에서 길을 내고 나타난다.

아이에게는 트라우마의 충격이 신체적·정서적으로 영향을 미친다. 트라우마는 아이의 생각과 행위에 영향을 준다. 우리가 이미 보았듯이 트라우마는 해로운 스트레스 호르몬을 고도로 생성시키는데, 이는 특히 어린아이를 취약하게 만든다.

극한 두려움은 신체화될 수도 있다. 말하자면 몸으로 경험되면서 자주 아프고, 잘 자라지 못하며, 인지능력이 빈약해져 아이는 더욱더 힘들어하게 된다. 이러한 사건이 수면에 미치는 영향은 덜 분명하지만, 악몽과 꿈자리가 사나운 것은 트라우마의 특징이며, 아이나 청소년에게 '그 위협에 효과적으로 반응할 방법을 상상해볼 기회'를 줄 수는 있다(Bulkeley et al., 2005: 221).

비록 그런 꿈이 괴롭고 스트레스를 주는 것일지라도 말이다. 애도는 단선으로 진행되는 과정이 아니며(Belicki and Belicki, 2006), 꿈은 깨어 있을 때 억눌리거나 회피된 정서에 대면하도록 우리를 집중시켜줄 수 있다. 또한 꿈은 숙련된 치유적 개입이 필요하다는 표시가 될 수도 있다. 예를 들어 트라우마 이후의 악몽이 일상생활에 지장을 준다면 그렇다(Nader et al., 1999).

열두 살인 버네사는 기억을 떠올리며 말했다.

사람들이 내내 나를 죽이고요, 그것은 모두 그렇게 나쁜 꿈이에요. 나는 자면서 울고요. 가장 무서웠던 꿈에서는 어떤 남자가 나를 칼로 찔러 내가 죽었어요. 어떤 때는 의사가 나에게 약을 잘못 주어서 내가 죽는 거에요. 어떤 때는 자다가 소리를 지를 때도 있어요.

버네사가 거의 날마다 꾸는 이 무시무시한 꿈들에 관해 내가 물었을 때 그녀가 말해준 것은 다음과 같다.

내 생각에 그것은 남동생 둘이 죽었고 엄마와 아빠가 갈라섰기 때문인 것 같아요. 부모님이 헤어진 것에는 화가 많이 나진 않지만, 동생들 사진을 보면 그냥 울고 싶어요. 그런데 엄마가 뭐라고 말할지 몰라서요.

트라우마가 생긴 후 아이는 감정을 다스릴 필요가 있다. 이는 꿈 작업을 통해 아이가 꿈 이미지들을 전적으로 탐색하고, 잘못된 생각들을 수정하며, 다른 결말을 찾도록 끌어들일 수 있다. 그것에 관해 그리고 색칠하며 글을 쓰도록 아이를 유도할 수도 있다. 목표는 어두운 밤에 꾼 그 꿈의 두려움을 환한 낮으로 가지고 와서 아이가 그 꿈을 탐색할 수 있게 지원받도록 하는 것이다. 부모나 보호자로서, 만일 자녀가 나쁜 꿈을 꾸거나 잠자리에 들기 두려워한다면 그 꿈에 관해 말해보라고 격려할 수 있다. 예를 들어 그 꿈을 그리게 해 떨쳐 버리도록 돕는 것이 도움이 된다(Mallon, 2002).

크리스티 모배커Kristi Mohrbacher는 콜럼바인 고교의 대량 살상 현장에 있었을 때 16세였다. 사건이 있은 지 10년이 흐른 2009년, 그는 자기에게 반복되고 있는 악몽에 대해 말했다. 학교 강당 바닥을 기어서 알 수 없는 사악한 존재를 피하려 애쓰는 악몽이었다. "꿈속에서 나는 숨으려고 애쓰며 아무 소리도 내지 않으려 하지요." 그 학생들을 뒤쫓았던 두려움은 사건 발생 10년 후에도 여전히 다시 나타난다(Day, 2009).

데이비드의 형은 자전거 사고로 사망했다. 이 사건이 있은 후 그는 주로 죽음에 대한 꿈을 되풀이해 꿨다. 가장 무서웠다고 말한 꿈은 가족이 모두 교통사고로 죽었는데 자기만 살아남은 꿈이다. "나만 살았는데 내 몸을 움직일 수 없어서 내가 나를 죽일 수도 없었어요." 데이비드는 가장 잔인한 타격을 하나 맞았던 것인데, 이는 준비할 시간도 없이 형이 비극적 상황에서 죽은 일이다. 꿈에서 그의 몸이 마비된 것은, 형의 죽음을 막을 수 없었던 그의 철저한 무력감, 또는 그런 상실을 지니고 살아야 하는 자기 상황을 변화시킬 수 없는 철저한 무력감을 상징한다.

아이가 깨어 있을 때 분노, 두려움, 증오, 절망과 같은 감정이 표현될 수도 있다. 이러한 감정이 깨어 있는 상태에서 풀려나오지 못하면, 즉 느낌이 억압되면 꿈과 악몽으로 표현되는 경우가 많다.

충격적인 경험 후에는 깊은 두려움이 꿈속에서 떠오를 수도 있다. 그 죽음의 실제 원인이 그대로 재연되지 않을 수도 있고, 상징적으로 표현되는 경우가 많다. 예를 들면 다음과 같다.

- 홍수나 밀물에 압도됨
- 사람들이나 야생동물들의 공격을 받음
- 탈출구가 없는 화재 현장에 갇힘
- 추락하는 비행기를 타고 있음
- 태풍에 휩싸임

이 꿈들의 기저에 놓인 의미는 꿈꾸는 사람이 손쓸 수 없는 사건이라 그가 무력하다는 점이다.

일곱 살 앨리스는 다섯 살 여동생, 그리고 또 다른 식구들과 함께 있었다. 엄마가 학교에 데려다주는 중이었다. 그들이 길을 건너려 할 때 엄마의 손을 놓은 다섯 살 여동생이 은색 차에 치였다. 앨리스는 동생이 죽은 이래로 은색 차에 관한 꿈을 꿨다. 그리고 길에서 은색 차를 볼 때마다 몸을 떨었다.

그것이 자기 잘못이 아니었음을 받아들이기 힘들어했다. 자기가 동생을 구할 수 있는 행동을 뭔가 할 수 있었다고 생각했다. 앨리스는 내게 보여주기 위해 자기 꿈을 그려주었다. 우리는 사고가 일어났을 때 모두 어디에 있었는지 보았다. 그 그림을 가지고 작업하면서 앨리스에게 분명해진 점은, 자기가 가장 멀리 있었으므로 사고가 일어나지 않도록 막을 어떤 일도 할 수 없었다는 것이다. 우리는 이에 관해 여러 회기에 걸쳐 말했고, 죄책감은 점차 소멸되었다. 비록 앨리스의 슬픔, 그리고 여동생과 함께 있고 싶은 마음은 더 오래도록 계속되었지만 말이다. 앨리스는 또 그 사건 이후에 자면서 오줌 싸는 일이 다시 나타나기 시작해 기분이 나빴다. 트라우마가 생기는 사건 후에는 어릴 적 행동이 나타나는 아이가 있다는 점을 그녀가 이해하고, 따라서 자기 잘못이 아니라는 것을 알고 나자 기분이 더 나아지면서 야뇨증이 멈추었다.

고통스러운 꿈과 악몽에 시달리는 아동을 어떻게 도울까

> 어두운 방에서 혼자 잠들도록 아기를 남겨놓을 때 그 부모는 자기가 무엇을 하고 있는 건지 모른다. _ 찰스 램(Charles Lamb)

영국의 수필가 찰스 램(1775~1834)은 어릴 때 악몽에 시달렸다. 그는 말했다. "밤에 홀로 있는 것, 그리고 캄캄함, 그것은 나의 지옥이었다." 오늘날 많은 아이가 이러한 느낌을 공유할 것이다. 하지만 악몽은 긍정적인 역할도 한다. 그것은 우리에게 무언가를 경고하기 위해 '깨워주는' 전화 소리다. 이는 우리가 염려하는 일이거나 깨어 있는 동안 다룰 필요가 있는 일일 수도 있다. 어떤 아이가 낮에는 잘 지내는 듯 보이지만 밤에는 악몽에 시달려 깨어

난다면, 이는 그 아이의 보이지 않는 두려움에 대해 우리에게 경고하는 것이다. 그렇다면 이러한 수면 습관이 있는 아이를 어떻게 도울 수 있을까?

꿈을 가지고 작업할 때 본질적인 측면은 꿈꾼 사람이 말해주는 꿈 이야기를 경청하는 것이다. 그리고 아이가 꿈 이미지와 낮 동안의 삶에 대해 연결시켜 말하는 점들을 탐색하고, 그 이미지들을 더 자세히 묘사하도록 요구하며, 아이와 함께 협력해 해석을 만들어가는 것이다. 목표는 당신이 해석을 제공하는 것이 아니라 꿈을 꾼 아이가 자기 꿈을 해석을 할 수 있도록 만드는 것이다. 꿈의 의미를 푸는 열쇠를 쥐고 있는 사람은 바로 꿈을 꾼 사람이다. 꿈 작업에서 당신이 사용할 수 있는 기법은 많지만, 첫 번째 단계는 그 꿈을 열린 마음으로 대하고, 내담자가 자기 꿈을 말하도록 권유하며, 그 꿈 이야기를 경청하는 것이다(Mallon, 2002).

꿈 작업의 몇 가지 전략

- 꿈 이야기를 경청한다.
- 그 꿈에 당신의 해석을 올려놓지 않는다. 그 꿈이 무엇에 관한 것인지 아는 사람은 꿈을 꾼 사람이다.
- 그 꿈을 말도 안 되는 이야기라고, 또는 중요하지 않다고 무시하지 않는다. '옳은' 꿈도 '틀린' 꿈도 없다. 꿈은 그 아이 내면세계의 표현이다.
- 시달리는 꿈을 꾼 것이 '미쳤다'는 의미가 아님을 아이에게 보장해준다. 꿈은 상실을 다루는 한 방법임을 알도록 도와준다.
- 지지하는 열린 질문을 해 꿈을 탐구한다. 꿈속에 누가 있었고, 아이는 어떻게 느꼈는지 말이다. 만일 그 아이가 겁을 먹었다면, 도울 누군가가 거기 있었는지, 아무도 없었다면 도와줄 사람을 누구라도 생각해낼 수 있었

는지 등을 질문한다.

- 아이가 자기 속도대로 말하도록 한다. 그만 말하고 싶을 때는 계속 말하도록 강요하지 않는다.
- 아이가 깨어 있을 때의 사건들과 연결할 수 있도록 도와준다. 만일 꿈속에서 어떤 개에게 겁을 먹었다면, 깨어 있을 때 어떤 개를 보고 겁났던 일을 떠올릴 수 있는지 말이다.
- 어떤 아이는 꿈의 사건을 이야기하면 깨어 있을 때 그 일이 일어날 거라고 믿는다. 꿈은 느낌과 생각을 전달하고 자기 자신을 더 잘 이해하도록 돕는 것임을 아이가 이해하게 도와준다.
- 아이가 비밀을 가질 권리가 있음을 존중한다. 아이가 허락하기 전에는 다른 사람에게 그 꿈을 절대로 말하지 않는다.
- 아이가 원한다면 그 꿈을 그리거나 색칠하도록 격려해준다. 그다음에 그 이미지들을 보면서 이야기한다. 만일 그림에 무서운 괴물이 있다면 아이가 그 꿈속에서 자기를 도와줄 어떤 사람이나 어떤 것을 생각할 수 있었는지, 만일 그랬다면 그 이미지를 더 그리게 한다. 아이는 못되게 구는 그 괴물을 오려내 튼튼한 철창에 가두고 싶어 할 수도 있다. 목표는 긍정적 반응이 생기도록 해서 아이에게 힘을 실어주는 것이다.

꿈과 지속저인 유대감

꿈은 사별을 겪은 아이가 죽은 사람을 계속 경험하는 방법 중 하나이다 (Worden, 1996). "꿈을 통해 그 부모와 계속 연결되며, 부모가 자기를 보고 있다는 느낌을 가진 아이들 대부분은 이런 경험이 자신의 내면에서 온다는 것을 알고 있다"(Worden, 1996: 29). 그 꿈은 상실의 고통스러운 현실과 다시는 이뤄질 수 없는 소원 사이에 징검다리를 제공해준다.

> 내가 아빠를 기억할 수 있는 것은 아빠 꿈을 꾸기 때문이에요. _루크(9세)

꿈은 또한 애도 과정이 얼마나 오래 지속될 수 있는지 보여준다. 멜이 반복되는 꿈을 꾸기 시작했을 때는 여덟 살이었다.

> 사촌 꿈을 꾸곤 했는데, 그 애는 네 살 때 죽었어요. 나랑 아주 친했어요. 그 애가 죽은 후 꿈을 꿨어요. 그 애가 나를 깨워서 같이 그 애 인형을 가지고 노는 꿈이요. 그 꿈을 꾸고 나면 늘 우울했어요. 나는 늘 죽고 싶었는데, 그러면 그 애랑 살면서 같이 놀 수 있으니까요. 나는 꿈속에서 그 애랑 늘 놀았지요. 그 애가 죽고 1년 동안이요. 지금도 계단을 올라가 그 애를 만나는 꿈을 꿀 때가 있어요. 아직도 나는 그 애와 살 수 있으면 좋겠어요.

열두 살 에이드리언은 가장 행복했던 꿈을 묘사했다. 그 꿈속에서 그는 자기가 아는 모든 사람, '살아 있거나 죽은' 모든 사람과 하늘에 있었다.

> 우리는 설탕으로 만든 방울 위에 떠 있었어요. 그 방울 안은 푸른빛이었고, 내가 그 안에 있는 내 얼굴을 보는데, 행복해 보였어요. 그러고는 깼어요.

이 꿈은 에이드리언이 죽은 친척들과의 즐거운 접촉을 다시 경험할 기회를 주고 위로의 원천이 된다.

꿈의 영적 차원

역사를 통해서 보면 꿈은 영적 생활에 영향을 끼쳐왔고, 이런 꿈을 아동기에 꾸는 경우도 많다(Adams et al., 2008; Bulkeley et al., 2005; Mallon, 2006). 영적인 꿈은 수많은 직접적 이미지와 상징적 이미지, 다양한 주제를 담았을 수 있는데, 죽음과 관련된 주제일 때가 많다(Bulkeley and Bulkeley, 2005). 어떤 아이는 천국에 관한 꿈을 꾼다. 케이트 애덤스Kate Adams 등은 열 살 클레어가 '천국의 문들'에 관한 꿈을 꿨다고 말한다(Adams et al., 2008). "나는 사다리를 타고 천국으로 올라가는 꿈을 꿨어요."(Mallon, 1989)라고 어떤 아이가 내게 말해준 것처럼 말이다. 이런 꿈은 종교교육이나 가족의 신앙, 또는 아이가 살고 있는 문화적 분위기의 영향일 수도 있다.

어떤 꿈은 드러내놓고 종교적인 이미지를 담고 있다. 가령 종교적 인물이나 영적 지침, 혹은 꿈꾸는 사람에게 중요한 기타 인물의 이미지를 담는다.

어쩌면 더 영적인 관점에서 볼 때 아이의 꿈은 시간의 뒤를 돌아보는 창, 몸이 되기 이전에 그 영이 경험한 것의 증거를 제공하는 창이라고도 볼 수 있다. [영이 경험한 것에 대한] 이 정보가 어린아이에게는 신선하고 가치 있는 것일 수도 있는데 그것은 단기간으로만, 즉 그 정보가 자기 신념 체계에서 나와 사회화되어버려 더 이상 인정받거나 알아주는 것이 아니게 되기 전까지만 그런 것으로 머물러 있을 수 있다(Bulkeley et al., 2005: 220).

많은 문화에서 꿈꾸는 일은 아주 값진 것이며, 가족 및 친구들과 함께 꿈에 관해서 말하는 일은 일반적이다(Bulkeley, 2000). 예를 들어 가자 지구와 갈릴리의 아랍 문화에서는 아이가 자기 꿈에 관해 생각하고 이야기하며 자란다. 많은 연구가 보여주는 것은 꿈 작업의 효율성이다(Garfield, 1996; Gogar and Hill, 1992; Keller et al., 1995).

꿈은 사별당한 사람에게 영적 위로를 준다. 엘리자베스 퀴블러 로스는 죽은 이에 관한 꿈을 "영적인 비행기를 타고 하는 진실한 접촉"이라 불렀다. 이러한 꿈은 사람이 신성하고 초월적인 것에 더 가까이 가도록 만들어서 깨어 있는 삶에 영감을 주며 삶을 인도할 수 있다(Bulkeley, 1995). 그리고 사고사나 살인과 같이 의미 없고 무작위적인 것처럼 보이는 사건 이후에 어떤 위로를 가져다줄 수 있다. 죽은 사람이 꿈속에서 하느님이나 천사, 기타 초월적 존재에게 보살핌을 받으면 사별당한 사람은 안도감을 느끼는 경우가 많다(Adams et al., 2008; Mallon, 2000b).

누군가가 인도해주거나 '돌봐주는' 꿈에 대한 신념의 뿌리는 고대로 거슬러 올라간다. 즉, 조상이 무덤을 넘어 계속 자손을 살펴주고 돌봐준다는 신념에 기초한다. 이는 조상숭배, 수호천사에게 하는 기도, 죽은 사람을 기리는 사당, 강신술, 영매 등에서 볼 수 있듯이 전 세계적으로 자명하다(Picardie, 2001). 한 여성은 사후세계에 관한 꿈을 꿨다고 말하며 그 꿈속에는 죽은 자들이 계속 살아 있고, "뒤에 남겨진" 사람들이 애도함을 거쳐 앞으로 나아가도록 도와주며, 유대감은 그대로지만 자유롭게 자기 삶을 살아가도록 도와준다고 말했다.

이 연습은 한 달 동안 하는 것이다.

　다음 한 달 동안 당신의 꿈을 기록하라. 아침마다 꿈을 적고 제목을 붙이며, 깨어 생활할 때의 어떤 점과 연관시킬 수 있는지 적으라. 꿈을 분석할 때마다 자문하라. 꿈속에 누가 있었는가? 장소는 어디였는가? 꿈속에 어떤 다른 사람이 있었는가? 어떻게 느꼈는가? 만일 겁났다면 도와줄 사람이 있었는가? 아무도 없었다면 도와줄 누군가를 생각할 수 있었는가? 당신의 생각과 느낌을 잘 기록해두라.

　한 달이 끝날 때 그 기록을 읽어보면서 어떤 패턴이나 주제를 찾을 수 있는지 보라.

- 꿈을 통해서 자신에 관해 무엇을 알 수 있는가?
- 꿈에 관한 어떤 것이 당신을 놀라게 했는가?
- 꿈은 깨어 있을 때의 당신의 관심사에 대해 무엇을 알려주었는가?
- 당신은 상실에 관련된 어떤 꿈을 꾼 적이 있는가?

　이 연습을 완성한 다음에는 당신이 아이와 청소년의 꿈을 가지고 작업할 때 훨씬 더 편안하게 작업할 수 있을 것이다.

소설가이자 여행 작가인 로지 토머스(Rosie Thomas)는 엄마의 죽음 이후 열 살 때 기숙학교에 보내졌다. 어느 글에서 대니 댄지거(Danny Danziger)가 로지의 말을 인용했다("The Best of Times, Worst of Times," *Sunday Telegraph*, April, 2001).

나는 외로웠지만 그냥 모든 것이 괜찮은 척했다. 그리고 해마다 나에게 생일 카드를 보냈다.

너는 가장 불행했던 몇 년을 잊을 수 없어. 잊으면 안 되는 거야. 나는 끊임없이 학교에 관한 꿈을 꾼다. 목구멍 뒤로부터 그 냄새를 맡으며 깬다. 광택제와 소독약이 뒤섞인 것 같은데도 어쩐지 악취가 나는 그런 냄새를.

- 어머니와 사별 후 로지의 경험에는 어떤 상실이 누적되었는가?
- 그녀는 왜 반복해서 학교에 관한 꿈을 꾸었나?
- 로지의 경험에 대해 당신은 어떻게 느끼는가?

제10장

애도의 영적 차원

나에겐 그냥 그런 거예요. 성자들은 천국에 있고 수호천사들은 배트맨처럼 날개를 펼 수 있고요. 우리 아빠는 죽어서 뒷마당에 있는 나무에 살려고 간 거고요(Pascoe, 2002: 1).

사별과 애도, 슬픔의 영적 측면은 사별 아동과 청소년을 돕는 우리 일에 중요하고도 타당성이 있는 것이다(Leighton, 2008). 사별당한 사람을 지원하는 사람과 상담자에게 영적인 주제란 탐구하기 꺼려지는 것일 수도 있다. 그러나 "그 주제는 상실의 경험 속에서 이미 복잡하게 짜여 있다"리는 수잔 퍼 Susan Furr의 말 그대로이다(Burke et al., 2005: 13).

부모와 보호자의 가치관, 신념, 종교적 실천이 자녀의 영적 삶에 가장 강력한 영향을 미친다는 것은 놀라운 일이 아니다(Coles, 1991). 명백한 점은 당신 개인의 신념이 당신의 실천에 영향을 준다는 것이다. 그러나 당신이 선함, 판단하지 않는 긍정적인 존중과 공감을 확실히 유지한다면 당신과 다른 신념이나 생각을 품은 사람을 만나더라도, 그래서 어려울 수 있을지 모르지만, 그 사람을 지원할 수 있다.

'종교'와 '영성'이라는 단어는 구별되지 않은 채 사용되기도 한다. 그러나 이 장에서는 그 용법을 명확하게 하기 위해 그 어원을 보려고 한다. "종교religion라는 단어는 라틴어 'religare'나 'religio'에서 유래하는데, 그 의미는 '되묶는 것'이나 '함께 묶는 것', 또는 '관계를 갖는 것'이다"(Becker et al., 2007: 214). 이는 가시적인 현실 너머에 있는 어떤 것 또는 누군가와 관계가 있다는 점을 나타낸다. 그 '어떤 것'이나 '누군가'가 기독교의 전통에서는 '하느님'으로 알려져 있다. 오늘날에는 종교가 신념, 가치, 규칙, 의례 등의 시스템을 외부로 표현하는 방식이 되어버렸다. 종교 집단은 공동체에 기반을 둔 예배를 제공하고, 집단 나름의 성스러운 실천과 믿음이 있어 그 구성원이 그것을 고수한다(Emblen, 1992). 이 같은 공동체는 구성원과 그 바깥 사회에 특별히 중요한 의미를 지니는데, 사회학자 토니 월터가 말하듯이 "종교가 부분적으로는 풀처럼 사회들을 접착시키는 것"이기 때문이다(Walter, 2003: 219).

'영성'은 더 막연하고 넓은 용어이다. 영적인 경험은 우리가 세상과 가장 깊게 연결되어 있다고 느낄 때, 자아보다 더 큰 무언가의 일부라고 느낄 때 생긴다. 이는 자아, 타자, 더 넓은 우주와 연결된 존재감과 관계가 있으며, 또한 인생의 의미와 목적과 관계된다(Bosacki, 2001). 데이비드 헤이David Hay와 레베카 나이Rebecca Nye는 그것을 인간의 자연스러운 소인素因이라고 묘사한다(Hay and Nye, 2006; O'Murchu, 2000). 영성은 모든 사람 안에 존재하며, 종교적 신념에 의해 있는 것이 아니다. 그것은 타인과 의미 있게 연결된 느낌과 관련되며, 인생의 의미 및 목적과 관련이 있다(Bellous, 2008; Batten and Oltjenbruns, 1999; Leighton, 2008). 루스 머리Ruth Murray와 주디스 젠트너Judith Zentner에 따르면 삶의 영적인 측면은 우주와 조화를 이루려 하고 무한함에 대한 답을 추구하는 것이다(Murray and Zentner, 1989). 영적인 실행에 포함될 수 있는 것은 신앙 집단에의 소속, 예배 드리기, 순례와 수련, 기도와 명상, 의례와 의식의 수행, 영적인 저작 읽기 등이다(Culliford and Powell, 2005). 영성은 누구라도 체험할 수 있고, 지적장애가 있는 아동도 가능한데, 영성은 지능과 관계없기 때문이다(Swinton, 2002).

영적인 신념은 많은 사람에게 위로를 제공한다. 셸 칼렌버그Kjell Kallenberg 는 "인생에 대한 종교적인 태도가 트라우마적 사건을 견디기 쉽게 해준다"라는 것을 알아냈다(Kallenberg, 2000: 123). 신앙 공동체의 사교적 관계망과 신앙의 틀이 삶의 의미와 희망을 준다. 그러나 트라우마적 사별은, 조이스 E. 벨로스Joyce E. Bellous가 "의미를 만드는 것이 인간 정신의 근본적인 활동이다"(Bellous, 2008: 196)라고 진술했듯, 사별당한 사람이 일어난 일의 의미를 알아내려 애쓸 때 신앙의 위기를 가져오기도 한다.

아동·청소년의 사별과 영성의 역할은 널리 연구되지 않고 있는 영역이다 (Batten and Oltjenbruns, 1999). 종교적 신념이나 영적 신념이 사별에 대한 성인의 반응에 어떤 영향을 미치는지에 관한 연구는 많지만, 결정적인 대답을 주는 것으로 이용할 자료는 없다(Becker et al., 2007). 중요한 타자의 죽음 이후에 종교적 신념이나 영적 신념을 품는 것은 긍정적 효과가 있는 것처럼 보인다(Powell et al., 2003). 키리 월시Kiri Walsh와 그의 동료들이 결론 내리듯이 "강한 영적 신념을 고백하는 사람은 가까운 사람의 죽음 이후에 자기 슬픔을, 영적 신념이 없는 사람보다는 더 신속하고 완전하게 해결하는 것처럼 보인다"(Walsh et al., 2002: 1554). 영적 신념은 회복탄력성과 연관이 있다(Smith, 2005).

청소년기에는 많은 청소년이 삶과 죽음의 의미를 탐색하고, 자기의 영적 경험과 종교적 경험에 의지하는 청소년도 있다. 1999년에 고든 Jr. 갤럽

Gordon Jr. Gallup과 D. 마이클 린지D. Michael Lindsay의 연구에 따르면 청소년의 76%가 신을 믿는다고 대답했으며, 29%는 신의 존재를 경험했다고 말했다. 그리고 42%는 정기적으로 기도를 했으며, 50%는 조사 시점 이전 7일 내에 예배에 참석한 적이 있었다(Hooyman and Kramer, 2006). 청소년이 이 같은 신앙을 갖고 있다는 증거는 그들이 안녕安寧, well-being에 높은 의미를 두고 있다는 지표이다(Donahue and Benson, 1995). '윈스턴의 소망'이 진행하는 사별 아동 지원 주말 모임에서 아이들은 익명으로 캠프 닥터에게 질문하는데, 그 질문에는 영적인 주제에 관한 것이 많다(Thompson and Payne, 2000).

아동이나 청소년과 함께할 때는 그들에게 중요할 수도 있는 종교적 또는 영적 실천이나 전통이 있는지 알아내는 것이 도움이 될 수도 있다(Golsworthy and Coyle, 2001: Hooyman and Kramer, 2006). 또한 청소년이 기도, 명상, 묵상 등을 이용해 자신을 영적으로 돌보고 있는지, 누가 그를 영적으로 돌보거나 인도하는지 알아내는 것이 도움이 될 수도 있다. 이런 지원이 〔이슬람교의〕이맘imam, 〔유대교의〕 랍비, 〔천주교의〕 사제, 교목, 무당, 목사에게서 올 수도 있다. 이전에 경험한 상실과, 그 상실을 가족이나 당사자가 어떻게 다루었는지를 탐색하고, 그러한 경험을 거칠 때 그의 영적 가치관이 도움을 주었는지 여부를 탐색하라. 이렇게 하는 동안 그 이야기를 편안한 느낌으로 할 수 있도록 보장해야 한다. 분명한 점은 이것이 불편한 일이거나 그가 저항할지도 모른다는 것이다. 만일 그렇다면 다른 영역으로 넘어가서 그가 상실에 관해 느끼는 것을 탐색하도록 도와주어야 한다.

데이비드 E. 바크David E. Balk는 모든 인간이 인생의 의미를 찾고 있으며, 사별을 겪으면 실존과 그 의미에 관한 기존의 가정에 도전하게 된다고 주장한다(Balk, 1999). 사별은 사별당한 자가 자기 인생에서 일어난 일을 성찰하면서 영적으로 탐구하고 발전할 기회를 줄 수 있다. 사람들은 자신의 삶을 검토하고 평가하면서 자기 가치관과 신념을 바꿀 수도 있다. 바크가 형제와 사별한 청소년 42명을 연구해 발견한 것은, 그런 죽음을 경험하기 전에는 대상자의 50%에게 종교가 삶의 중요한 부분이 아니었다는 점이다(Balk, 1991). 인터뷰했을 때는 거의 62%가 자신에게 종교가 중요해졌다거나 매우 중요해졌다고 말했다. 대처 반응으로서 종교가 가치 있다고 보는 자는 죽음을 경험할 즈음에 60%였으나 사별 이후에는 80%로 증가했다(Becker et al., 2007).

전 세계 대부분의 문화에서 종교는 죽음과 사별성을 다루는 데 주요한 역할을 한다. 그리고 종교적 의례는 전환기를 인생의 아주 중요한 시점으로 다룬다. 종교적 공동체에서는 아동과 청소년이 죽음의 의미에 대해 말해도 괜찮다. "하느님이 아빠랑 같이 있고 싶었나요?" "무슨 계획으로 아주 높은 지고한 분이 아빠를 데려갔나요?" "내가 죽으면 아빠와 함께 있게 될까요?" 그러나 "도움이 되는 게 영적인 신념 말고는 아무것도 없기 때문에 그 신념이 강화되는 것일 수도 있다"(Frantz et al., 2001: Hooyman and Kramer, 2006: 74). 사별 이후에 아동과 청소년에게 생기는 커다란 질문들이 있다. 그들은 신앙 안에서 위로를 발견할 수도 있고, 아니면 자기 신앙에 관한 의심이 커질 수 있다. 그들은 하느님 또는 그 이름이 무엇이든 신성을 지닌 존재에게 화가 날 수도 있다. "바른 하느님이라면 어떻게 아빠를 데려갈 수 있어요?" "하느님이 어떻게 이 재앙이 일어나게 놔둘 수 있었나요?" 데이비드 E. 바크가 지적하는 사실은, 형제자매의 죽음은 이 세상이 순하고 안전한 곳이리는 생각을 부수며, 종교적 신념과 신의 존재 등에 관해 거센 질문을 하도록 만든다는 것이다. 인생의 의미와 목적에 관한 실존적 질문이 아주 많은데, 청소년기에 특히 그렇다(Balk, 1991).

정신과 의사이자 작가인 로버트 콜스Robert Coles는 여러 해 동안 아이들을 인터뷰하며 그들 내면의 삶을 듣고 영성에 관한 그들의 견해를 들었다.

그는 다음과 같이 말했다. "나는 아이들과 일했는데, 그들은 자기 나름의 도덕적 관심사, 철학적 관심거리, 종교적 확신을 품고 있었다"(Coles, 1991: 10). 아메리카, 중동, 라틴아메리카 출신 아이들과 이야기를 하며 그가 알아낸 것은 영적 문제에 대한 커다란 관심과 신앙에 기반을 둔 관점들이었다. 그는 여덟 살 유대인 소녀에 관해 썼다. 그 아이는 영적인 유대감과 영원성에 대해 강하게 느끼고 있었다. 아이는 "그분이 가까이 있는 걸 느낄 때가 많아요"라고 말하며, "내가 그분 음성을 들을 수 있을 정도로 가까이 올" 때까지 그분이 머물러주기를 원한다고 말했다. 그리고 그때는 자기가 여기에 더 이상 '살고' 있지 않을 때라고 지적했다(Coles, 1991: 36).

아이는 자신 안에 살고 있는 자기 영혼에 대한 감각을 지닐 수도 있다. 다음의 예는 끔찍한 전쟁 속에 갇힌 한 어린 소녀의 이야기이다(Smith, 2005: 69).

캄캄한 밤에 나랑 식구들은 귀신이 나올 것 같은 숲에서 자야 했어요. 우린 그 전쟁에서 도망치려 했는데 …… 정말로 무서웠어요. 포탄이 터지고 총소리도 들렸어요. 내 영혼이 몸에서 빠져나갔어요. 너무 겁나서요. 우린 영국으로 갈 수 있었고, 그래서 괜찮았는데 내 영혼은 아니었어요. 내 영혼은 매일 나를 찾으려 했지만 찾지 못했어요. 해가 뜨는 어느 아침에 내 영혼이 런던에 왔어요. 아직도 나를 찾았지요. 런던에는 총소리도, 폭탄도 없었어요. 우리는 모두 괜찮았어요. 그다음 날 아침에 내 영혼은 나를 찾아냈어요. 그 후엔 우리가 행복하게 살았어요. _ 아리올라

아리올라가 설명한 것은 그녀의 영혼이 너무 겁나서 도망쳐야 했고, 안전해지자 비로소 돌아올 수 있었다는 점, 해가 나왔을 때 그녀 영혼이 그녀를 볼 수 있었다는 점이다. 숲에서 경험한 그녀의 트라우마는, 이틀간 부모와

떨어져 부상당한 사람들과 죽은 사람들에게 둘러싸여 '잠을 잤던 것'이다.

종교적 신념과 영적 신념은 아동과 청소년이 죽음을 어떻게 바라보는지에 영향을 미치고, 이는 다시 사별에 대한 그들의 반응을 만들어낸다. 청소년이 사후-세계에서 다시 만나리라고 믿는다면 위로받을 수도 있지만, 우리가 반드시 기억해야 할 점은 이것이 사별의 고통을 줄여주지는 못한다는 사실이다(Leliaert, 1989). 모든 사람의 영적·종교적 취향은 존중되어야 하며, 특히 아동과 청소년을 대할 때는 그 가족의 신념 체계를 인식할 필요가 있다(Attig, 1995).

아버지를 잃은 십 대 소년은 자기에게 믿음이 중요하다고 말했다. "종교에서는 포기하지 않는 게 중요해요. 정말로 이것이 유일하게 내가 견디는 데 도움이 되었어요. 그게 없었다면 분명 모든 걸 그냥 포기했을 거예요"(Worden, 1996: 171).

통증 완화 치료

> 죽음은 영적인 위기와 다름없을 경우가 많다. 죽어가는 사람과 그의 친구들에게 모두(Holder and Aldredge-Clanton, 2004: 4).

통증 완화 치료palliative care에서는 환자와 가족의 영적 욕구가 환자가 가는 길을 전인적으로 돌보는 일의 중심에 놓인다(Marie Curie Cancer Care, 2003; National Institute for Clinical Excellence, 2004; Wimpenny, 2007; Wright, 2002). 2006년에 영성과 통증 완화 치료에 대한 문헌을 검토했던 한 연구가 제안한 바는 더 통합적인 접근 방법이 개발될 필요가 있다는 것이다. 환자와 그 가족에게 있는 영성의 경험적 성격을 통증 완화 치료에 포함하는 접근 방법이 필요하다는 것이다(Sinclair and Geraghty, 2002). 호스피스 운동과 통증 완화 치료 전문가들은 사별 아동 돌봄의 발전에 지대한 공헌을 해왔다. 특히 예상된 죽음에 대해 아이가 준비되도록 하는 일에서 그렇다. 질리언 코운Gillian Chowns 박사의 이스트 버크셔East Berkshire 통증 완화 치료팀이 진행한 영상 조사 프로젝트video research project인 〈우리가 어떻게 느끼는지 아무도 몰라 No, you don't know how we feel〉는 그 훌륭한 예이다. 그 프로젝트에서 청소년 은 사별당함에 관한 자기 느낌과 생각을 표현했다.

심각한 질환이나 사별에 직면한 아이가 영적 성격의 질문을 던지기도 한 다(Hutton, 2006). 시한부 환자와 살고 있는 아이가 자기 삶에서 새로운 영적 차원을 인식하기 시작할 수도 있고, 자기의 생명과 죽음에 대한 의미를 찾으 려 하기도 한다. 충족되지 않는 영적 욕구가 아이를 괴롭힐 수도 있기에 우 리는 아이의 경험을 경청할 필요가 있으며, 아이의 세계관을 알아내 그 아이 의 영적 욕구에 반응해줄 필요가 있다. 그 욕구는 시간의 흐르면서 변하는 데, 그에 맞춰주어야 하기 때문이다(Culliford, 2002).

> 희망은 날개 달린 것,
> 영혼의 횃대에 앉아 있다네
> _ 에밀리 디킨슨(Emily Dickinson)

사후세계에 대한 아동과 청소년의 관점

아동과 청소년은 사후세계에 관한 생각을 한다. 리처드 랜스다운Richard

Lansdown 등에 따르면 5~8세 아동의 50%가 하늘나라를 믿는다(Lansdown et al.,1997). 비록 그 아이들이 하늘나라를 좋은 곳으로 늘 알고 있는 것은 아니지만 말이다. 『아동과 애도: 부모 한 명이 죽었을 때』에서 윌리엄 워든이 보고한 것에 따르면 '아동 사별 연구' 대상 아동의 74%가 죽은 사람이 '하늘에' 있다고 했는데, 그 대답은 아이의 "종교가 무엇인지와 상관없는" 것이었다(Silverman and Worden, 1992: 97). 열한 살 여자아이는 말했다. "밤에는 하늘나라가 어떤 곳일까 생각해요. 들판과 꽃 같을까요? 아니면 가족마다 하늘나라가 있어서 우리 친척들을 다 볼 수 있을까요?"(Silverman and Worden, 1992: 97~98) "그 종교가 무엇이든, 이 나이 또래(6~8세)의 아이는 사망한 부모가 대개 어딘가에 있다고 말하는 경향을 보인다. 보통은 그곳이 하늘이고, 그런 생각이 지닌 기능이 있다. 대부분의 아이는 그 부모가 자기를 지켜본다고 생각한다"(Christ and Christ, 2006: 205). 하늘나라를 땅 위의 삶이 연장된 것으로 인식하는 아이가 많다. 마치 죽은 사람의 존재가 다른 비행기를 타고 가면서 계속되는 것처럼 말이다.

천국과 사후세계에 관한 아이의 생각은 전방위적이다. 사후세계에 대한 아동의 개념에 관한 어떤 조사·연구(Frangoulis et al., 1996)에 따르면 천국이 너무 비좁지 않을까 또는 죽을까 봐 염려하는 아이가 많지만, 조사 대상 아이들이 천국을 주로 즐거운 곳으로 생각했다는 것이다. 성 크리스토퍼 호스피스에 있던 어느 시한부 소녀는 "하늘에서는 내내 잘까요, 아니면 깨어 있나요?"라고 질문했으며, "천국에 상난감을 가지고 갈 수 있나요?"라고 묻기도 했다. 죽은 사람이 어떻게 천국에 가는지 질문받은 아이는 대부분 날아가거나 떠올라서 간다고 생각했다. 다섯 살인 한 아이는 "하느님이 데리고 가는데요, 비행기를 타려면 12일을 기다려야 해요. 그리고 비행기로 8시간이 걸려요"라고 말하기는 했지만 말이다(Black, 1996: 1).

어떤 청소년은 깊은 신앙이 있어 그 신앙을 통해 육체적·정서적으로 큰 고통을 견딘다. 가번의 질병은 시한부였고, 그는 자신이 죽어가고 있음을 알았다. 그는 여동생 도미니카에게 말했다.

내가 죽으면, 그리스도가 우리 가족을 돌보시리라 믿어. 필요할 때마다 말이야. 그분이 우리 식구를 먹여 살릴 거야. 내가 먼저 가지만 늘 우리 식구를 내려다볼 거야. 우리 가족 사이에 있을 거야. 식구들은 날 보지 못할 테지만, 난 있을 거야. 식구들을 살피고 돌보면서 내내 있을 거야. _ 가번, 10세(Driscoll, 2004: 5)

스웨덴의 아동과 청소년 500명을 조사한 연구에 따르면(Tamm, 1996), 죽음 이후에 무슨 일이 일어나는지에 대한 청소년의 생각에는 성별 차이가 있다. 남자 청소년은 삶이 죽음으로 끝나며, 몸은 썩고, 그것으로 생명이 마감된다고 생각하는 경향이 높았다. 그러나 여자 청소년은 사후세계를 믿는 경우가 많았다. "환생과 '임사臨死 경험'의 형태로 죽음을 생각하는 것이 열두 살 이상의 여자 청소년 가운데서는 일반적이다"(Tamm, 1996: 33). 그 연구에 참여한 여자 청소년의 3분의 1은 죽음이 어두운 터널을 지나 금빛으로 나아가는 하나의 여정이라 보았고, 이러한 생각이 남자 청소년 중에는 "실제로 없었"다. 죽음 이후 존재의 연속성에 관해 질문받은 남자 청소년은 천국보다는 지옥에 더 관심이 있었다. 비디오 표지 디자인, CD와 공포 영화가 이러한 반응에 영향을 미쳤을 수도 있다.

사후세계를 사랑했던 사람들이 다시 만나는 곳으로 보는 경우가 많다.

엄마 장례식을 했어요. 엄마가 아빠 곁에 묻혔는데, 삼촌이 하얀 비둘기 두

마리를 날려 보냈어요. 하늘로 함께 날아가는 것을 보여주려고요. 이제 두 분이 함께 천국에 있을 테니까요. _ 톰(15세)

매슈는 지금 열일곱 살인데, 열다섯 살 때 할머니가 사망했다. 할머니의 죽음은 그의 생각을 바꿔버렸다.

난 죽음 이후에 뭔가 있을 거라고 믿어왔어요. 하지만 이젠 아니에요. 할머니가 돌아가시고 생각이 변했어요. 나는 생각했어요. '만일 신이 있다면 왜 그런 끔찍한 방법으로 사람을 죽게 할까요?' 내가 믿는 건 딱 하나예요. 우리에게는 할머니 사진이 남아 있고, 할머니가 어떤 분이었는지 알고 있다는 거요. 할머니를 기억하게 하는 모든 걸 내가 여기에, 내 마음과 정신에, 그리고 할머니가 건강하고 행복했을 때의 사진에 지니고 있어요. 내가 그것을 잃어버리지 않는 한, 그 느낌도 잃어버리지 않을 거예요. 그래서 할머니가 나와 함께 있는 거지요(Jenkins and Merry, 2005: 184).

아이 앞에서 죽음에 관해 이야기하는 것은 많은 문화권에서 금기로 남아 있다. 특히 일본에서는 가장 큰 사회적 금기 중 하나이다. 하지만 미하루 사가라-로즈마이어Miharu Sagara-Rosemeyer와 베티 데이비스Betty Davies의 연구에 따르면 일본 아이는 삶을 죽음으로 나아가는 과정으로 인식하며, 죽음은 사후세계로 가는 전환점이라고 생각한다(Sagara Rosemeyer and Davies, 2007). 사후세계에 대한 이런 생각은 일본의 3대 종교인 신도, 불교, 유교의 교리를 통합한 것이다.

여러 의례

제프리 글래속Geoffrey Glassock은 의례가 애도의 영적 측면을 다룬다는 점에서 중요하다고 강조했다(Glassok, 2001). 의례가 제공하는 애도 구조는 아이와 어른 모두에게 도움이 될 수 있다(Stuber and Mesrkhani, 2001). 의례는 성찰의 기회를 제공함으로써 애도의 깊은 고통을 존중해준다. "의례는 순간들을 모아 산을 만든다"(Grollman, 1997). "대부분의 인류 역사에서 …… 개인의 영적 경험은 거의 완전히 그 부족이나 국가의 상징, 신화, 신앙, 의례를 통해 주조鑄造 되며 그런 것들로 직조織造 된다"(Klass, 1999a: 3). 전통적으로는 기도, 금식, 명상, 순례, 의례, 환상 등이 인생의 영적인 측면을 표현해주는 것이었다. 그 표현 과정이 집단을 하나로 묶고, 개인에게는 어떤 일이 일어날 경우 그가 동일한 방법으로 도움을 받으리라는 것을 보여준다(Dyregrov, 1996).

의식과 의례는 인생의 중요한 전환을 표시해주며, 목적이 있는 활동이다. "죽음과 상실을 겪는 동안 의식은 행위·시간·감정을 조절해주는 기능을 하고, [이런 시기에] 깨지기 쉬운 사교 관계들을 인도한다"(de Vries, 1996: 403). 의례는 개인을 그 사회와 그 문화적 집단과 연결시키는 데 집중한다. 기록된 모든 인간 사회에는 애도 의식이 있고, 그 의식 안에서 죽은 자에 대한 기억이 살려지고 다시 살려진다. 그런 의식이 사회적인 차원을 지닌 공개적 과시가 되는 경우도 많다(Gorer, 1965). 테레즈 랜도는 의례와 의식이 죽음에 관해 공유되어 있는 영적 의미를 사별당한 자에게 어떻게 제공하는지, 따라서 그들이 그 영적 의미를 자기의 신앙 체계에 통합시킬 수 있는지를 설명한다(Rando, 1984).

의례를 통해 공동체는 사별당한 자에게 그 공동체가 지지하고 돌본다는 것을 보여줄 수 있다. "그 가족의 문화적 힘이나 신앙에 기반을 둔 힘이 결속력을 제공할 수 있고 내면의 용기를 북돋워줄 수 있다"(Ratnarajah and Schofield, 2007: 90). 아이도 어른만큼이나 의례를 통해 도움을 받는다. 의례는 애도에 초점을 맞추게 해주고, 의례 안에서 친구·가족·또래는 사별당한 사람과의 유대감을 보여준다. 그리고 의식을 통해 자신이 혼자거나 버림받은 것이 아님을 알게 된다. 의례는 애도의 표출구와 고인에게 작별 인사를 할 구체적 방법을 제공한다. 아틀레 뒤레그로브가 말하듯이, 시신을 보는 의식에서 그가 다시 돌아오지 않음을 확인할 수 있다.

관에 누운 아빠를 보고서야 비로소 무슨 일이 일어났는지 진짜 이해했어요. 아빠가 거기 아주 평화롭게 누워 있는 것을 봐서 매우 좋았어요. 고통스러워하지 않는 걸 보았으니까요. 난 아빠를 만졌지요. 그런 식으로 아빠에게 작별 인사를 하는 것이 아주 올바르며 좋다고 느꼈어요. 내가 차분해진 건 아빠가 아주 평화로웠기 때문이에요(Dyregrov, 1996: 3).

아이가 의식에 참여할 준비가 되어 있을 필요가 있다. 그래서 어떻게 진행되고 무슨 일이 있을지 알 수 있도록 한다. 고인을 보는 데 함께할 때는, 예를 들어 그 방에 관한 정보를 아이가 알 필요가 있다. 꽃과 장식, 관이 놓일 자리, 관 뚜껑이 열려 있을지 덮여 있을지, 고인의 모습, 손과 얼굴의 색, 입힌 옷의 세세한 부분 등을 밀이나. 그 방의 온도가 서늘할지, 그렇다면 왜 그런지를 아는 것이 도움이 된다. 덧붙여 말하자면 아이나 청소년이 그 방에 들어가기 전에 자동 공기청정기가 있는지 여부를 확인해두라. 잠시 침묵하고 있는데, 어디인지 모를 곳에서 갑자기 공기가 분출되어 방해받는 것만으로도 매우 겁먹어버릴 수 있기 때문이다.

준비하면서 그 아이는, 자기가 원하는 대로 반응하거나 반응하지 않을 수도 있으며 어떻게 해야 하는지 확고한 규칙은 없음을 확실히 알도록 한다(Dyregrov, 1996). 그것이 신체적인 몸에게 마지막으로 작별 인사를 하는 기회임을 설명하라. 아이가 원한다면 혼자 시간을 갖거나 사진을 찍을 수도 있다. 아이가 그렇게 보기 직전에 어른이 먼저 보고 모든 것이 제대로 되어 있는지 확인하는 것이 도움이 된다. 애도하는 친족들이 방으로 들어왔는데, 그들 친척의 시신이 아니라 교통사고로 멍들고 다친 낯선 자가 안치되어 있던 경우들이 있었기 때문이다.

시신을 본 후에 아이나 청소년이 원할 경우 그 경험에 관해 말할 수 있는 시간을 주는 것이 좋다. 의식에 참여한다는 면에서 아틀레 뒤레그로브는 "아이에게 의례에 참여할 권리가 있다"고 말한다. 만일 아이를 제외한다면 가장 중요한 가족 행사 몇몇에 아이가 참여할 기회를 우리가 부정하는 것이다. 의례는, 그리고 의례에 참여하는 일은, 아이의 인생 내내 계속해서 의미심장한 일이 될 것이다. 그리고 어른으로서 우리는 아이가 예식에 관여하는 일을 그의 향후 발달에서 아주 중요한 것으로 간주해야 한다(Dyregrov, 1996: 4).

죽음과 관련된 전통적인 예식에는 고인의 시신을 보는 것, 장례식 참석, 고인에 대한 추모 예배 등이 있다. 그러나 자신만의 고유한 의식을 만들어낼 수도 있다(Imber-Black et al., 1988). 최근에는 사별당한 식구들이 촛불을 들고 죽음이 발생한 곳으로 가서 사고가 발생한 지점에 꽃을 놓아두기도 한다. 작은 배가 가라앉은 물에 꽃을 던지기도 한다.

추도식과 기념 예식은 사별을 겪은 이를 지원해주는 중요한 방법이 된다(Rawlings and Glynn, 2002). 그런 예식에는 기도, 낭독, 시, 음악, 그리고 고인을 되돌아보는 시간이 포함될 수 있다. 아이가 함께 음악이나 꽃, 그리고 어떤 노래를 부를지 고를 수도 있다. 아이는 자기 슬픔의 구체적 상징물로 그림이나 시, 장난감 또는 꽃 같은 것을 관 속에 넣고 싶어 할 수도 있다. 작별 인사를 시신 앞에서 소리 내서 하는 것도, 속으로 하는 것도 원치 않고, 카드 나 편지 등으로 하고 싶어 할 수도 있다. 어떤 경우는 자기를 위해 어른 누군 가가 자기 말을 받아 적어주길 원할 수도 있다.

통과의례는 한 사람이 그의 인생에서 새롭고 중요한 시점에 도달했음을 표시한다. 통과의례는 분리, 전환, 통합이라는 주요한 세 국면으로 나뉜다. 장례식은 죽음이 가져온 '분리'를 표시해주며, '전환'은 사별을 겪은 사람이 자기 인생의 새로운 단계에서 새로운 행위를 배우는 것이다. 그리고 마지막 단계인 '통합'은 그 사람이 새로운 역할로 들어갈 때 이루어진다.

추모 의식

예식은 사별을 겪은 아이가 고인과 계속 연결되도록 해준다. 예식을 통해 연속성이 유지됨으로써 아이가 과거를 긍정적으로 인정하고 가치 있게 여기 며, 그런 측면들을 자기에게 놓인 앞으로의 시간 안에 가져갈 수 있게 해준 다. "기일에 하는 의식은 그 가족에게 특별히 중요하다. 그들의 애도하도록 구체적으로 닻을 내리는 지점으로서 기능하기 때문이다"(Dyregrov, 1996: 4). '윈스턴의 소망'에서는 사별을 경험한 아이를 위한 숙박 프로그램을 운영힌 다. 거기서 하는 어떤 예식에서는 사별 아동이 각자 초에 불을 붙이고 고인 을 기억한다. 예식이 끝나면 촛불을 불어 끄고, 각자 자기 초를 집으로 가져 가 기일이나 생일, 또는 특별한 시간을 기념할 때마다 다시 불을 붙인다. 이 러한 의식을 학교에서도 할 수 있다.

남편이 비극적으로 사망할 당시 아들이 여덟 살이던 한 친구는 1년 후에 아이 아빠의 친구들이 모두 함께하는 소풍을 준비했다. 그때 각자 엽서에 자기 이름을 적고 아이 아빠를 어떻게 알게 되었는지, 그리고 나누고 싶은 추억을 한 가지씩 적었다. 이런 구체적인 물건은 아이가 성장 과정에서 험난한 시간들을 지탱하기 쉽게 만들어줄 수 있다. 그리고 아직은 알 수 없는 아이의 미래 배우자와 자녀에게 가족의 유대를 제공해줄 수도 있다.

의례는 아이나 청소년이 과거와 현재를 연결하도록 돕는다. 따라서 장례식 자체와 장례식에서 아이가 맡은 역할을 하는 것 둘 다 아이가 상실을 겪은 그 현실을 받아들이도록 돕는다(Requarth, 2006). 이는 루이스 A. 가미노 Louis A. Gamino가 장례식 참여에 대해 조사·연구한 후에 말하는 것과 같다.

장례 의식은 죽음의 때에 애도하는 사람에게 두터운 위로를 건네는 것처럼 보인다. 그 의식이 사회적 지지를 할 수 있는 시간과 공간을 마련해주고, 또 애도하는 사람을 더 깊은 수준의 의미와 연결해주기 때문이다. 그리고 그 의미가 자기의 상실 경험을 이해하게 해주고, 또 이해의 틀을 만들 수 있게 해주기 때문이다(Gamino et al., 2000: 79).

한 개인의 이야기

앨래나는 여섯 살이었다. 아빠가 잘 자라고 하면서 이마에 입 맞춘 밤 이후로 앨래나는 살아 있는 아빠를 다시 보지 못했다. 그 밤에 아빠가 갑자기 죽었다. 앨래나는 장례식에 못 갔다. 조부모는 앨래나가 장례식에 간다는 생각을 견딜 수 없었기 때문이다. 가족들은 자기의 슬픔을 감추었고, 어떤 형태로든 아이가 겉으로 자신의 감정을 표현하는 것을 엄하게 단속했다.

화장 이후 앨래나의 엄마는 남편의 유골을 집으로 가져왔다. 나중에 가족은 그 부부가 결혼했던 교회로 가서 유골을 묻었다. 매년 기일에 가족은 각자 장미꽃 한 송이를 들고 교회에 갔다. 어느 해에 앨래나의 엄마는 장미와 함께 로즈마리를 조금 놓았다. 앨래나는 왜 그렇게 하는지 물었다. "로즈마리는 기억을 뜻하는 허브란다"라고 엄마가 대답했다. 앨래나는 로즈마리를 자기도 좀 가질 수 있는지 물었고, 엄마는 가져간 작은 다발에서 남은 것을 주었다. 잠시 후 엄마는 여덟 살짜리 앨래나가 무덤들 위에 로즈마리를 흩뿌리는 것을 보았다. 앨래나는 자기 나름대로, 죽은 사람들 모두가 기억되리라는 것을 확인하고 있었다.

사별을 겪은 아동을 돕는 의식

통과의례로서의 장례식

죽음에 뒤따르는 가장 중요한 공개적인 행사는 장례식이다. 장례식은 인생의 의미심장한 변화를 표시하는 통과의례이다. 상실을 직접 겪은 사람과 그가 속한 공동체 둘 다에게 그렇다. 아이에게는 장례식이 겁나는 일이 될 수도 있고 위로하는 일이 될 수도 있으며, 지루한 일이거나 지탱해주는 일이 될 수도 있는데, 주로 주변 사람들의 반응에 따라 달라진다.

장례식과 화장에 대해 아이가 많은 것을 상상하는 이유는 모두 너무 자주 TV나 비디오로 공포 영화를 본 영향에 있다. 그러므로 아이에 따라 장례식에서 무슨 일이 일어나고, 또 일어나지 않는지에 관해 명확히 설명해주며 안심시켜야 할 필요가 있다.

추모 카드

장례식이나 화장 의식에서 카드를 나누어줄 수도 있다. 이 카드에는 참석자 이름과 고인과의 관계(친척, 친구, 동료 등)를 적는 칸과 메시지를 적는 여백이 있다. 사별을 겪은 아이에게 이러한 카드가 특히 중요할 수 있는데, 그 카드를 읽으며 가족 바깥에서의 고인의 삶에 관해 더 많이 알 수 있기 때문이다. 이러한 카드는 대개 가장 가까운 친족이 간직하며, 앞으로 그 자녀를 위해 간직될 수 있는 구체적 기록이 된다.

전 세계의 애도 의식

죽음과 관련된 관습은 통과의례이며 죽은 자와 사별당한 자 둘 다를 달라진 자리로 안내한다(de Vries, 1996: 405).

일본 문화에서 지장보살은 아이와 여행자를 지켜주는 불교의 신이다. 태아가 낙태되거나 유산되면 미즈코水子라고 불린다. 이 지장보살은 다음 세상에서 신神으로 일어나 낙태 또는 유산을 막아준다. 일본 불교도는 자손이 다음 세상에서 살아간다고 믿으며, 절에 있는 신상神像이 어머니, 특히 아이를 잃고 슬퍼하는 어머니를 보호한다고 생각한다. 어머니들은 태어나지 못했거나 죽은 아기를 상징하는 조상造像을 만들어 자기가 모시는 절의 신상 옆에 둔다. 그들은 작은 상을 따뜻하게 하기 위해 어깨에 숄을 둘러놓기도 하고, 수유를 상징하는 턱받이를 받쳐주기도 한다. 일본 가마쿠라鎌倉 시에 있는 하세테라 관음사長谷観音寺 절의 미주코 지장보살상이 한 예이다.

'어머니날'은 엄마를 잃은 아이에게 상실의 감정을 일깨울 수도 있다. 중국에서는 이 특별한 날에 살아 있는 어머니가 붉은 장미를 받고, 어머니를 사별한 아이에게는 흰 장미를 준다. 어머니와 자녀는 둘 다 이 특별한 의식을 통해 존중된다. 어머니날에 푸에르토리코에서는 어머니와 사별한 아이가 분홍색 장미를 단다.

고인의 존재에 대한 감각

아동과 청소년은 고인이 옆에 있는 느낌을 경험할 수도 있는데, 보통은 그런 경험을 두려워하지 않는다. 그 고인이 자기를 해치고 싶어 하지 않을 거라고 느끼기 때문이다(Cranwell, 2007). 어떤 아이는 고인이 함께 있는 느낌을 알게 되는 계기로 어떤 것이 보이거나 들릴 때, 또는 냄새를 맡았을 때를 설명해준다. 많은 경우에 이는 위안이 되지만, 고인이 된 부모가 자기를 감시하며 자기가 잘못하고 있다고 할까 봐 두려워하는 아이도 있으며, 갑자기 나타나 놀라게 할까 봐 두려워하는 아이도 있다. 성인을 조사·연구해 발견한 것에 따르면 고인이 함께 있다고 느끼는 감각은 예상치 못하게 오며(Bennett and Bennett, 2000; Walter, 2008), 이는 아동에게도 마찬가지인 듯 보인다. 워든이 말하듯이, "죽은 부모가 지켜본다는 느낌은 보통 겪는 경험이며, 특히 처음 몇 달 동안 그렇다. 사별 후 한두 해가 지난 후에도 누군가 지켜본다는 느낌을 받는 것은 엄마를 상실한 경우일 때가 더 많다"(Worden, 1996: 28).

에이미 아흐메드Amy Ahmad는 다섯 살 때 할아버지가 사망했다. 할아버지는 다른 지역에 살았지만, 에이미는 할아버지와 함께한 좋은 추억이 있었다. 이제 일곱 살이 된 그 아이는 다음과 같이 회고한다.

할아버지가 실제로 우리 옆에 가까이 있는 걸 난 알았어요. 이건 할아버지가 죽은 다음인데, 우리가 집에 있을 때마다 할아버지는 실제로 우리 옆에 있

는 걸 알았거든요. 할아버지 느낌이 나하고 동생 에밀리에게 내려왔어요. 이건
보이지 않는 사람이 옆에 있는 거랑 같아요. 그래서 난 훨씬 더 기분이 좋아졌
어요. 무섭거나 혼자 있을 때 나랑 있어줄 사람이 있다는 걸 아니까요. 그건 할
아버지가 있으면 좋겠다고 생각할 때, 할아버지가 필요할 때, 할아버지가 날
보고 있는 것과 같은 거예요(Jenkins and Merry, 2005: 181~182).

옥스퍼드에 있는 세계 최초의 아동 호스피스 기관인 '헬렌의 집'을 설립한
프랜시스 도미니카Frances Dominica 수녀는 대부분의 인생을 생사의 기로에
놓인 아동과 함께하며 살았다. "죽음에 대한 경험이 나에게 가르쳐 준 것은,
그 사람이 믿음이 있든 없든 거룩한 땅 위를 걷고 있다는 점이다"(Driscoll,
2004: 4). "언니가 죽은 지 5년이 지난 뒤 다섯 살짜리 아이가 하느님께 '하느
님은 언니를 충분히 오래 데리고 있었잖아요. 제발 우리도 언니가 다시 필요
해요'라고 말했다"(Driscoll, 2004: 5).

'잔물결 퍼지기(파급)'라는 생각은 어빈 얄롬이 내놓았다(Yalom, 2008). 이 말은 우리 각 사람이 '영향력의 동심원'을 만드는데, 몇 세대까지는 아닐지라도 몇 년에 걸쳐 그 영향력이 다른 사람에게 미칠 수 있다는 사실을 언급해준다. 우리가 다른 사람에게 끼친 영향력은 그들을 통해 또 다른 사람들에게 전해지는데, 마치 연못의 잔물결이 더 이상 보이지 않을 때까지 계속 퍼져나가는 것과 매우 유사한 방식이다. 이렇게 남겨진 유산은 아동과 청소년이 자기 존재와 인생무상의 의미를 알아내려 애쓸 때 도움이 될 수 있다. 얄롬은 다음과 같이 말한다.

> 잔물결이란 …… 당신의 인생 경험 중 무언가를 뒤에 남겨놓는 것이다. 어떤 기질이든, 어떤 지혜든, 나침반이든, 덕이든, 위로든 다른 사람에게 넘겨주는 것이다. 당신이 알든 모르든 말이다(Yalom, 2008: 9).

> 잔물결은 무상함의 아픔을 누그러뜨린다. 우리의 어떤 것은 지속되며, 비록 그것을 우리가 알지 못하거나 인식이 불가능하더라도 지속되는 것이 있다는 사실을 상기하는 한 그렇다(Yalom, 2008: 10).

- 당신은 가족, 친구, 당신이 속한 공동체에 당신이 죽은 후에도 기억될 만한 어떤 유산을 남겼는가?
- 당신이 기억될 수 있도록 남기고 싶은 것이 또 있는가?
- 당신은 어떤 유산이나 잔물결을 받았는가? 그것이 당신에게 어떠한 영향을 미쳤는가?

당신의 영적 신념 그리고(또는) 종교적 신념을 성찰할 시간을 가지라.

- 당신의 삶에 영향을 미치는 종교적 또는 영적 신념이 있는가?
- 만일 있다면 그것은 무엇이며 당신에게 어떻게 영향을 미치는가?
- 당신은 종교의식에 참여하는가? 만약 그렇다면 그것이 어떻게 당신을 지탱해주는가?
- 가까운 누군가가 죽는다면 종교적 또는 영적 신념이 당신에게 어떤 도움을 줄 수 있겠는가?
- 사후세계에 관한 당신 생각은 무엇인가?

부록 1

사별 아동을 지원하는
사람들을 위한 자료

아동과 청소년을 위한 책[●]

책, 이야기, 신화, 전설은 사별, 이별, 상실에 관한 자료의 다양한 출처가
된다. 이런 것들을 개인 독서, 그룹 독서, 그룹 활동에 이용할 수 있다.

아동 책과 영화에는 상실과 회복의 주제를 다루는 것이 많다. 〈해리 포터
Harry Potter〉시리즈, 〈스타워즈Star Wars〉, 〈오즈의 마법사Wizard of Oz〉, 〈이
티E.T.〉, 〈올리버Oliver〉, 〈미녀와 야수Beauty and the Beast〉는 일부에 불과하
다. 그 이야기들이 모두 행복한 결말로 끝난 것은 아니다. 다스 베이더Darth
Vader〔'스타워즈'에서 악의 세력의 최고 하수인〕는 죽음을 맞을 때까지 악의 제국
을 포기하지 않는다. 그래서 주인공 루크 스카이워커Luke Skywalker는 평생
아버지〔다스 베이더〕없이 살 수밖에 없었다. 그러나 이런 신화와 전설에서
최고의 부분은 인생의 교훈은 늘 쉽게 배울 수 있는 것이 아님을 수용하는
것과 성숙을 향한 성장과 결단이다.

[●] 원서에 실린 내용 중 영국 단체 소개와 연락처 목록은 생략했다(7장 참조).

어린 독자를 위한 책

- 『밥 아저씨가 돌아가셨을 때When Uncle Bob Died』, 앨시아Althea(Dinosaur Publications, 1982)

  5~8세를 겨냥한 이 사랑스러운 책은 두려움, 분노, 슬픔, 기억에 관해 말해준다.

- 『눈사람The Snowman』, 레이먼드 브리그스Raymond Briggs(Puffin, 2009)

  책과 비디오가 있다. 책은 주로 어떻게 눈사람이 살아나 한 소년을 많은 모험으로 이끄는지에 관한 이야기이다. 끝에서 눈사람이 녹아버리고 남겨진 소년은 상실감을 느끼지만, 함께한 시간의 신나는 추억을 간직한다.

- 『공룡이 죽었어요When Dinosaurs Die』, L. 브라운L. Brown·M. 브라운M. Brown(Little, Brown, 1996)

  잘 가라는 인사 등 죽음에 관한 주제와 질문, 관습과 신념을 다룬 예쁜 그림책이다. 종교적 관점과 인간적 관점이 함께 어우러져 있어 이야기를 나눌 건전한 바탕을 제공해준다.

- 『할아버지Grandpa』, 존 버닝엄John Burningham(Red Fox, 2003)

  저자는 부드럽고 섬세한 그림으로 한 여자아이와 그 할아버지의 유대감을 말해준다. 마지막 부분에서는 할아버지의 빈 의자를 통해 할아버지가 돌아가셨음을 알려준다. 이 책은 특히 네 살 이상의 아이들과 함께 상실과 죽음에 대한 생각을 나누는 데 훌륭한 기초 자료가 된다.

- 『제임스와 슈퍼 복숭아James and Giant Peach』, 로알드 달Roald Dahl 지음, 지혜연 옮김(시공사, 2004)

  탈출한 코뿔소가 부모님을 잡아먹은 후, 제임스는 자신을 못살게 구는 고모들과 살았다. 어느 날 뒤뜰에서 엄청난 복숭아가 자라기 시작했다. 이 책은 어떻게 그 모든 이상한 일에 대항해 제임스의 정신이 살아남고, 친구들의 도움으로 엄청난 모험을 하게 되는지 보여준다.

- 『위층의 나나와 아래층의 난Nana Upstairs and Nan Downstairs』, 토미 드파올라Tomie dePaola (Picture Puffin Books, 2000)

  토미네 식구에는 할아버지와 할머니도 있다. 두 분이 모두 돌아가셨을 때 토미가 그 사실에 어떻게 대처하는지 설명해주는 이야기이다.

- 『용감한 마음: 죽기를 거부한 아홉 살 소녀의 일기Brave Heart: The Diary of a Nine-year-old Girl who Refused to Die』, 조앤 길레스피Joanne Gillespie (London: Century, 1989)

  밝고 신나는 그림이 글과 함께 어우러진 조앤의 책이다. "이 책을 쓰기로 결심한 이유는 병원에 있을 당시 겁나고 자신 없을 때 읽을 만한 것이 없어서였다. 그래서 나처럼 아프고 겁이 나는 아이들을 위해 이 책을 쓰기로 결심했다. 내가 바라는 건 그 아이들이 좀 더 자신감을 갖도록 돕는 것이다."

- 『커다란 걱정보따리The Huge Bag of Worries』, 버지니아 아이언사이드Virginia Ironside 지음, 이현진 옮김(한국몬테소리, 2007)

  5~8세 아동을 겨냥한 이 그림책은 아이들이 경험할 수 있는 염려와 불안을 보여준다.

- 『용 같은 건 없어There's No Such Thing as a Dragon』, 잭 켄트Jack Kent 지음, 노경실 옮김(교학사, 2004)

  빌리의 엄마는 용 같은 것은 없다고 할 것이다. 그래서 그 용은 점점 더 커진다. 이와 매우 유사하게, 어려운 느낌들은 무시될 수도 있지만 그 결과는 점점 더 커진다. 이 즐거운 그림책은 아이들과 죽음에 대해 말하기 위한 쓸모 있는 도구가 된다.

- 『양이 되고 싶은 돼지The Sheep-Pig』, 딕 킹스미스Dick King-Smith (London: Puffin, 1998)

  영화 〈베이브Babe〉는 이 이야기를 토대로 만들었다. 돼지 한 마리가 양 떼와 대화하며 양 떼의 지도자가 된다. 이 책은 개들에게 물린 양의 죽음을 예민하게 다루며 유머와 희망을 잔뜩 제공한다.

- 『프레드Fred』, 포지 시먼스Posy Simmonds (Puffin Books, 1989)

  어떤 고양이의 죽음과 그 고양이의 놀라운 장례식에 관해 이야기한다. 이 대단히 좋은 책의 특징은 구불거리는 삽화이다.

- 『내가 아직 누나인가?Am I Still a Sister?』, 얼리샤 심스Alicia Simms (Big A. and Co., 1986)

  아기인 남동생의 죽음을 겪은 청소년이 쓴 이 사려 깊은 책은 형제나 자매의 죽음 후에 뒤따르는 온갖 감정과 상황을 알려준다.

- 『물방개와 잠자리Water Bugs and Dragonfly』, 도리스 스티크니Stickney, Doris (Mowbray, 1997)

  좀 더 어린아이를 위해서 민감하고도 직선적으로 죽음에 대해 설명해주는 책이다. 죽음 이후의 세상에 관한 생각을 다루며, 생애 주기 개념을 소개하는 데 도움이 된다.

- 『오소리의 작별 선물Badger's Parting Gift』, 수전 발리Susan Varley (London: Picture Lions, 1985)

  아동을 위한 고전적인 이야기책으로, 상실과 사별이 무엇인지 아이들이 알아가는 데 도움이 된다. 오소리의 숲속 친구들이 그의 죽음에 어떻게 대처하는지 이야기하며, 오소리가 그 친구들에게 가르쳐준 것들에 대한 기억도 들려준다. 아이들을 겨냥한 책이지만, 어떤 연령대든 죽은 자들과의 지속적 연대와 그들이 남긴 유산에 관해 생각해볼 수 있도록 돕는 쓸모 있고 값진 책이다.

- 『바니가 우리에게 해준 열 가지 좋은 일The Tenth Good Thing About Barney』, 주디스 바이어스트Judith Viorst 지음, 서애경 옮김(파랑새어린이, 2003)
이 책은 어린 남자아이가 자기의 고양이가 죽자 함께한 좋은 시간을 기억하며 그 죽음에 어떻게 대처하는지 본다.
- 『샬롯의 거미줄Charlotte's Web』, 엘윈 브룩스 화이트Elwyn Brooks White 지음, 김화곤 옮김(시공사, 2006)
이 고전적인 이야기는 돼지 윌버와 거미 샬롯의 단단한 관계에 대한 것이다. 생애 주기, 사랑과 수용의 힘을 쉽게 이해할 수 있는 방식으로 아름답게 묘사한다(7~12세).
- 『늘 널 사랑할 거야I'll Always Love You』, 한스 빌헬름Hans Wilhelm (Hodder & Stoughton, 1985)
어린 남자아이가 함께 커온 개를 사랑하는 감동적인 이야기이다. 그 개가 죽을 때 소년은 아주 슬펐지만, 개를 안으며 "늘 널 사랑할 거야"라고 말했던 것을 매일 밤 기억한다. 이 책은 느낌에 관해 말할 기회를 준다(4~8세).
- 『머들과 푸들과 햇빛Muddles, Puddles and Sunshine』, 윈스턴의 소망Winston's Wish
아이들이 자기에게 특별한 사람에 관해 작업할 수 있는 공작 책이다.

십 대 독자를 위한 책

- 『스켈리그Skellig』, 데이비드 알몬드David Almond, 김연수 옮김(비룡소, 2002)
마이클은 이사한 뒤 잡동사니 차고에서 어떤 생물을 발견한다. 그것이 인간인지 아닌지는 모른다. 이 책은 사랑과 믿음에 관한 세심한 이야기이다. 이야기의 바탕에는 회복탄력성이라는 주제와, 불확실함에 직면해 방책을 찾을 필요가 깔려 있다.

- 『토요일은 피자 먹는 날Pizza on Saturday』, 레이첼 앤더슨Rachel Anderson (Hodder, 2004)

  아빠가 중풍으로 쓰러지면서 샬롯의 세상은 갑자기 변한다. 자신을 포함해 이제는 어떤 것도 동일하지 않다는 사실을 알게 된다. 샬롯은 각자 자기 문제를 지닌 새로운 사람들을 만나게 되는데, 그중에는 세계의 또 다른 지역에서 결코 쉽지 않은 여정을 거쳐 학교에 새로 전학 온 여자아이도 있다. 열 살 이상의 아이들을 겨냥한 이 책은 쉽게 읽히는 단편소설로, 사별이 이야기의 중심에 놓여 있다.

- 『호랑이 눈Tiger Eyes』, 주디 블룸Judy Blume (Macmillan Books, 2005)

  한 소년에 관한 이야기이다. 아이는 아버지 가게에 강도가 들어 아버지가 갑자기 폭력적인 죽음을 당한 후 느끼는 강렬한 감정들을 다루어야 한다 (12~18세).

- 『밀리언즈Millions』, 프랭크 코트렐 보이스Frank Cotterell Boyce 지음, 홍연미 옮김(문학동네, 2005)

  다미엔과 그 동생이 돈 자루를 발견하며 생기는 기발한 이야기이다. 우스꽝스러운 모험의 종착지는 무엇이 행복을 가져다주는지와, 돌아가신 엄마가 돈으로도 절대 돌아올 수 없음을 알게 되는 것이다. 삶을 긍정하고 확인해주는 이 책은 아동과 청소년을 위한 영화로 만들어졌고, 큰 성공을 거두었다.

- 『엄마에게 사랑한단 말을 난 한 번도 하지 않았네I Never Told Her I Loved Her』, 샌드라 칙Sandra Chick (Livewire Books for Teenagers, 1989)

프랭키는 엄마가 돌아가시자 엄마와의 모든 말다툼과 부모님들의 말싸움이 기억나 괴롭다. 프랭키와 아빠는 차츰 그들의 상실감과 미래를 위한 계획을 함께 이야기하기 시작한다.

- 『나는 솔러스Solace of the Road』, 시본 도우드Siobhan Dowd 지음, 부희령 옮김(생각과느낌, 2013)

  홀리가 엄마를 찾아가는 여행의 길을 그려주는 이야기이다. 아이는 열쇠공들, 사회복지사들과 함께 잠시 보호감호소에서 지냈다. 청소년들은 아름답고도 슬픈 이 이야기에 빠져들 것이다.

- 『안네의 일기The Diary of Anne Frank』, 안네 프랑크Anne Frank (Pan, 1954).

  안네 프랑크는 나치에 대한 공포로 암스테르담의 한 다락방에 숨어 지내며 1942~1944년에 일기를 썼다. 그녀가 13~15세 때였다. 가장 어두울 때 희망의 반짝임처럼, 이 일기는 엄청난 상실에 직면한 사춘기의 희망과 두려움을 그려낸다.

- 『존의 책John's Book』, 질 풀러Jill Fuller (Lutterworth Press, 1993)

  아버지가 갑자기 돌아가신 뒤 존은 엄마와 함께 어떻게 생계를 이을지 궁리해야 한다. 이야기는 존이 느끼는 분노, 슬픔, 황당함 등 다양한 감정을 보여주며 어떻게 존이 미래를 위해 계획하기 시작하는지 보여준다.

- 『그레이브야드 북The Graveyard Book』, 닐 게이먼Neil Gaiman 지음, 이수현 옮김(시공사, 2015)

  밥이라는 소년의 흥미롭고도 오싹한 이야기이다. 밥은 평범한 아이이지만 부모님이 돌아가신 후 무덤 안에서 키워지고, 유령이 양육한다. 살아 있는 사람들의 세상에도 위험은 놓여 있다. 이 이야기는 밥의 회복탄력성이 어떻게 그를 끝까지 가게 하는지 보여준다.

- 『'집 나온 소년 평가회' 동아리The Lost Boys' Appreciation Society』, 앨런 기븐

스Alan Gibbons(Dolphin paperback, 2004)

두 십 대 소년 게리와 존은 엄마가 교통사고로 사망하자 자기 삶도 난파된 것을 본다. 아빠는 어쩔 줄 몰라 하고, 게리는 탈선하지만, 존은 고등학교 졸업자격시험을 치르느라 애쓴다. 감동적이고 빠르게 진행되는 이야기는 유머러스하면서도 애도의 다양한 반응을 보여주며 긍정적 결말을 가리킨다.

- 『여왕과 보낸 두 주일Two Weeks with the Queen』, 모리스 글레이츠먼Morris Gleitzman(Puffin, 1999)

  호주 소년 콜린은 자기 형이 걸린 암이 치유될 수 없음을 받아들이지 못한다. 절망에 빠진 부모는 그를 런던 친척 집으로 보낸다. 콜린은 여왕을 만나 도움을 요청하기로 결심한다. 에이즈로 죽어가는 친구를 둔 한 청년과 우정을 맺으며 콜린은 자기 형의 죽음을 받아들인다. 유머러스하고 슬프며 감동적인 이 책은 소통을 잘하는 것이 이 어려운 상황에서 얼마나 중요한지를 보여준다.

- 『(길을 찾는 아이) 데이비드I Am David』, 안네 올름Anne Holm 지음, 이인숙 옮김(동산사, 2009)

  청소년을 위한 책이자 수상작이다. 제2차 세계대전 중 강제수용소에서 탈출한 소년에 관한 허구의 이야기이다. 그는 자기의 정체성과 가족을 찾아, 걸어서 유럽을 누빈다. 희망과 부드러움으로 가득 찬 이야기이다.

- 『사자와 마녀와 옷장The Lion, the Witch and the Wardrobe』, 클라이브 스테이플스 루이스Clive Staples Lewis 지음, 전경자 옮김(바오로딸, 2007)

  이 고전적인 책은 아주 많은 수준에서 아이들을 매혹시키는 효과가 있다. 아슬란의 죽음과 이야기의 영적 차원은 상실을 탐구하는 일에 이 책이 특히 적합하도록 만든다.

- 『한여름의 죽음A Summer to Die』, 로이스 로리Lois Lowry (Laurel Leaf Library, 1983)

  열세 살 메기가 백혈병을 앓다 죽은 언니 몰리에 대해 말하는 이야기이다.

- 『고맙습니다 톰 아저씨Goodnight Mister Tom』, 미첼 매거리언Michelle Magorian 지음, 김완균 옮김(스콜라, 2007)

  이 책은 영화로도 나왔다. 전쟁을 피해 소개疏開된 아이의 이야기와 관련이 있다. 아이는 정신병을 앓는 엄마에게 신체적인 학대를 받은 트라우마가 있고, 상실과 분리도 경험했다. 그는 훌륭한 톰 아저씨의 집에 맡겨진다. 희망과 회복탄력성을 불러일으키는 사랑의 힘을 보여주는 책으로, 사별과 관련된 주제를 탐구할 때 아주 유용하다.

- 『에마는 안녕이라고 말한다Emma Says Goodbye』, 캐럴린 니스트롬Carolyn Nystrom (Lion Publishing Series, 1990)

  수 아줌마는 젊고 튼튼하며 활발하다. 에마는 수의 병과 죽음에 대해 자기가 대처해야 한다는 것을 알게 된다.

- 『스티브: 죽음에 관한 이야기Steve: A Story About Death』, 마저리 뉴먼Marjorie Newman (Watts, 1995)

  아빠가 일하던 중 벽이 무너져 죽음을 당한 후, 열한 살 스티븐과 그의 아홉 살 난 여동생, 엄마는 함께 살아내야 하는 상황에 직면한다.

- 『아빠 울지 마세요Ways to Live Forever』, 샐리 니콜스Sally Nicholls 지음, 지혜연 옮김(와이즈아이, 2008)

  열한 살 소년 샘에 관한 뛰어난 책이다. 백혈병을 앓는 샘은 목록들, 그림들, 유머러스한 장난들로 자신의 질병 기록을 만든다.

- 『테라비타로 가는 다리Bridge to Terabitha』, 캐서린 피터슨Katherine Paterson (Puffin, 1995)

이 책은 두 십 대 소년의 우정에 관한 이야기이다. 사고로 한 명이 죽자 남은 소년은 슬픔과 상실의 느낌을 다룰 수밖에 없게 된다.

- 『그의 검은 물질His Dark Materials』, 필립 풀먼Philip Pullman (Everyman, 2011)
  상을 받은 이 3부작 이야기는 사별과 인간관계, 종교와 영성을 다룬다. 감탄스러운 내용으로 꾸며진 이 이야기는 빠르게 진행되는 모험을 중심으로 광범위한 연령대의 관심을 끈다.

- 『슬픔의 책The Sad Book』, 마이클 로젠Michael Rosen (Walker Books, 2011)
  이 책에서 퀜틴 블레이크Quentin Blake는 아름답게 삽화를 그렸다. 책은 사람들이 다른 사람을 보호하기 위해서 자기 애도함에 어떻게 가면을 씌울 수 있는지 보여준다. 저자 마이클 로젠은 아들 에디의 죽음을 생각할 때 얼마나 슬픈지 보여준다. 그 아들은 로젠이 아이들을 위해 쓴 많은 다른 책에도 등장한다. 이 뛰어난 책은 모든 연령대에서 사용될 수 있다.

- 『바다가 떠나고 다시 돌아오지 않은 날The Day the Sea Went Out and Never Came Back』, 마고 선덜랜드Margot Sunderland (Speechmark, 2003)
  더 어린아이들이 상실과 애도함을 다루도록 돕기 위한 이야기이다. 주요 등장인물은 바다를 사랑하는 모래 용 에릭이다. 어느 날 바다가 멀어지고 다시 돌아오지 않았다. 그 용은 차츰 자기 슬픔을 느끼고 볼 수 있는 용기를 찾는다. 『상실을 경험한 아동 돕기: 안내서Helping Children with Loss: A Guide Book』와 함께 이용하도록 고안되었다.

- 『천사 비키Vicky Angel』, 재클린 윌슨Jacqueline Wilson (Delacorte Press, 2001)
  제이드의 가장 친한 친구 비키가 차 사고로 죽는 비극을 당한다. 제이드는 절망하는데, 이 이야기는 비키가 유령으로 나타났을 때 제이드가 어떻게 대처하는지 말해준다. 제이드의 삶이 흐트러지기 시작하고, 그는 결국 상담자를 찾아가 자신과 자기 인생의 경로를 찾는 데 도움을 받는다.

저자 인터뷰*

책에 관심을 보여줘 고맙고, 처음 연락을 받고 사실 놀라웠습니다. 이렇게 만나는 날을 고대하기도 했어요. 여러분을 만나게 되니 참으로 반갑습니다.

영국에서는 자살에 대한 시선이 어떠한가요?

아이들은 자살이나 타살로 형제자매가 세상을 떠났을 때 천국에서 할머니와 함께 산다고 생각하기도 해요. 따라서 자기도 자살을 하면 그들과 천국에서 만날 수 있을 것이라고 생각하는 경향이 있습니다. 그들의 자살에 대한 생각은 꼭 우울이나 슬픔에 의한 것만이 아닌, 그러한 믿음에서 비롯되기도 하지요. 한편으로 유가족들은 "신이 어떻게 나에게 이럴 수 있느냐"라고 원망하기도 합니다. 즉, 어떤 믿음을 지녔느냐에 따라 조금씩 다르다고 할 수 있어요. 먼저 그들이 품은 분노를 스스로 탐색하도록 하고 상태를 지켜보는 것이

---

* 이 인터뷰는 한국어판 옮긴이들이 진행한 것이다.

좋습니다. 종교적으로 되짚어보며 가족 간에 공유하는 신념이 있는지 알아보는 것도 좋아요. 신이 있다고 여긴다면 어떤 이야기를 하고 싶은지, 신이 자기에게 어떻게 이야기할 것 같은지를 함께 이야기해보는 것이죠. 신이 사랑하는 자를 먼저 데려간다는 믿음도 있고요.

당신의 책은 아동의 사별 경험과 애도에 관한 내용을 담고 있습니다. 어떠한 계기로 이분야에서 일하게 되었습니까? 또 이와 관련해 어떤 일들을 해왔습니까?

예전에 학교 상담 교사로 일을 하고 있었을 때였어요. 여러 번 자살을 시도했던 여자아이를 만났는데, 그 아이는 부모의 이혼에 대해 죄책감이 많이 있었죠. 그것이 아동의 상실 경험에 관심을 갖게 된 시작점이었어요. 이후 맨체스터 대학교에서 공부할 때 아버지를 자살로 떠나보낸 한 남자아이를 만났습니다. 그 무렵 나는 같이 공부하던 동료와 사별하고 많이 힘들어하던 시기였어요. 아이를 상담하며 울어도 된다고 했더니 이렇게 말하더군요. "우리 엄마는 아빠를 많이 원망했어요. 그래서 엄마는 우리 집에서 누구도 아버지 때문에 울어선 안 된다고 말했어요." 그 아이와 함께한 시간을 계기로 계속해서 아동의 상실과 사별 경험에 관련된 일을 하게 되었습니다.

한국에서는 이혼이 사회적 문제로 크게 대두된 지 오래이지만, 어떻게 대처해야 하는지 잘 아는 사람은 별로 없습니다. 이혼으로 부모를 잃는 것과 사별로 잃는 것에 차이가 있다고 생각하시나요? 이에 대해서는 어떻게 접근하시는지 궁금합니다.

이혼은 계속되는 슬픔ongoing pain을 줍니다. 특히 아이들에게는 '만약 내가 잘한다면 우리 아빠가 다시 돌아오실 거야'라는 생각과 죄책감을 지속적으로 남기지요. 사별의 경우, 죽음으로 인해 어느 정도 종료된 아픔이라는 점에서 약간의 차이가 있다고 볼 수 있습니다. 영국에서는 30개 가정 중 8~10

개 가정이 이혼하고, 미디어도 자주 다루기 때문에 사회적인 소외감은 덜 느낄 수 있다고 생각해요. 하지만 아이들은 생존해 있지만 만날 수 없는 부모에 대해 지속적인 상실감ongoing living loss과 죄책감을 느끼며 살아가지요.

영국에는 상실을 경험한 아이들을 위한 교육적·사회적 지원 시스템이 있나요?
이전에는 정부 정책에 따라 위기 상황과 정신 건강 문제에 관한 인식을 증진하는 사업들이 진행되었습니다. 이후 아동사별네트워크 정책을 실시하면서 보호소에 있는 청소년들의 상실 경험을 다루기는 했으나 일반 학생에 대한 접근은 충분하지 않은 편입니다.

한국에서는 아이의 가정 상황에 대해 학교가 제대로 파악하지 못하거나, 파악하더라도 어떤 도움을 제공해야 하는지 알지 못하는 경우가 많습니다. 영국의 학교에서는 학생이 상실을 경험한 경우 교사에게 도움을 요청하는 분위기가 형성되어 있나요?
부모님이 돌아가셔서 학생이 결석하게 되었다는 공지를 전달하는 것은 한국과 같습니다. 그 아픔을 아이가 나누고 싶어 할 때는 전체 학생에게 공지하고 카드를 쓰는 등 함께 아픈 마음을 다루도록 합니다. 학생이 사망했을 때는 추모할 수 있는 행사, 추모 정원 만들기gardening, 사진 전시 등을 합니다. 영국도 이전에 비해 많이 달라지고 있다고 볼 수 있지요.

아동과 청소년의 상실과 사별 경험을 다루는 학교 교사들을 위한 교육 프로그램이 있는지 궁금합니다.
영국노 충분히 갖추고 있지는 못한 실정입니다. 제 경우에도 가끔 반나절 정도 학교에 강의를 나가서 교사를 위한 교육을 하지만, 아직은 이에 대한 인식이 많이 부족한 편이지요. 교사 스스로 '나는 상담가가 아니다, 사회복지사가 아니다, 심리사가 아니다, 간호사가 아니다'라고 생각하면서 자신의 역할이 아니라고 생각하는 경우가 많은 것 같아요. 그러한 생각들 말고 상실을 다루는 것은 '인간으로서 할 일이다'라고 생각해주기 바랍니다. 두 달 전 내가 살고 있는 동네의 한 공원에서 누군가 자살한 사건이 있었습니다. 동네 사람들이 그를 위해 함께 꽃을 장식하고, 교인들이 찾아가 예배를 드리며 크게 추모했습니다.

한국에서는 자살 등의 죽음에 대해 인식하는 것(awareness)이 오히려 자살을 조장하는 원인으로 작용한다는 의견이 있는데, 이에 대해 어떻게 생각하십니까? 한국에서 자살로 인한 죽음은 드러내 애도하지 못하는 것이 사실입니다.

그러한 우려도 물론 있을 수 있습니다. 하지만 이러한 방식이 어쩌면 자살과 애도에 관한 이야기를 나누거나 자신의 아픔을 이야기할 수 있는 기회가 될 수도 있다고 생각합니다. 병적으로 받아들이면 모방 자살의 우려도 있겠지만, 큰 의미에서 그러한 아픔을 모두와 나누는 분위기를 조성하는 것입니다.

상실을 경험한 아이에게 어떻게 다가가는 것이 좋을까요?

아이의 이야기를 들어주고 공감해주며 지금 아이가 처한 상황에 대해 이야기해주는 것도 좋지만, 아이가 지닌 자원이 무엇인지 파악하는 것이 중요하다고 생각합니다. 무엇이 아이를 즐겁게 해줄 수 있는지 알아보고 함께 시도하는 것이 좋아요. 사별 전에 자신을 즐겁게 해주는 것이 무엇이었는지 알아보는 것이죠. 그리고 아이가 혼자 그것을 찾게 하기보다는 그룹 안에서 사람들과 함께 찾을 수 있도록 하는 일이 도움이 될 것입니다.

아동과 청소년의 상실과 사별 경험을 다루는 분야에서 일하는 한국의 교사나 상담가, 치료자를 위한 조언의 말씀을 부탁드립니다.

정기적인 슈퍼비전이 매우 중요하다고 생각합니다. 힘든 세션을 경험한 뒤에는 동료나 슈퍼바이저에게 이야기를 함으로써 자신의 감정을 다룬 후에 집으로 돌아가기를 바랍니다. 자신을 돌보는 통로를 만들어놓는 것도 좋아요. 만약 당신 주변에 일만 하는 동료가 있는데 어느 순간 힘들어 보인다면 먼저 다가가 이야기를 나누는 것이 좋습니다. 마음과 몸의 균형을 맞춰주는 요가 같은 프로그램도 도움이 될 수 있죠.

한국의 독자에게 해주고 싶은 말이 있다면 무엇입니까?

죽음이나 사별은 특별히 우리 인생에서 소중한 누군가를 잃는 것인데, 우리 모두에게 해당되는 일입니다. 당신이 정신과 의사나 사회복지사가 되지 않더라도 친절하고 따뜻한 마음으로 사별을 경험한 사람을 지지할 수 있습니다. 사람들은 의미나 답을 찾기 원하지만, 그 과정을 거쳐 갈 수 있도록 하는 것이 중요합니다. 죽음보다 최악의 상황은 있을 수 없기 때문에 같은 인간으로서 유감을 표하고 애도하는 것이 우리가 할 일입니다.

참고문헌

Abdelnoor, A. and S. Hollins. 2004a. "The effect of childhood bereavement on secondary performance." *Educational Psychology in Practice*, 20(1), pp.43~54.

_____. 2004b. "How children cope at school after family bereavement." *Educational and Child Psychology*, 21(3), pp.85~94.

Abrams, R. 1999. *When Parents Die*. London: Routledge.

Acheson, D. 1998. *Independent Inquiry into Inequalities in Health*. London: HMSO.

Adams, K., B. Hyde and R. Wooley. 2008. *The Spiritual Dimension of Childhood*. London: Jessica Kingsley.

Adams, K. S. 1982. "Loss, suicide and attachment." in C. M. Parkes and J. Stevenson-Hinde (eds.). *The Place for Attachment in Human Behaviour* (pp.269~294). London: Tavistock.

Aitken, A. 2009. "Online life after death." *Bereavement Care*, 28(1), pp.34~35.

Alexander, H. 2002. *Bereavement: A Shared Experience*, 3rd ed. Oxford: Lion.

Allison, E. 2009.10.7. "Ben Gum, the blogging prisoner locked in a struggle." *The Guardian*, Society, p.1.

Allison, H. G. 2001. *Support for the Bereaved and Dying in Services for Adults with Autistic Spectrum Disorders*. London: The National Autistic Society.

American Academy of Child and Adolescent Psychiatry. 1998. "Practice parameters for the assessment and treatment of children and adolescents with posttraumatic stress disorder." *Journal of the American Academy of Child and Adolescent Psychiatry*, 37(10), pp. 4s~26s.

American School Counselor Association. 2005. *The ASCA National Model: A Framework for School Counseling Programs*, 2nd ed. Alexandria, VA: ASCA.

Andrikopoulou, A. 2004. "Studying five-year-olds' understanding of the components of death." *Educational and Child Psychology*, 21(3), pp.41~60.

Arnason, A. 2000. "Biography, bereavement, story." *Mortality*, 5(2), pp.189~204.

Attig, T. 1995. "Respecting the spirituality of the dying and the bereaved." in I. B. Corless, B. B. Germino and M. A. Pittman(eds.). *A Challenge for Living: Dying, Death and Be-reavement* (pp.130~177). Boston: Jones and Bartlett.

_____. 1996. *How We Grieve: Relearning the World*. New York: Oxford University Press.

_____. 2000. *The Heart of Grief Death and the Search for Lasting Love*. New York: Oxford university Press.

Axline, V. 1964. *Dibs in Search of Self*. Harmondsworth: Penguin.

Bacon, J. B. 1996. "Support groups for bereaved children." in C. A. Corr and D.M. Corr(eds.). *Handbook of Childhood Death and Bereavement* (pp.285~304). New York: Springer.

BACP. 2010. British Association of Counselling and Psychotherapy Ethical Framework can be downloaded from www.bacp.co.uk

Baker, J. E., M. A. Sedney and E. Gross. 1992. "Psychological tasks for bereaved children." *American Journal of Orthopsychiatry*, 62, pp.105~116.

Baldwin, A. L., C. Baldwin and R. E. Cole. 1990. "Stress-resistant families and stressresistant children." in J. Roll, A. S. Masten, D. Cicchetti, K. H. Nuechterlein and S. Weintraub (eds.). *Risk and Protective Factors in the Development of Psychopathology* (pp.257~280). Cambridge: Cambridge University Press.

Balk, D. E. 1991. "Sibling death, adolescent bereavement, and religion." *Death Studies*, 15(1), pp.1~20.

_____. 1999. "Bereavement and spiritual change." *Death Studies*, 23(6), pp.485~493.

_____. 2008. "A modest proposal about bereavement and recovery." *Death Studies*, 32(1), pp. 84~93.

Bannister, A. 2003. *Creative Therapies with Traumatized Children*. London: Jessica Kingsley.

Barber, C. 1999. "The use of music and colour theory as a behaviour modifier." *British Journal of Nursing*, 8, pp.443~447.

Barenbaum, J. et al. 2004. "The psychosocial aspects of children who are exposed to war." *Journal of Psychology and Psychiatry*, 45(1), pp.41~62.

Barlow, C. and H. Coleman. 2003. "The healing alliance: how families use social support after suicide." *Omega*, 47(3), pp.187~201.

Barnardo's. 1997. *Matters of Life and Death*. Newcastle upon Tyne: LEA.

Barrett, D. 1992. "Through a glass darkly: images of the dead in dreams." *Omega: Journal of Death and Dying*, 24, pp.97~108.

Barrett, D.(ed.). 1996. *Trauma and Dreams*. Cambridge, MA: Harvard University Press.

_____. 2001. *Trauma and Dreams*. Cambridge, MA: Harvard University Press.

Batmanghelidjh, C. 2007. *Shattered Lives*. London: Jessica Kingsley.

Batten, M. and K. A. Oltjenbruns. 1999. "Adolescent sibling bereavement as a catalyst for spiritual development: a model for understanding." *Death Studies*, 23(6), pp.529~546.

Baugher, B. and J. Jordan. 2004. *After Suicide Loss: Coping with Your Loss*. Tukwila, WA: The Grief Store.

Beautrais, A. L. 2004. *Suicide Prevention, Support for Families and Sign$cant Others after a Suicide: A Literature Review and Synthesis of Evidence*. Wellington, NZ: Ministry of

Youth Affairs.

Becker, G., C. J. Xander, H. E. Blum, J. Lutterhach, F. Momm, M. Gysels and I. J. Higginson. 2007. "Do religious or spiritual beliefs influence bereavement? A systematic review." *Palliative Medicine*, 21, pp.207~217.

Becker, S. H. and R. M. Knudson. 2003. "Visions of the dead: imagination and mourning." *Death Studies*, 27, pp.691~716.

Belicki, K. and D. Belicki. 2006. "Predisposition for nightmares: a study of hypnotic ability, vividness of imagery and absorption." *Journal of Clinical Psychology*, 42(5), pp.714~718.

Bellous, J. E. 2008. "Editorial." *International Journal of Children's Spirituality*, 13(3), pp.195~201.

Bennett, G. and K. M. Bennett. 2000. "The presence of the dead: and empirical study." *Mortality*, 5(2), pp.139~157.

Berns, C. E. 2003-2004. "Bibliotherapy: using books to help bereaved children." *Omega: Journal of Death and Dying*, 48(4), pp.321~336.

Bertman, S. L.(ed.). 1999. *Grief and the Healing Arts: Creativity as Therapy*. Amityville, NY: Baywood.

Bettelheim, B. 1978. *The Uses of Enchantment: The Meaning and Importance of Fairy Tales*. Harmondsworth: Peregrine Books.

Biddulph, S. 1997. *Raising Boys: Why Boys are Different and How to Help them Become Happy and Well-Balanced Men*. Warriewood, NSW: Finch Publishing.

Bifulco A., T. Harris and G. W. Brown. 1992. "Mourning or early inadequate care? Re-examining the relationship of maternal loss in childhood with adult depression and anxiety." *Developmental Psychopathology*, 4, pp.433~449.

Bird, J. and L. Gerlach. 2005. *Improving the Emotional Health and Well-being of Young People in Secure Care*. London: NCB.

Birenbaum, L. K., A. R. Robinson, D. S. Phillips, B. J. Stewart and D. E. McCown. 1989. "The response of children to the death and dying of a sibling." *Omega: Journal of Death and Dying*, 20, pp.213~228.

Black, D. 1996. "Childhood bereavement: editorial." *British Medical Journal*, 15 June(312), p.1496.

_____. 2002. "The family and childhood bereavement: an overview." *Bereavement Care*, 21(2), p.246.

_____. 2007. "Bereavement in the arts." *Bereavement Care*, 26(2), p.35.

Black, D. and D. Trickey. 2005. "Children bereaved by murder and manslaughter." 7th International Conference on Grief and Bereavement in Contemporary Society. Kings College, London(2005.7.12).

Black, D. and M. Urbanowicz. 1987. "Family intervention with bereaved children." *Journal of Child Psychology and Psychiatry*, 28, pp.467~476.

Blackman, N. 2003. *Loss and Learning Disability*. London: Worth.

Bolton, G.(ed.). 2007. *Dying, Bereavement and the Healing Arts*. London: Jessica Kingsley.

Bonell-Pascual, E., S. Huliine-Dickens, S. Hollins, A. Esterhuyzen and P. Sedwick. 1999. "Bereavement and grief in adults with learning disabilities. a follow up study." *British Journal of Psychiatry*, 175, pp.348~350.

Bonnano, G. 2004. "Loss, trauma and human resilience: have we underestimated the human capacity to thrive after extremely adverse events?" *American Psychologist*, 59, pp. 20~28.

_____. 2009. *The Other Side of Sadness: What the New Science of Bereavement Tells us About Life after Loss*. New York: Basic Books.

Bosacki, S. 2001. "'Theory of mind' or 'theory of the soul'? The role of spirituality in children's understanding of minds and emotions." in J. Emcker, C. Ota and C. Emcker(eds.). *Spiritual Education. Cultural, Religious and Social Differences: New Perspectives for the 21st Century* (pp.156~169). Brighton: Academic.

Boswell, G. 1995. *Violent Victims: The Prevalence of Abuse and Loss in the Lives of Section 53 Offenders*. London: Prince's Trust.

Bosworth, K. and G. Walz. 2005. *Promoting Student Resiliency*. Alexandria, VA: American Counselling Association.

Bowlby, J. 1940. "The influence of early environment in the development of neurosis and neurotic character." *International Journal of Psychoanalysis*, XXI, pp.1~25.

_____. 1951. *Maternal Care and Mental Health* (WHO Monograph Series, No.2). Geneva: World Health Organization.

_____. 1969. *Attachment and Loss: 1. Attachment*. London: Hogarth Press.

Bowlby, J. and C. M. Parkes. 1970. "Separation and loss within the family." in E. J. Anthony and C. J. Koupernik(eds.). *The Child in his Family* (pp.197~216). New York/Chichester: Wiley.

Bowman, T. 2003. "Using literary resources in bereavement work: evoking words for grief." *The Forum*, 29(2), pp.8~9

Brake Conference. 2009. "When Someone You Love Dies." Manchester(2009.6.10).

Braun, M. J. and D. H. Berg. 1994. "Meaning reconstruction in the experience of parental bereavement." *Death Studies*, 18(2), pp.105~129.

Bray, M. A., A, T. Lea, S. S. Patwa, S. G. Margiano, J. M. Ahic and H. L. Peck. 2003. "Written emotional expression as an intervention for asthma." *Psychology in Schools*, 40, pp. 193~207.

Brent, D. A., J. A. Perper, C. E. Goldstein, D. J. Kolko, M. J. Allan, C. J. Allman and J. P. Zelenak. 1988. "Risk factors for adolescent suicide: a comparison of adolescent suicide victims with suicidal inpatients." *Archives of General Psychiatry*, 45, pp.581~588.

Brewer, J. and A. C. Sparkes. 2008. "The meaning of sport and physical activity in the lives of bereaved children: insights from an ethnographic study." International Conference on Grief and Bereavement in Contemporary Society. Melbourne, Australia.

Briere, J. 1996. *The Trauma Symptom Checklist for Children*. Odessa, FL: Psychological Assessment Resources.

Broberg, A. O., A. Dyregrov and L. Lilled. 2005. "The Goteborg discotheque fire: post-traumatic stress and school adjustment as reported by the primary victims 18 months later." *Journal of Child Psychology and Psychiatry*, 46(12), pp.1279~1286.

Brooks, R. and S. Goldstein. 2001. *Raising a Resilient Child: Fostering Strength, Hope and Optimism in Our Children*. New York: Contemporary Books.

_____. 2002. *Nurturing Resilience in our Children: Answers to the Most Important Parenting Questions*. New York: Contemporary Books.

Bryan, E. M. 1995. "The death of a twin." *Palliative Care*, 9(3), pp.187~192.

Budmen, K. O. 1969. "Grief and the young: a need to know." *Archives of the Foundation of Thanatology*, 1, p.11.

Bulkeley, K. 1995. *Spiritual Dreaming: A Cross-cultural and Historical Journey*. New York: Paulist Press.

_____. 2000. Transforming Dreams: Learning Spiritual Lessons from the Dreams you Never Forget. New York: Wiley.

Bulkeley, K., B. Broughton, A. Sanchez and J. Siller. 2005. "Earliest remembered dreams." *Dreaming: Journal of the International Association of Dreams*, 15(3), pp.205~222.

Bulkeley, K. and P. Bulkeley. 2005. *Dreaming Beyond Death: A Guide to Pre-death Dreams and Visions*. Boston, MA: Beacon Press.

Bunce, M. and A. Rickards. 2004. *Working with Bereaved Children: A Guide*. London: Children's Legal Centre. http://www.essex.ac.uklarmedcon/unit/projects/wwbc-guide/index.html(검색일: 2010.5.19).

Bunting, M. 2007.10.10. "Immovable force." *The Guardian*, p.1.

Burke, J. 2008. 'Creative ways of working with non-verbal media.' in A. Towers. "When only an eyelid moves." *CCYP*, June, p.29.

Burke, M. T., J. C. Chauvin and J. G. Miranti(eds.). 2005. *Religious and Spiritual Issues in Counselling: Applications Across Diverse Populations*. New York: Brunner and Routledge.

Cameron, J. 1995. *The Artist's Way: A Course in Discovering and Recovering your Creative*

Self. London: Pan Books.

Campbell, F. 1997. "Changing the legacy of suicide." *Suicide and Life-threatening Behaviour*, 4, pp.329~338.

Carr, A. 2000. "Evidence-based practice in family therapy and systemic consultation I : Child-focused problems." *Journal of Family Therapy*, 22, pp.29~60.

Carrion, V. G. and H. Steiner. 2000. "Trauma and dissociation in delinquent adolescents." *Journal of the American Academy of Child and Adolescent Psychiatry*, 39, pp. 353~359.

Carver, C. S. 1998. "Resilience and thriving: issues, models and linkages." *Journal of Social Issues*, 54, 245~266.

Casdagli, P. 1995. "Using drama in grief work." in S. C. Smith and M. Pennells(eds.). *Interventions with Bereaved Children* (pp.204~216). London: Jessica Kingsley.

Cattenach, A. 2007. Narrative Appmaches in Play with Children. London: Jessica Kingsley.

CBN(Child Bereavement Network). 2004. *Summary of some of the key issues for bereaved children and young people.*

_____. 2008. *Bereavement in the Secure Setting: Delivering Every Child Matters for Bereaved Young People in Custody.* London: CBN.

Cerel, J., M. A. Fristad, E. B. Weller and R. A. Weller. 1999. "Suicide-bereaved children and adolescents: a controlled longitudinal examination." *Journal of the American Academy of Child and Adolescent Psychiatry*, 38, pp.672~680.

_____. 2002. "Suicide of a parent: child and adolescent bereavement." *The Prevention Researcher*, 9(2), pp.9~10.

Chaplin, D., D. Kerslake and G. Glassock. 2008. "Report: Eighth International Conference on Grief and Bereavement in Contemporary Society." *Bereavement Care*, 27(5), pp.55~57.

Charkow, W. B. 1998. "Inviting children to grieve." *Professional School Counselling*, 2, pp. 117~122.

Christ, G. H. 2000. *Healing Children's Grief Surviving a Parent's Death from Cancer.* New York: Oxford University Press.

Christ, G. H. and A. E. Christ, 2006. "Current approaches to helping children cope with a parent's terminal illness." *CA: Cancer Journal for Clinicians*, 36, pp.197~212.

Christ, G. H , K. Siegel and A. E. Christ. 2002. "Adolescent grief: 'It never really hit me until it happened'." *Journal of American Medical Association*, 288, pp.1269~1279.

Christ, G. H., K. Siegel, D. Kam and A. Christ. 2005. "Evaluation of a bereavement intervention." *Social Work in End-of-Life and Palliative Care*, 1, pp.57~81.

Chronso, G., E. Charmandari, R. Kino and E. Souvatzoglou. 2003. "Pediatric stress: hormonal regulators and human development." *Hormone Research*, 59(4), pp.161~179.

CHUMS. 2005. "The death of a child." CHUMS Child Bereavement Service for Bedfordshire Conference. Hitchen, Herts(2005.10).

Cicchetti, D., P. A. Rogosch, M. Lynch and K. D. Holt. 1993. "Resilience in maltreated children: processes leading to adaptive outcome." *Developmental Psychopathology*, 5, pp.629~647.

Claire. No Year. "My sister Joanne." *Treetops: The Child Bereavement Group of the Corrymeela Community*, 10, pp.1~8.

Clark, J. and M. Franzmann. 2006. "Authority from grief, presence and place in the making of roadside memorials." *Death Studies*, 30(6), pp.579~599.

Cobain, B. and J. Larch. 2006. *Dying to Be Free: A Healing Guide for Families After a Suicide*. Center City, MN: Hazelden Foundation.

Coles, R. 1991. *The Spiritual Life of Children*. Orlando, FL: Houghton Mifflin Harcourt.

Collins, M. 2005. *It's OK to be Sad*. London: Sage.

Cook, K. E., T. Earles-Vollrath and J. B. Ganz. 2006. "Bibliotherapy." *Intervention in School and Clinic*, 42, pp.91~100.

Cooley, J. and F. McGauran. 2000. *Talking About Death: A Bereavement Pack for People with Learning Disabilities, Their Carers and Families*. London: Speechmark Publications.

Cooper, C. 1999. "Children's dreams during the grief process." *Professional School of Counselling*, 3(2), pp.137~140.

Cooper, M. 2002. Conference presentation at Childhood Bereavement Network conference (2002.6.29).

_____. 2009. "Counselling in UK secondary schools: a comprehensive review of audit and evaluation data." *Counselling and Psychotherapy Research*, 9(3), pp.137~150.

Corr, C. A. 1996. "What do we know about grieving children and adolescents?." in K. J. Doka(ed.). *Living with Grief: Children, Adolescents and Loss* (pp.21~32). Washington DC: Hospice Foundation of America.

_____. 2000. "What do we know about grieving children and adolescents?." in K. J. Doka(ed.). *Living with Grief: Children, Adolescents and Loss* (pp.21~32). Washington, DC: Hospice Foundation of America.

Corr, C. A., C. M. Nabe and D. M. Corr. 2003. *Death and Dying, Life and Living*, 4th ed. Belmont, CA: Wadsworth.

Cournos, F. 2001. "Mourning and adaptation following the death of a parent in childhood." *Journal of the American Academy of Psychoanalysis*, 29, pp.137~145.

Cousins, W., M. Monteith, E. Larkin and A. Percy. 2003. *The Care Careers of Younger Looked After Children: Findings from the Multiple Placement Project*. Belfast: Queen's University.

Coyne, E. and M. Ryan. 2007. "Mapping the knowledge bereavement counsellors use in practice." *Grief Matters: The Australian Journal of Grief and Bereavement*, 10(3), pp. 64~68.

Cozolino, L. 2002. *The Neuroscience of Psychotherapy: Building and Rebuilding the Human Brain.* New York: W. W. Norton.

Cranwell, B. 2007. "Adult decisions affecting bereaved children: researching the children's perspective." *Bereavement Care*, 26(2), pp.30~33.

Crehan, G. 2004. "The surviving sibling: The effects of sibling death in childhood." *Psychoanalytic Psychotherapy*, 18(2), pp.202~219.

Crook, T and J. Eliot. 1980. "Parental death during childhood and adult depression: a critical review of the literature." *Psychological Bulletin*, 87, pp.252~259.

Culliford, L. 2002. "Spirituality and clinical care." *British Medical Journal*, 325, pp.1434~1435.

Culliford, L. and W. powell. 2005. *Spirituality and Mental Health. Leaflet of the Spirituality and Psychiatry Special Interest Group.* London: Royal College of Psychiatrists.

Davidson, J., S. Lee-Archer and G. Sanders. 2005. "Dream, imagery and emotion." *Dreaming: Journal of the International Association for the Study of Dreams*, 15(1), pp.33~47.

Davies, B. 1999. *Shadows in the Sun: Experiences of Sibling Bereavement in Childhood.* Philadelphia, PA: Brunner/Mazel.

_____. 2006. "Sibling grief through childhood." *The Forum*, January/February/March, p.4.

Davou, B. and M. Widdershoven-Zervakis. 2004. "Effects of mourning on cognitive processes." *Educational and Child Psychology*, 21(3), pp.61~76.

Day, E. 2009. "Ten years on and Columbine still feels the pain." *The Observer*, 12 April, pp.8~10.

Deeken, A. 2004. "A nation in transition: bereavement in Japan." *Bereavement Care*, 23(3), pp.35~37.

Department for Education and Skills(DfES). 2005a. *Common Core of Skills and Knowledge for the Children's Workforce.* London: The Stationery Office.

_____. 2005b. *Common Assessment Framework for Children and Young People.* London: The Stationery Office.

_____. 2007. *Care Matters: Time for Change.* London: The Stationery Office.

Department of Health. 2001. *Valuing People: A New Strategy for Learning Disability for the 21st Century.* London: Department of Health.

DeSpelder, L. A. 2009. "Cultural Competencies: Teaching Strategies." *The Forum* ADEC, 35(2), p.15.

DeSpelder, L. A. and A. L. Strickland. 2002. *The Last Dance: Encountering Death and Dying*, 6th ed. New York: McGraw-Hill.

De Vries, M. W. 1996. "Trauma in cultural perspective." in B. A. van der Kolk, A. C. McFarlane and L. Weisaeth(eds.). *Traumatic Stress* (p.400). London: The Guilford Press.

Di Ciacco, J. A. 2008. *The Colors of Grief Understanding a Child's Journey Through Loss from Birth to Adulthood.* London: Jessica Kingsley.

Dodd, P. C. and S. Guerin. 2009. "Grief and bereavement in people with intellectual disabilities." *Current Opinion in Psychiatry*, 22(5), pp.442~446.

Dogra, N., A. Parkin, F. Gale and C. Frake. 2002. *A Multidisciplinary Handbook of Child and Adolescent Health for Front-line Professionals.* London: Jessica Kingsley.

Doka, K. J.(ed.). 1989. *Disenfranchised Grief.* Lexington, MA: Lexington Books.

_____. 2002. *Disenfranchised Grief New Directions, Challenges and Strategies for Practice.* Champaign, IL: Research Press.

_____. 2003. *Living With Grief Coping with Public Tragedy.* Washington, DC: Hospice Foundation of America.

Doka, K. J. and J. D. Davidson. 1998. *Living with Grief.* Washington, DC: Hospice Foundation of America.

Dominica, Sister Frances Children's Hospice. 2002. *Whose Side Is God On?* (pp.1~7). www. guild-of-st-raphael.org.uk/children's_hospice.htm (검색일: 2008.3.25) .

Donahue, M. J. and P. I. Benson. 1995. "Religion and well-being of adolescents." *Journal of Social Issues*, 51, pp.145~161.

Donnelly, M. and L. Rowling. 2007. "The impact of critical incidents on school counsellors: report of a qualitative study." *Bereavement Care*, 26(1), pp.11~14.

Dougall, D. 2008. "Stories of loss and love from families of the army's fallen." *The Observer*, 10 November, pp.8~9.

Dowdney, L. 2000. "Childhood bereavement following parental death." *Journal of Child Psychology and Psychiatry*, 41, pp.819~830.

Dowdney, L., R. Wilson, B. Maughan, M. Allerton, P. Schofield, and D. Skuse. 1999. "Psychological disturbance and service provision in parentally bereaved children: prospective case-control study." *BMJ*, 319, pp.354~357.

Dowling, L. 2003. "Supporting families and children after loss." *Threshold*, 77, pp.30~32.

Dowling, S. F. 2002. *Bereavement in the Lives of People with Intellectual Disabilities* (pp. 1~7). http://m.intellectualdisability.info/lifestages/bereavement.htm(검색일: 2008.11.2).

Dowling, S., J. Hubert , S. White and S. Hollins. 2006. "Bereaved adults with intellectual disabilities: a combined randomised controlled trial and qualitative study of two community-based interventions." *Journal of Intellectual Disability Research*, 50(4), pp.277~287.

Dowdney, J. A. 2002. "Exploring children's beliefs about educational risk and resilience." *Academic Exchange Quarterly*, Spring, pp.126~132.

Driscoll, M. 2004. "Interview: Margarette Driscoll meets Sister Frances Dominica: mum, nun and friend to the dying." http://m.timesonline.co.uk/tol/news/article1026109.ece(검색일: 2010. 5.19).

Dunn , A. A., J. R. Oyebode and R. A. Howard. 2005. "Emotional reactions to continuing bonds in spousal bereavement." Presentation at the 7th International Conference on Grief and Bereavement in Contemporary Society. King's College, London(2005.7.12~15).

Dwivedi, K. N.(ed.). 1993. *Group Work with Children and Adolescents: A Handbook*. London: Jessica Kingsley.

Dyregrov, A. 1996. "Children's participation in rituals." *Bereavement Care*, 15(1), pp.2~5.

_____. 2004. "Educational consequences of loss and trauma." Educational and Child Psychology, 21(3), pp.77~84.

_____. 2008. *Grief in Children: A Handbook for Adults*. London: Jessica Kingsley.

Dyregrov, A., A. M. Bie Wikander and S. Vigerust. 1999. "Sudden death of a classmate and friend: adolescents' perception of support from their school." *School Psychology International*, 20, pp.191~208.

Dyregrov, K. and A. Dyregrov. 2008. *Effective Grief and Bereavement Support: The Role of Family, Friends, Colleagues, Schools and Support Professionals*. London: Jessica Kingsley.

Eakon. J. E. 1999. *How our Lives Become Stories: Making Selves*. New York: Cornell University Press.

Eckersley, R. and D. Dear. 2002. "Cultural correlates of youth suicide." *Social Science and Medicine*, 55, pp.1819~1904.

Edelmen, H. 1994. *Motherless Daughters: The Legacy of Loss*. London: Hodder and Stoughton.

Edwards, D. 2004. *Art Therapy*. London: Sage.

Eke, L. 2009. "Suicide, survivors and supervision." *Therapy Today*, December, pp.30~32.

Ekman, P. and E. Rosenberg. 2005. *What the Face Reveals: Basic and Applied Studies of Spontaneous Expression Using the Action Coding System(FACS)*. New York: Oxford University Press.

Elizur, E. and N. Kaffman. 1983. "Factors influencing the severity of childhood bereavement reactions." *American Journal of Orthopsychiatry*, 55, pp.668~676.

Ellenbogen, S. and F. Gratton. 2001. "Do they suffer more? Reflections on research comparing suicide survivors to other survivors." *Suicide and Life Threatening Behavior*, 31, pp. 83~90.

Emblen, J. D. 1992. "Religion and spirituality defined according to current use in nursing literature." *Journal of Professional Nursing*, 8, pp.41~47.

Ens, C. and J. B. Bond. 2005. "Death anxiety and personal growth in adolescents experiencing the death of a grandparent." *Death Studies*, 29, pp.171~178.

Eppler, C. 2008. "Exploring themes of resiliency in children after the death of a parent." *Pro-*

fessional School Counselling, 11, pp.189~196.

Eppler, C. and M. T. Carolan. 2006. "Biblionarrative: a narrative technique uniting oral and written life-stories ." *Journal of Family Psychotherapy*, 16, pp.31~43.

Eppler, C., J. A. Olsen and L. Hidanp. 2009. "Using stories in elementary school counselling: brief narrative techniques." *Professional School Counseling*. http://findarticles.com/p/articles/mi_m0KOC/is_5_12/ai_n32149153(검색일: 2010.5.19).

Erikson, E. H. 1968. *Identity Youth and Crisis*. New York: Norton.

Eron, J. B. and T. W. Lund. 1996. *Narrative Solutions in Brief Counseling*. New York: Guilford Press.

Evans, C. 1983. *Landscapes of the Night*. London: Gollancz.

Everatt, A. and I. Gale. 2004. "Children with learning disabilities and bereavement: a review of the literature and its implications." *Education and Child Psychology*, 21(3), pp.30~40.

Felner, R., L. Terre and R. T. Rowlison. 1988. "A life transition framework for understanding marital dissolution and family reorganization." in S. A. Wolchik and P. Karoly(eds.). *Children of Divorce: Empirical Perspectives on Adjustment* (pp.35~65). New York: Garder.

B. F. Ferrell and N. Coyle(eds.). 2001. *Textbook of Palliative Nursing*. New York: Oxford University Press.

Figley, C. R., B. E. Bride and N. Mazza(eds.). 1997. *Death and Trauma: The Traumatology of Grieving*. Washington, DC: Taylor and Francis.

Filak, V. F. and S. Abel. 2004. "Boys don't cry: cartooning, grieving strategies and gender-based stereotypes in the aftermath of September 11." *Grief Matters: The Australian Journal of Grief and Bereavement*, 7(1), pp.12~17.

Filipović, Z. 1994. Zlata's Diary: *A Child Life in Sarajevo*. London: Viking.

Finlay, I. and N. Jones. 2000. "Unresolved grief in young offenders in prison." *British Journal of General Practice*, 50, pp.569~570.

Firth, P. H. 2005. "Groupwork in palliative care." in P. H. Firth, G. Luff and D. Oliviere(eds.). *Loss, Change and Bereavement in Palliative Care* (pp.53~65). Maidenhead: Open University Press, McGraw Hill Education.

Fitzgerald, H. 2000. "The grieving teen." http://www.americanhospice.org/mdex.php?option=com_content&task=view&Itemid=12&id=70&Itemid=12(검색일: 2010.5.19).

Fitzpatrick, P. 2006. "How to help children and staff cope with loss." *Youth Justice Board News*, 32, p.8.

Fosha, D. 2000. *The Transforming Power of Affect*. New York: Basic Book.

Foulkes, S. H. and E. J. Anthony. 1984. *Group Psychotherapy*. London: Karnac.

Francis, D., L. Kellaher and G. Neophytou. 2005. *The Secret Cemetery*. Oxford: Berg.

Frangoulis, S., N. Jordan and R. Lansdown. 1996. "Children's concepts of an afterlife." *British Journal of Religious Education*, 18, pp.114~123.

Frank, A. 1943. "Never going outside." http://prev.annefrank.org/content.asp?pid=118&lid=2 (검색일: 2010.5.19).

_____. 1997. *The Wounded Storyteller*. Chicago, IL: University of Chicago Press.

Frantz, T. T., M. M. Farrell and B. C. Trolley. 2001. "Positive outcomes of losing a loved one." in R. A. Neimeyer(ed.). *Meaning Reconstruction and the Experience of Loss* (pp.191~212). Washington, DC: American Psychological Association.

Frayley, R. C. and P. R. Shaver. 1999. "Loss and bereavement: attachment theory and recent controversies concerning 'grief work' and the nature of detachment." in J. Cassidy and P. R. Shaver(eds.). *Handbook of Attachment: Theory, Research and Clinical Applications* (pp.735~759). New York: Guilford Press.

Freeman, J., D. Epston and D. Lobovits. 1997. *Playful Approaches to Serious Problems: Narrative Therapy with Children and Their Families*. New York: W. W. Norton.

Freud, S. 1960. "Letter to Binswanger(letter 219)." in E. L. Freud(ed.). *Letters of Sigmund Freud* (p.386). New York: Basic Books.

_____. 1965[1900]. *The Interpretation of Dreams*. translated by J. Stracey. New York: Avon Books.

_____. 1971[1957]. *Mourning and melancholia*. translated and edited by J. Stracey. *The Standard Edition of the Complete Psychological Work of Sigmund Freud*, Vol.14.(pp.243~ 258). London: Hogarth Press.

Furman, E. 1974. *A Child's Parent Dies*. New Haven and London: Yale University Press.

Furr, S. 2005. "Spirituality and grief." in M. T. Burke, J. C. Chauvin and J. G. Miranti(eds.). *Religious and Spiritual Issues in Counselling: Applications Across Diverse Populations* (pp.135~146). New York: Brunner and Routledge.

Galassi, J. and P. Akos. 2007. *Strengths-based School Counselling: Promoting Student Development and Achievement*. Mahwah, NJ: Lawrence Erlbaum Associates.

Gallup, G. Jr. and D. M. Lindsay. 1999. *Surveying the Religious Landscape: Trends in US. Beliefs*. Hamisburg, PA: Morehouse.

Gamino, L. A,, L. W. Easterling , L. S. Stirman and K. W. Sewell. 2000. "Grief adjustments as influenced by funeral participation and occurrence of adverse funeral events." *Omega*, 41, pp.79~92.

Garfield, P. 1996. "Dreams in bereavement." in D. Barrett(ed.). *Trauma and Dreams* (pp.186~ 211). Cambridge, MA: Harvard University Press.

_____. 1997. *The Dream Messenger: How Dreams of the Departed Bring Healing Gifts*. New York: Simon and Schuster.

Gavron, J. 2009.4.4. "Tell the boys I loved them." *The Guardian*, Family, pp.1~2.

Geldard, K. and D. Geldard. 2000. *Counselling Adolescents*. London: Sage.

Gerhardt, S. 2004. *Why-Love-Matters: How Affection Shapes a Baby's Brain*. London: Brunner-Routledge.

Gersie, A. 1991. *Storymaking in Bereavement: Dragons Fight in the Meadows*. London: Jessica Kingsley.

Gibbons, M. B. 1992. "A child dies, a child survives: the impact of sibling loss." *Journal of Paediatric Health Care*, 6, pp.65~72.

Gil, E. 1991. *The Healing Power of Play*. New York: Guilford Press.

Gilbert, S. 2008. "Grief's spiral." *Counselling Children and Young People*, BACP, June, pp.2~8.

Giovanola, J. 2005. Sibling involvement at the end of life." *Journal of Pediatric Oncology Nursing*, 22(4), pp.222~226.

Gladding, S. T. 1997. "Stories and the art of counselling." *Journal of Humanistic Education and Development*, 36, pp.68~73.

Glassock, G. T. 2001. "The importance of rituals in coping with grief." *Grief Matters: The Australian Journal of Grief and Bereavement*, Summer, pp.47~50.

Goelitz, N. 2001. "Nurturing life with dreams: therapeutic dreamwork with cancer patients." *Clinical social Work Journal*, 29, pp.375~385.

_____. 2007. "Exploring dream work at the end of life." *Dreaming*, 17(3), pp.159~171.

Goenjian, A. 1993. "A mental health relief program in Armenia after the 1988 earthquake: implementation and clinical observations." *British Journal of Psychiatry*, 163, pp.230~239.

Gogar, A. and C. Hill. 1992. "Examining the effects of brief individual dream interpretation." *Dreaming*, 2, pp.239~248.

Gogray, N. et al. 2004. "Dynamic mapping of human cortical development during childhood through early adulthood." *Proceedings of the National Academies of Sciences*, 101(21), pp.8174~8179.

Goldman, L. 2000. *Life and Loss: A Guide to Helping Grieving Children*. New York: Taylor and Francis.

_____. 2002a. "Trauma and children: what can we do?" *Healing Magazine*, Spring/Summer, pp.1~4.

_____. 2002b. "Children living with fear: recognizing and healing trauma." *Healing Magazine*, Fall, pp.6~7.

Goleman, D. 1996. *Emotional Intelligence*. London: Bloomsbury.

_____. 2006. *Social Intelligence: The Science of Human Relationships*. New York: Bantam.

Golsworthy, R. and A. Coyle. 2001. "Practitioners' accounts of religious and spiritual dimensions in bereavement therapy." *Counselling Psychology Quarterly*, 14(3), pp.183~202.

Goodyer, I. M. 1990. *Life Experiences, Development and Childhood Psychopathology*. Chichester: Wiley.

Gorer, G. 1965. *Death, Grief and Mourning in Contemporary Britain*. London: Cresset Press.

Gopnik, A., A. N. Meltzoff and P. K. Kuhl.1999. *The Scientist in the Crib: Minds, Brains and How Children Learn*. New York: William Morrow.

Gough, M. L. K. 2003. "Photo therapy with the bereaved." *The Forum*, ADEC, April/May/June, 29, p.2.

Graham, P. and J. Orley. 1998. "WHO and the mental health of children." *World Health Forum*, 19, pp.268~272.

Graves, D. 2008. *Talking With Bereaved People: An Approach for Structured and Sensitive Communication*. London: Jessica Kingsley,

Green, H. et al. 2005. *The Mental Health of Children and Young People in Great Britain 2004*. London: Office of National Statistics.

Greene, G. quoted in A. Storr. 1989. *Solitude* (p.123). Flamingo Books; London.

Grollman, E. A. 1995. *Bereaved Children and Teens*. Boston, MA: Beacon Press.

_____. 1997. *Living When a Loved One Has Died*. Boston, MA: Beacon Press.

_____. 2008.3.13. "Healing with hope." *The Grief Blog*. http://thegriefblog.com/grief/healing-the-grieving-heart-radio/healing-with-hope-rabbi-earl-grollman(검색일: 2010.5.19).

Groskop, V. 2009.4.18. "Escape from the past." *The Guardian*, Family, pp.1~2.

Grubbs, G. 2004. *Bereavement Dreaming and the Individuating Soul*. Berwick, ME: Nicolas-Hays.

Gunnar, M. R. 2006. "Attachment and stress in early development: does attachment add to the potency of social regulators of infant stress?" in C. S. Carter et al.(eds.). *Attachment and Bonding: A New Synthesis* (pp.145~125). Cambridge, MA: MIT Press.

Gupta, L. and C. Zimmer. 2008. "Psychosocial intervention for-war-affected children in Sierra Leone." *The British Journal of Psychiatry*, 192, pp.212~216.

Gurian, A., K. Monahan, A. Lurie and R. F. Goodman. 2009. *Helping Children with Developmental Disabilities Cope with Traumatic Events*. NYLT Child Study Center. http://www.aboutourkids.org/articles/helping_children_developmental_disabilities_cope_traumatic events(검색일: 2010.5.19).

Gutierrez, P. M. 1999. "Suicidality in parentally bereaved adolescents." *Death Studies*, 23, pp.359~370.

Hall, C. 1984. "A ubiquitous sex difference in dreams, revisited." *Journal of Personality and Social Psychology*, 46, pp.1109~1117.

Hammer, S. 1991. *By Her Own Hand: Memoirs of a Suicide's Daughter*. New York: Soho Press.

Hand-in-Hand. 2007. *Hand-in-Hand: Supporting Children and Young People Who Have a Learning Difficulty Through the Experience of Bereavement*. A Resource Pack for Professionals. Produced by Seesaw, Grief support for the young in Oxfordshire. http://www.seesaw.org.uk/files/SeeSaw_handinhand.pdf(검색일: 2010.5.19).

Hare, J., A. Sugawara and C. Pratt. 1986. "The child in grief: implications for teaching." *Early Child Development and Care*, 25, pp.43~56.

Harrington, R. and L. Harrison. 1999. "Unproven assumptions about the impact of bereavement on children." *Journal of the Royal Society of Medicine*, 52, May, pp.230~233.

Harris, M. 1995. *The Loss That Is Forever*. New York: Dutton.

Harris, T. 2009. "John Bowlby revisited: a retrospective review." *Bereavement Care*, 28(1), pp.27~30.

Harris, T., G. W. Brown and A. Bifulco. 1986. "Loss of parent in childhood and adult psychiatric disorder: the role of lack of adequate parental care." *Psychological Medicine*, 16, pp.641~659.

Harris-Hendriks J., D. Black and T. Kaplan. 2000. *When Father Kills Mother: Guiding Children Through Trauma and Grief*, 2nd ed. London: Routledge.

Harrison, L. and R. Harrington. 2001. "Adolescents' bereavement experiences: prevalence, association with depressive symptoms and use of services." *Journal of Adolescence*, 24, pp.137~142.

Harrison, R. 2002. *Ordinary Days and Shattered Lives: Sudden Death and the Impact on Children and Families*. West Wycombe: Child Bereavement Trust.

Hartmann, E. and R. Basile. 2003. "Dream imagery becomes more intense after 9/11/01." Dreaming: the Journal of the Association for the Study of Dreams, 13(20), pp.61~66.

Hawkins, J. 2002. *Voices of the Voiceless: Person-centred Approaches and People with Learning Difficulties*. Ross-on-Wye: PCCS Books.

Hay, D. and R. Nye. 2006. *The Spirit of the Child*, revised ed. London: Jessica Kingsley.

Healy-Romanello. M. A. 1993. "The invisible griever: support groups for bereaved children." *Special Services in the Schools*, 8, pp.67~89.

Heath, B. 2009. "Songs of loss and living." *Bereavement Care*, 28(2), pp.32~39.

Hedtke, L. 2001. "Remembering practices in the face of death." *The Forum*, 27(2), pp.5~6.

Heegaard, M. 1991. *What to do When Someone Very Special Dies: Children Can Learn to Cope with Grief*. Minneapolis, MN: Woodland Press.

Heikes, K. 1997. "Parental suicide: a systems perspective." Bulletin of the Menninger Clinic, 61(3), pp.354~367.

Hemmings, P. 1995. "Communicating with children through play." in S. C. Smith and M. Pennells (eds.). *Interventions with Bereaved Children* (pp.9~23). London: Jessica Kingsley.

Henderson, P. 2009. *Reflections on Supervision*. London: Karnac Books.

Hieb, M. 2005. *Inner Journeying Though Art-Journaling: Learning to See and Record Your Life as a Work of Art*. London, Jessica Kingsley.

Higgins, B. 2001. *The Health Needs of Young People who Offend*. London: Youth Justice Trust.

Higgins, R. 2008.4.20. "The best of times, the worst of time: Sung-joo Kim." *The Sunday Times*, p.11.

Higson, C. 2008.8.31. "This much I know." *The Observer Magazine*, p.12.

Hindmarch, C. 2000. *On The Death of a Child*. Oxford: Radcliffe Medical Press Ltd.

Hofer, M. A. 1996. "On the nature and consequence of early loss." *Psychosomatic Medicine*, 58, pp.570~581.

Hogan, N. S. 2006. "Understanding adolescent sibling bereavement." *The Forum*, 32(1) January/ February/March, pp.6~7.

Hogan, N. S. and L. DeSantis. 1992. "Adolescent sibling bereavement: an ongoing attachment." *Qualitative Health Research*, 2, pp.159~177.

_____. 1994. "Things that help and hinder the adolescent sibling bereavement." *Western Journal of Nursing Research*, 16(2), pp.132~153.

Hogan, N. S. and L. A. Schmidt. 2002. "Testing grief to personal growth model using structural equation modelling." *Death Studies*, 26, pp.615~635.

Hogwood, J. 2007. "Coping with the intensity of child bereavement work: a qualitative study exploring volunteers' support needs." *Bereavement Care*, 26(3), pp.54~57.

Holder, J. S. and J. Aldredge-Clanton. 2004. *Parting: A Handbook for Spiritual Care Near the End of life*. Chapel Hill, CA: The University of Carolina Press.

Holland, J. 2001. *Understanding Children k Experiences of Parental Bereavement*. London: Jessica Kingsley.

_____. 2004. "Should children attend their parent's funeral?" *Pastoral Care in Education*, 22, pp.10~11.

Holliday, J. 2002. *A Review of Sibling Bereavement: Impact and Interventions*. Essex: Barnardo's Publications.

Hollins, S., N. Blackmen and S. Dowling. 2003. *Books Beyond Words: When Somebody Dies*. London: The Royal College of Psychiatrists and St. Georges Hospital Medical School.

Hollins, S. and A. Esterhuyzen. 1997. "Bereavement and grief in adults with learning disabilities." *British Journal of Psychiatry*, 170, pp.497~502.

Hollins, S. and L. Sireling. 2004. *Books Beyond Words: When Dad Died*. London: The Royal College of Psychiatrists and St. Georges Hospital Medical School.

Hollins, S., L. Sireling and B. Webb. 2004. *Books Beyond Words: When Mum Died*. London: The Royal College of psychiatrists and St. Georges Hospital Medical School.

Homicide Handbook. 2002. *Working with Children Traumatised by Homicide.* http://www. avpphila.org/ovcmanual2002/sec11.assess.pdf(검색일: 2010.5.19).

Hooyman, N. and B. Kramer. 2006. *Living Through Loss.* New York: Columbia University Press.

Hospice Foundation of America. 2010. "Interview with Dr. J. William Worden." http://www. hospicefoundation.org/pages/page.asp?page_id=49427(검색일: 2010.5.19).

Howard, S., J. Dryden and B. Johnson. 1999. "Childhood resilience: review and critique of literature." *Oxford Review of Education*, 25, pp.307~323.

Howlin, P. 1997. *Autism: Preparing for Adulthood.* London: Routledge.

Huertas, P. 2005. "Are we hard wired for love and grief?" *Healthcare Counselling and Psychotherapy Journal*, 5(3), pp.14~16.

Huline-Dickens, S. 1996. "Letters: people with learning disabilities also need help in bereavement." *British Medical Journal*, 313, p.822.

Hurd, R. C. 2004. "A teenager revisits her father's death during childhood: a study in resilience and healthy mourning." *Adolescence*, 39(154), pp.337~354.

Hutton, C. J. and B. J. Bradley. 1994. "Effects of sudden infant death on bereaved siblings: a comparative study." *Journal of Psychology and Psychiatry*, 35, pp.723~732.

Hutton, E. 2006. "Parting gifts: the spiritual needs of children." *Journal of Child Health Care*, 10(3), pp.240~250.

Imber-Black, E., J. Roberts and R. Whiting(eds.). 1988. *Rituals in Families and Family Therapy.* New York: Norton.

Ishii, C. 2008. "Continuing bonds with the deceased in contemporary Japan." *The Forum*, 34(1) January.

Jackson, E. and N. Jackson. 1999. *Learning Disability in Focus: The Use of Photography in the Care of People with Learning Disability.* London: Jessica Kingsley.

Janoff-Bulman, R. 1992. *Shattered Assumptions: Towards a New Psychology of Trauma.* New York: The Free Press.

Jenkins, C. and J. Merry. 2005. *Relative Grief.* London: Jessica Kingsley.

Jewett, C. L. 1982. *Helping Children Cope with Separation and Loss.* Cambridge, MA: Harvard Common Press.

Jones, E. 2008. "Bookwork." *Counselling Children and Young People*, June, pp.20~21.

Jones, E. H. 2001. *Bibliotherapy for Bereaved Children: Healing Reading.* London: Jessica Kingsley.

Jordan, J. R. 2001. "Is suicide bereavement different? A reassessment of the literature." *Suicide and Life Threatening Behavior*, 31, pp.91~102.

Jung, C. G. 1965. *Memories, Dreams and Reflections.* translated by R. Winston and C. Winston. New York: Vintage Books.

Juvonen, J., A. Nishina and S. Graham. 2000. "Peer harassment, psychological adjustment, and school functioning in early adolescence." *Journal of Educational Psychology*, 92, pp. 349~359.

Kallenberg, K. 2000. "Spiritual and existential issues in palliative care." *Illness, Crisis and Loss*, 8, pp.120~130.

Kalter, N., K. Lohnes, J. Chasin, A. Cain, S. Dunning and J. Rowan. 2002-2003. "The adjustment of parentally bereaved children: factors associated with short-term adjustment." *Omega*, 46(1), pp.15~34.

Kaplan, T., D. Black, P. Hyman and J. Knox. 2001. "Outcome of children seen after one parent killed the other." *Clinical Child Psychology and Psychiatry*, 6(1), pp.9~22.

Keller, J. W, G. Brown, K. Maier, K. Steinfirth, S. Hall and C. Pietrowski. 1995. "Use of dreams in therapy: a survey of clinicians in private practice." *Psychology Reports*, 76, pp.1288~1290.

Kerr, D. 2004. "Grief and crime." *Community Care*, 13-19 May, pp.44~45.

Kissane, D. W. 2002. "Shared grief: a family affair." *Grief Matters: The Australian Journal of Grief and Bereavement*, 5(1), pp.7~10.

_____. 2003. "Bereavement." in D. Doyle, G. Hanks, N. I. Cherny and K. Calman(eds.). *Oxford Textbook of Palliative Medicine* (pp.1137~1350). Oxford: Oxford University Press.

Klaassens, M., P. Groote and P. P. P. Hulgen. 2009. "Roadside memorials from a geographical perspective." *Mortality*, 14(2), pp.187~201.

Klass, D. 1999a. *The Spiritual Lives of Bereaved Parents*. London: Taylor and Francis.

_____. 1999b. "Developing a cross-cultural model of grief: the state of the field." *Omega*, 39(3), pp.153~178.

_____. 2000. "How self-help and professional help helps." *Grief Matters: The Australian Journal of Grief and Bereavement*, 3(1), pp.3~6.

Klass, D., P. R. Silverman and S. Nickman(eds.). 1996. *Continuing Bonds: New Understandings of Grief*. Washington DC: Taylor and Francis.

Klicker, R. L. 2000. *A Student Dies, A School Mourns: Dealing with Death and Loss in the School Community*. Philadelphia, PA: Accelerated Learning.

Knudson, R., A. Adame and G. Finocan. 2006. "Significant dreams: repositioning the self narrative." *Dreaming*, 15, pp.215~222.

Kosminsky, P. S. 2008. "Practice report: promoting resilience in children experiencing traumatic grief." *The Forum*, 34(3), p.9.

Kranzler, E., D. Shaffer, G. Wasserman and M. Davies. 1990. "Early childhood bereavement." *Journal American Academy of Child and Adolescent Psychiatry*, 29, pp.513~520.

Kraus, F. 2010. "The extended warranty." in B. Monroe and F. Kraus(eds.). *Brief Interventions with Bereaved Children* (pp.113~124). Oxford: Oxford University Press.

Krementz, J. 1988. *How It Feels men A Parent Dias*. New York: Random House.

Kübler-Ross, E. 1969. *On Death and Dying*. New York: MacMillm.

_____. 1975. *Death the Final Stage of Growth*. New York: Prentice-Hall.

Kuhn, A. 2002. *Family Secrets: Acts of memory and imagination*. London: Verso.

Kwok, O. M., R. Haine, I. Sandler et al. 2005. "Positive parenting as a mediator of the relations between parental psychological distress and mental health problems of parentally bereaved children." *Journal of Clinical Child and Adolescent Psychology*, 34, pp.260~271

Lambert, D. 2005. *A Review of the Effectiveness of Operational Procedures for the Identification, Placement and Safeguarding of Vulnerable Young People in Custody*. Norwich: Norfolk Area Child Protection Committee.

Lansdown, R. 1999. "Fourth International Conference on Children and Death. Editorial." *Bereavement Care*, 18(3), pp.43~45.

Lansdown, R. and G. Benjamin. 1985. "The development of the concept of death in children aged 5-9 years." *Child Care Health Development*, 1, pp.13~20.

Lansdown, R., N. Jordan and S. Frangroulis. 1997. "Children's concept of an afterlife." *Bereavement Care*, 14(2), pp.16~18.

Laor, N., L. Wolmer, M. Kora, D. Yucel, S. Spirman and Y. Yazgan. 2002. "Posttraumatic dissociative and grief symptoms in Turkish children exposed to the 1999 earthquakes." *Journal of Nervous and Mental Disease*, 190, pp.824~832.

Leighton, S. 2008. "Bereavement therapy with adolescents: facilitating a process of spiritual growth." *Journal of Child and Adolescent Psychiatric Nursing*, 21(1), pp.24~34. http://findarticles.com/p/articles/mi_qa3892/is_200802/ai_n24394980m(검색일: 2010.5.19).

Leliaert, R. M. 1989. "Spiritual side of good grief: what happened to holy Saturday?" *Death Studies*, 13(2), pp.103~117.

Lendrum, S. and G. Syme. 1992. *Gift of Tears*. London: Routledge.

Levy, A. J. and J. C. Wall. 2000. "Children who have witnessed community homicide: incorporating risk and resilience in clinical work." *Families in Society: The Journal of Contemporary Human Services*, 81(4), pp.402~415.

Lewis, C. S. 1961. *A Grief Observed*. London: Faber and Faber.

Lewis, E. and B. Heer. 2008. *Delivering Every Child Matters in Secure Settings: A Practical Toolkit for Improving the Health and Well-being of Young People*. London: National Children's Bureau.

Libow, J. A. 1992. "Traumatized children and the news media: clinical considerations." *American Journal of Orthopsychiatry*, 63(3), pp.379~386.

Lin, K. K., I. Sandler, T. S. Ayers, A. W. Sharlene, S. A. Wolchik, L. J. Luecken. 2004. "Resilience in parentally bereaved children and adolescents seeking preventive services."

Journal of Clinical Child and Adolescent Psychology, 33(4), pp.673~683.

Linn-Gust, M. 2001. *Do they have Bad Days in Heaven? Surviving the Suicide Loss of a Sibling*. Atlanta, GA: Bolton Press.

_____. 2006. "Mode of death and the effects on sibling grief." *The Forum*, 32(1), pp.1~2.

Lloyd-Williams, M., C. Wilkinson and F. Lloyd-Williams. 1998. "Do bereaved children consult the primary care team more frequently?" *European Journal of Cancer Care*, 7, pp.120~124.

LoConto, D. G. 1998. "Death and dreams: a sociological approach to grieving and identity." *Omega: Journal of Death and Dying*, 37, pp.171~185.

Lohnes, K. 1994. "Maintaining attachment to a dead parent in childhood: a developmental perspective." Unpublished doctoral thesis. The University of Michigan.

Love, H. 2006. "Suicide-bereaved children and young people's experience of a specialist group intervention: an interpretive phenomenological analysis." Dissertation, University of Exeter.

Lowton, K. 2002. *Supporting Bereaved Students in Primary and Secondary Schools: Practical Advice for School Staff*. London: King's College, London and National Council for Hospice and Specialist Palliative Care Services.

Lowton, K. and I. J. Higginson. 2002. *Early Bereavement: What Factors Influence Children's Responses to Death?* London: King's College, London and National Council for Hospice and Specialist Palliative Care Services.

Luecken, L. J. 1998. "Childhood attachment and loss experiences affect adult cardiovascular and cortisol function." *Psychosomatic Medicine*, 60, pp.765~772.

_____. 2000. "Parental caring and loss during childhood and adult cortisol responses to stress." *Psychology and Health*, 15(6), pp.841~851.

Lukas, C. and H. M. Seiden. 2007. *Silent Grief: Living in the Wake of Suicide*. London: Jessica Kingsley.

Luthar, S. S., D. Cicchetti and B. Beckerm. 2000. "The construct of resilience: a critical evaluation and guidelines for future work." *Child Development*, 71(3), pp.543~562.

Machin, L. 2009. *Working with Loss and Grief*. London: Sage.

Machiodi, C. 1998. *The Art Therapy Source Book*. Los Angeles, CA: Lowell House.

_____. 2008. "When trauma happens, children draw: part 1." *Psychology Today*, 7 May, pp.1~6.

Mallon, B. 1987. *An Introduction to Counselling Skills for Special Educational Needs: Participant's Manual*. Manchester: Manchester University Press.

_____. 1989. *Children Dreaming*. Harmondsworth: Penguin.

_____. 1998. *Helping Children to Manage Loss: Positive Strategies for Renewal and Growth*. London: Jessica Kingsley.

_____. 2000a. *Managing Loss, Separation and Bereavement: Best Policy and Practice*.

Manchester: Education Matters.

_____. 2000b. *Dreams, Counselling and Healing*. Dublin: Gill and MacMillan.

_____. 2000c. "The guiding spirit in dreams." *The Churches Fellowship for Psychical and Spiritual Studies*, Summer(184), pp.5~7.

_____. 2002. *Dream Time Eth Children: Learning to Learn, Dreaming to Learn*. London: Jessica Kingsley.

_____. 2005/2008. *The Dream Bible*. London: Octopus.

_____. 2006. "Dreams and bereavement." *Bereavement Care*, 24, pp.43~46.

_____. 2007. *The Mystic Symbols*. London: Octobus Publications.

_____. 2008. *Dying, Death and Grief: Working with Adult Bereavement*. London: Sage.

Mallon, B., M. Tufnell and T. Rubidge. 2005. *When I Open My Eyes: A Report on a Three Year Project Exploring Body, Imagination and Health*. Cumbria: Body Stories.

Mandleco, B. L. and J. C. Peery. 2000. "An organizational framework for conceptualizing resilience in children." *Journal of Child and Adolescent Psychiatric Nursing*, 13(3), pp.99~113.

Margolin, G. and E. Gordis. 2000. "The effects of family and community violence on children." *Annual Review of Psychology*, 51, pp.445~479.

Marie Curie Cancer Care. 2003. *Spiritual and Religious Care Competencies for Specialist Palliative Care*. London: Marie Curie Cancer Care.

Markell, K. A. 2008. "Symposium: helping bereaved college students, ADEC 30th Annual Conference." *The Forum*, 34(3).

Markell, K. and Markell, M. 2008. *The Children Who Lived: Using Fictional Characters to Help Grieving Children and Adolescents*. London: Routledge and Kegan Paul.

Marks, N. F., H. Jun, and J. Song. 2007. "Death of parents and adult psychological and physical well-being." *Journal of Family Issues*, 28(12), pp.1611~1638.

Marner, T. 2000. *Letters to Children in Family Therapy*. London: Jessica Kingsley.

Martin, T. L. 2000. "In the aftermath. children and adolescents as survivor-victims of suicide." in K. J. Doka(ed.). *Living with Grief: Children, Adolescents and Loss* (pp.263~274). Washington, DC: Hospice Foundation of America.

Masten, A. S. 2001. "Ordinary magic: resilient processes in development." *American Psychologist*, 56(3), pp.227~238.

Masten, A. S., K. M. Wright and N. Garmezy. 1990. "Resilience and development: contributions from the study of children who overcome adversity." *Development and Psychopathology*, 2, pp.425~444.

Massimo, L. M. and D. A. Zarri. 2006. "In tribute to Luigi Castagnetta - drawings. A narrative approach for children with cancer." *Annals of the New York Academy of Science*, Nov. 1089, pp.xvi~xxiii.

Maunder, R. G. and J. J. Hunter. 2001. "Attachment and psychosomatic medicine: developmental contributions to stress and disease." *Psychosomatic Medicine*, 63, pp.556~567.

McCaffrey, T. 2004. "Responding to crises in schools: a consultancy model for supporting schools in crisis." *Educational and Child Psychology*, 21(3), pp,109~120.

McCarthy, J. R. with J. Jessop. 2005. *Young People, Bereavement and Loss: Disruptive Transitions?* National Children's Bureau for the Joseph Rowntree Foundation.

McDougall, T. 2008. "Safeguarding vulnerable children." *Paediatric Nursing*, 20(3), pp.14~17.

McFarland, W. and T. Tollerud. 1999. "Counselling children and adolescents with special needs." in A.Vernon(ed.). *Counselling Children and Adolescents* (pp.215~253). Denver, CO: Love Publishing.

McGlauflin, H. 1996. "Training volunteers and professionals to work with grieving children and their families." *American Journal of Hospice and Palliative Care*, 13, pp.22~26.

McIntyre, B. and I. Hogwood. 2006. "Play, stop and eject: creating film strip stories with bereaved young people." *Bereavement Care*, 25(3), pp.47~49.

McKissock, D. 2004. *Kid's Grief A Handbook for Group Leaders*. Epping, NSW: National Centre for Childhood Grief.

McLaren, J. 2004. "The death of a child." in P. Firth, G. Duff and D. Oliviere(eds.). *Loss, Change and Bereavement in Palliative Care* (pp.80~95). Maidenhead: Open University Press.

McLeod, J. 2008. "Outside the therapy room." *Therapy Today*, 19(4), pp.14~16.

McNiff, S. 1992. *Art as Medicine: Creating a Therapy of the Imagination*. Boston, MA: Shambala.

McWhorter, G. 2003. *Healing Activities for Children in Grief: Activities Suitable for Support Groups with Grieving Children, Preteens and Teens*. Texas: Gay McWhorter.

Mearns, S. J. 2000. "The impact of loss on adolescents: developing appropriate support." *International Journal of Palliative Nursing*, 6(1), pp.12~17.

Meltzer, H., R. Gatward, R. Goodman and T. Ford. 2000. *Mental Health of Children and Adolescents in Great Britain*. London: The Stationery Office.

Meltzer, H., R. Gatward, T. Corbin, R. Goodman and T. Ford. 2003. *Persistence, Onset, Risk Factors and Outcomes of Childhood Mental Disorders* London: The Stationery Office.

Meltzer, M. 1999. *The Mental Health of Children*. London: HMSO.

Mitchell, A. M., T. J. Sakraida, Y. Kim, L. Bullian and L. Chiapetta. 2009. "Depression, anxiety and quality of life in suicide survivors: a comparison of close and distant relationships." *Archives of Psychiatric Nursing*, 23(2), pp.2~10.

Mitchels, B. 2009. "Safeguarding vulnerable groups." *Therapy Today*, 20(9), pp.26~30.

Monroe, R. 2001. "Children and bereavement." *K260 Workbook 4. Bereavement: Private Grief and Collective Responsibility*. Milton Keynes: Open University.

Moody, R. 1993. *Reunions: Visionary Experiences with Departed Loved Ones.* New York: Villamy.

Moody, R. A. and C. P. Moody. 1991. "A family perspective: helping children acknowledge and express grief following the death of a parent." *Death Studies*, 15, pp.587~602.

Moore, K. 2009. "One woman and her dog." *Bereavement Care*, 28(3), pp.25~28.

Morrison, B. 2001.7.1. "An invisible death." *Independent on Sunday*, pp.19~22.

Mundy, M. 2004. *Sad Isn't Bad: A Good Grief Guidebook for Kids Dealing with Loss.* Newry: Abbey Press.

Murray, R. and J. Zentner. 1989. *Nursing Concepts for Health Promotion.* London: Prentice-Hall.

Murthy, R. and L. Smith. 2009. *Grieving, Sharing and Healing: A Guide to Facilitating Early Adolescent Bereavement Groups.* Champaigne, IL: Research Press.

Nadeau, J. W. 1997. *Families Making Sense of Death.* Thousand Oaks, CA: Sage.

_____. 2001. "Meaning making in family bereavement: a family systems approach." in M. S. Stroebe, R. O. Hannson, W. Stroebe and H. Schut(eds.). *Handbook of Bereavement Research: Consequences, Coping and Care* (pp.329~347). Washington, DC: American Psychological Association.

Nader, K., N. Dubrow and B. H. Stamm(eds.). 1999. *Honoring Differences: Cultural Issues in the Treatment of Trauma and Loss.* London: Taylor and Francis.

NAS(The National Autistic Society). 2003. *Death, Bereavement and Autistic Spectrum Disorders, Information Sheet.* London: NAS.

NASP(National Association of School Psychologists). 2003. *Helping Children Cope with Loss, Death and Grief: Tips for Parents.* Bethesda, MD: NASP.

National Children's Bureau. 2008. *Bereavement in the Secure Setting: Delivering Every Child Matters for Bereaved Young People in Custody.* London: NCB.

Neal, L. 2007. *About Our Boys: A Practical Guide to Bringing Out the Best in Boys.* Leighton Buzzard: Neall Scott Partnership.

Neimeyer, R. A.(ed.). 2001. *Meaning Reconstruction and the Experience of Loss.* Washington, DC: American Psychology Association.

Neimeyer, R. 2005. "Grief, loss and the quest for meaning: narrative contributions to bereavement care." *Bereavement Care*, 24(2), pp.27~29.

Neville, R. 1995. "Making memory stores with children and families affected by HIV." in S. C. Smith and M. Pennells(eds.). *Interventions with Bereaved Children* (pp.267~281). London: Jessica Kingsley.

Newman, T. 2002. *Promoting Resilience: A Review of Effective Strategies for Child Care Services.* Exeter: University of Exeter, Centre for Evidence Based Social Sciences.

_____. 2003. "Protection racket." *Zero2Nineteen*, January, p.6.

NHS Advisory Service. 2002. *Together We Stand: The Commissioning, Role and Management of Child and Adolescent Mental Health Services*. London: HMSO.

NICE(National Institute for Clinical Excellence). 2004. *Improving Supportive and Palliative Care for Adults with Cancer*, cited in P. Speck, I. Higginson and J. Addington-Hall. "Spiritual needs in health care." *British Medical Journal*, 329, pp.123~124.

Nicholls, S. 2008. *Ways To Live Forever*. London: Marion Lloyd Books, Scholastic.

Nicholson, L. 2006. *Living on the Seabed: A Memoir of Love, Life and Survival*. London: Vermillion.

Noppe, I. C. 2008. "Dr Gupta's work with the child-survivors of war." *The Forum*, 34(3), pp.1~2.

O'Connor, T. G. 2005. "Attachment and disturbances associated with early severe deprivation." in C. S. Carter et al.(eds.). *Attachment and Bonding* (pp.257~267). *A New Synthesis*. Cambridge, MA: MIT Press.

Oliveri, T. 2003. "Grief groups on the internet." *Bereavement Care*, 22(3), pp.39~40.

Oltjenbruns, K. A. 1996. "Death of a friend during adolescence: issues and impacts." in C. A. Corr and D. E. Balk(eds.). *Handbook of Adolescent Death and Bereavement* (pp. 196~215). New York: Springer.

O'Murchu, D. 2000. *Religion in Exile: A Spiritual Vision for the Homeward Bound*. Dublin: Gateway.

ONS(Office of National Statistics). 2002. *Living in Britain: Results from the 2001 General Household Survey*. London: HMSO.

_____. 2008. *News Release: Childhood Stress Linked to Emotional Disorders*. (http://www.statistics.gov.uk/pdfdir/cpm1008.pdf(검색일: 2010.5.19).

Oppenheim, D., V. Pittolo, C.Gericot, J. Grill, O. Hatmann and S. Dauchy. 2008. "A writing workshop for children with cancer." *Archive of Disease in Childhood*, 93, pp.708~709.

Orton, G. L. 1997. *Strategies for Counselling with Children and their Parents*. Pacific Grove, CA: Brooks/Cole.

Oswin, M. 1981. *Bereavement and Mentally Handicapped People: A Discussion Paper*. London: Kings Fund.

_____. 1991. *Am I Allowed to Cry? A Study of Bereavement Amongst People Who Have Learning Difficulties*. London: Human Horizons.

Packman, W., H. Horsley, B. Davies and R. Kramer. 2006. "Sibling bereavement and continuing bonds." *Death Studies*, 30(9), pp.817~841.

Parkes, C. M. 1980. "Bereavement counselling: does it work?" *British Medical Journal*, 281, p.36.

_____. 1988. "Bereavement as a psychosocial transition: processes of adaptation to change." *Journal of Social Issues*, 44(3), pp.53~65.

_____. 1996. *Counselling in Terminal Care and Bereavement*. Leicester: BPS Books.

_____. 2009. "The genocide in Rwanda: meaning making through film." *Bereavement Care*, 28(1), pp.18~21.

Pascoe, J. 2002. *My Father who Art in a Tree*. Harmondsworth: Penguin.

Peel, J. 2009. "What counsellors could do for schools." *Therapy Today*, 20(7), p.49.

Penny, A. 2007. *Grief Matters for Children: Support for Children and Young People in Public Care Experiencing Bereavement and Loss*. London: National Children's Bureau.

_____. 2009a. "Meeting the Secretary of State." *Childhood Bereavement Network Bulletin*, 13, p.2.

_____. 2009b. "Bereavement in the secure setting." *Childhood Bereavement Network Bulletin*, 13, p.3.

Pentland, C. and C. Druce. 2008. *Hand-in-Hand: Supporting Children and Yang People Who Have a Learning Difficulty Through the Experience of Bereavement*. Oxford: Seesaw.

Perry, B. D. and M. Szalavitz. 2006. *The Boy Who was Raised as a Dog*. New York: Basic Books.

Perry, B. D., R. A. Pollard, T. L. Blakley, W. L. Baker and D. Vigilante. 1995. "Childhood trauma, the neurobiology of adaptation and 'use-dependent' development of the brain: how 'states' become 'traits'." *Infant Mental Health Journal*, 16, pp.271~291.

Personen, A., K. Paikkonen, K. Heinonen, E. Kajantie, T. Forsen and J. G. Erikson. 2007. "Depressive symptoms in adults separated from their parents as children: a natural experiment during World War II." *American Journal of Epidemiology*, 166(10), pp. 1126~1133.

Pert, C. 1997. *Molecules of Emotion*. London: Simon and Schuster.

Pfeffer, C. 2007. "Bereaved children of 9/11 suffered higher rates of psychiatric illness." *Biological Psychiatry*. www.medicalnewstoday.com/articles/65624.php(검색일: 2010.7.26).

Pfeffer, C. R., H. Jiang, T. Kakuma, J. Hwang and M. Metsch. 2002. "Group intervention for children bereaved by the suicide of a relative." *Journal of the American Academy of Child and Adolescent Psychiatry*, 41, pp.505~513.

Pfeffer, C. R., D. Karus, K. Siegal and K. Jiang. 2000. "Child survivors of parental death from cancer or suicide: depressive and behavioural outcomes." *Psycho-Oncology*, 9, pp.1~10.

Phillips, L. 2009.3.14. "My family values, endnotes." *The Guardian*, p.8.

Picardie, J. 2001. *If The Spirits Move You*. London: Picador.

Pollack, W. S. 2006. "Creating genuine resilience in boys and youngmales." in S. Goldstein and R. Brooks(eds.). *Handbook of Resilience in Children* (pp.65~78). New York: Springer Science and Business Media.

Poussaint, A. F. 1984. "The grief response following homicide." Paper presented at the Annual Convention of the American Psychological Association, Toronto, Ontario(1984.8.24~28).

Powell, L. H., L. Shahabi and C. E. Thoresen. 2003. "Religion and spirituality: linkages to physical health." *American Psychology*, 58, pp.36~52.

Price, R. and J. Iszatt. 1996. "Meeting the needs of refugee children and their families and schools." in A. Sigston, P. Curran, A. Labram and S. Wolfendale(eds.). *Psychology in Practice with Young People, Families and Schools* (pp.55~70). London: David Fulton.

Punamaki, R. 1999. "The role of culture, violence, and personal factors affecting dream content." *Journal of Cross Cultural Psychology*, 29, pp.320~342.

Pynoos, R., A. Goenjian, M. Tashjian, M. Karakashian, R. Manjikian and G. Manoukian. 1993. "Post-traumatic stress reactions after the 1988 Armenian earthquake." *British Journal of Psychiatry*, 163, pp.239~247.

Pynoos, R. S. and K. Nader. 1990. "Children's exposure to violence and traumatic death." *Psychiatric Annals*, 20, pp.334~344.

Pynoos, R. S., A. M. Steinberg and A. Goenjian. 1996. "Traumatic stress in childhood and adolescence: recent developments and current controversies." in B. van der Kolk, A. C. McFarlane and L. Weisaeth(eds.). *Traumatic Stress: The Effects of Overwhelming Experience on Mind, Body and Society* (pp.331~358). London: Guilford Press.

Raji, O., S. Hollins and A. Drinnan. 2003. "How far are people with learning disabilities involved in funeral rites?" *British Journal of Learning Disabilities*, 31, pp.42~45.

Ramachandran, V. S. 2006. "Mirror neurons and the brain in the vat." *The Edge*, 69.

Rando, T. A. 1984. *Grief, Dying and Death*. Champaign, IL: Research Press Company.

_____. 1993. *The Treatment of Complicated Mourning*. Champaign. IL: Research Press Company.

Raphael, B. 1984. *The Anatomy of Bereavement: A Handbook for the Caring Professions*. London: Unwin Hyman.

_____. 2005. "After the tsunami-harnessing Australian expertise for recovery." Presentation at the Shrine Dome, Canberra(2005.3.31).

Ratnarajah, D. and M. J. Schofield. 2007. "Parental suicide and its aftermath: a review." *Journal of Family Studies*, 13(1), pp.78~93.

_____. 2008. "Survivor's narratives of the impact of parental suicide." *Suicide and Life Threatening Behavior*, 38(5), pp.618~630.

Ravcis, V. H., K. Siegel, and D. Karus. 1999. "Children's psychological distress following the death of a parent." *Journal of Youth and Adolescence*, 28, pp.165~180.

Rawlings, D. and T. Glynn. 2002. "The development of palliative care-led memorial service in an acute care hospital." *International Journal of Palliative Cave Nursing*, 8(1), pp.40~47.

Rayner, M. and M. Montague. 2000. *Resilient Children and Young People*. Melbourne, Australia: Deakin University.

Read, S. 1996. "Helping people with learning difficulties to grieve." *British Journal of Learning*

Disability Nursing, 5(2), pp.91~95.

_____. 1999. "Creative ways of working when exploring the bereavement counselling process." in N. Blackman(ed.). *Living with Loss: Helping People with Learning Difficulties Cope With Loss and Bereavement* (pp.9~13). Brighton: Pavilion Publishers.

_____. 2003. "Bereavement and loss." in A. Markwick and A. Parrish(eds.). *Learning Disabilities: Themes and Perspectives* (pp.81~109). Edinburgh: Butterworth and Hineman.

Requarth, M. 2006. *After a Parent's Suicide*. Sebastopol, CA: Healing Arts Press.

Revonsuo, A. 2000. "The reinterpretation of dreams: an evolutionary hypothesis of the function of dreaming." *Behavioural and Brain Sciences*, 23, pp.877~901, 1063~1082.

Ribbens McCarthy, J. 2006. *Young People's Experience of Loss and Bereavement: Towards an Interdisciplinary Approach*. Maidenhead: Open University Press.

Ribbens McCarthy, J. with J. Jessop. 2005a. *The Impact of Bereavement and Loss on Young People*. http://www.jrf.org.uk/publications/impact-bereavement-and-loss-young-people (검색일: 2010.5.19).

_____. 2005b. *Young People, Bereavement and Loss: Disruptive Transitions*. London: National Children's Bureau.

Riches, G. and P. Dawson. 2000. *An Intimate Loneliness: Supporting Bereaved Parents and Siblings*. Buckinghamshire: Open University Press.

Richter, L. 2008. "Children's perspectives on death and dying in Southern Africa in the context of the HIV/AIDS epidemic." *The Forum*, 34(1), pp.7~8.

Robinson, E. 1977. *A Study of the Religious Experience of Childhood*. Oxford: The Religious Experience Research Unit.

Rodgers, B. and J. Pryor. 1998. *Divorce and Separation. The Outcomes for Children*. York: The Joseph Rowntree Foundation.

Rogers, J. E.(ed.). 2007. *The Art of Grief: The Use of Expressive Arts in a Grief Support Group*. New York: Taylor and Francis.

Rosen, J. E. 1996. "The family as a healing resource." in C. A. Corr and D. M. Corr(eds.). *Handbook of Child Death and Bereavement* (pp.223~243). New York: Springer.

Rosen, M. 2004. *Michael Rosen's Sad Book*. Walker Books: London.

Rosenblatt, P. 1993. "Cross-cultural variation in the experience, expression and understanding of grief." in D. Irish, K. Lundquist and V. Jenkins-Nelson(eds.). *Ethic Variations in Dying, Death and Grief* (pp.13~19). Washington, DC: Taylor and Francis.

Rosenblatt, P. C. 2000. "Parents talking in the present tense about their dead child." *Bereavement Care*, 19(3), pp.35~37.

Ross, D. and B. Hayes. 2004. "Interventions with groups of bereaved pupils." *Education and Child Psychology*, 21(3), pp.95~108.

Rothman, J. 1996. *A Birthday Present for Daniel: A Child's Story of loss*. Amherst, NY: Prometheus Books.

Royal College of Psychiatrists. 2004. *Psychotherapy and Learning Disability*. London: Repsych.

Rubey, C. T. 1999. "Foreword." in M. Stimming and M. Stimming(eds.). *Before Their Time, Adult Children's Experiences of Parental Suicide* (pp.xiii~xv). Phildelphia, PA: Temple University Press.

Rutter, J. 2003. *Supporting Refugee Children in the Classroom*. Stoke-on-Trent: Trentham Books.

Sackville, T. 2008. "An alternative to gang culture, guns and crime." *Healthier Inside, 3*, National Children's Bureau.

Sagara-Rosemeyer, M. and B. Davies. 2007. "Integration of religious traditions in Japanese children's view of death and afterlife." *Death Studies*, 31(3), pp.223~247.

Saldinger, A., A. Cain, N. Kalter and K. Lohnes. 1999. "Anticipating parental death in families with young children." *American Journal of Orthopsychiatry*, 69, pp.39~48.

Saldinger, A., A. Cain and K. Porterfield. 2003. "Managing traumatic stress in children anticipating parental death." *Psychiatry*, 66, pp.168~181.

Salter, A. 2004. "An internet-based peer support service for young people." *Bereavement Care*, 23(1), pp.3~4.

Saltzman, W. R., R. S. Pynoos, A. M. Steinberg, E. Eisenberg and C. M. Layne. 2001. "Trauma and grief focused intervention for adolescents exposed to community violence." *Group Dynamics: Theory, Research and Practice*, 5, pp.291~303.

Sanchez. L., M. Fristad, R. A. Weller and J. Moye. 1994. "Anxiety in acutely bereaved prepubertal children." *Annual of Clinical Psychiatry*, 6(1), pp.39~43.

Sandler, I. N., T. Ayers and A. Romer. 2002. "Fostering resilience in families in which a parent had died." *Journal of Palliative Medicine*, 5(6), pp.945~956.

Sandler, I. N., T. S. Ayers, S. A. Wolchik et al. 2003. "The family bereavement program: efficacy evaluation of a theory-based prevention program for parentally bereaved children and adolescents." *Journal of Consultant Clinical Psychology*, 71, pp.587~600.

Sandler, I. N., S. A. Wolchik and T. S. Ayres. 2008. "Resilience rather than recovery: a contextual framework for adaptation following bereavement." *Death Studies*, 32, pp.59~73.

Saner, E. 2009.10.7. "A trouble shared." *The Guardian*, pp.10~11.

Scaer, R. 2005. *The Trauma Spectrum: Hidden Wounds and Human Resiliency*. New York: W. W. Norton.

Schoka Traylor, E., B. J. R. Hayslip, P. L. Kaminski and C. York. 2003. "Relationships between grief and family system characteristics: a cross lagged longitudinal analysis." *Death Studies*, 27, pp.575~601.

Schore, A. 2001. "The effects of early relational trauma on right brain development, affect and regulation and infant mental health." *Infant Mental Health Journal*, 22, pp.201~269.

Schredl, M. 2000. "Book review: 'Dreams and Nightmares': the new theory of the origins and meanings of dreams." *Dreaming*, 2(4), pp.247~250.

Schut, H. M., M. S. Stroebe, J. van der Bout and M. Terheggen. 2001. "The efficacy of bereavement interventions: determining who benefits." in M. S. Stroebe, R. O. Hansonn, W. Stroebe and H. Schut(eds.). *Handbook of Bereavement Research* (pp.705~737). Washington, DC: American Psychological Association.

Schuurman, D. L. 2002. "The club no one wants to join: a dozen lessons I've learnt from grieving children and adolescents." *Grief Matters: The Australian Journal of Grief and Bereavement*, Winter, pp.23~25.

Schuurman, D. 2003. *Never the Same: Coming to Terms with a Parent's Death When you Were a Child*. New York: St. Martin's Press.

_____. 2008. "Invited speaker: Valerie Maasdorp on resiliency in palliative care." *The Forum*, 34(3), pp.9.

Schwartz, D. and A. H. Gorman. 2003. "Community violence exposure and children's academic functioning." *Journal Educational Psychology*, 96, pp.163~173.

Segal, R. M. 1984. "Helping children express grief through symbolic communication." *Social Casework*, 65, pp.590~599.

Servaty-Seib, H. L., J. Peterson and D. Spang. 2003. "Notifying individual students of a death loss: practical recommendations for schools and school counselors." *Death Studies*, 27, pp.167~187.

Servaty-Seib, H. L. and M. C. Pistole. 2006-2007. "Adolescent grief: relationship category and emotional closeness." *Omega*, 54(2), pp.147~167.

Sethi, S. and S. C. Bhargava. 2003. "Child and adolescent survivors of suicide." Crisis, 24(1), pp.4~6.

Shapland, M. 1976. "Film review: Lucy, 21 months, in Foster Care for Nineteen Days, a film by James and Joyce Robinson." *Health Education Journal*, 35(2), pp.195~196.

Sheldon, F. 1998. "ABC of palliative care: bereavement(clinical review)." *British Medical Journal*, 316, pp.456~458.

Shepherd, D. and B. M. Barraclough. 1974. "The aftermath of suicide." *British Journal of Psychiatry*, 2, pp.600~603.

Shipman, C., F. Kraus and B. Monroe. 2001. "Responding to the needs of schools in supporting bereaved children." *Bereavement Care*, 20(1), pp.6~7.

Shohet, R.(ed.). 2008. *Passionate Supervision*. London: Jessica Kingsley.

Siegel, A. and K. Bulkeley. 1988. *Dreamcatching: Every Parent's Guide to Exploring and*

Understanding Children's Dreams and Nightmares. New York: Three Rivers Press.

Siegel, D. J. 1996. "Cognition, memory and dissociation." *Child and Adolescent Psychiatiric Clinics of North America*, 5, pp.509~533.

_____. 1999. *The Developing Mind*. New York: Guilford Press.

_____. 2007. *The Mindful Brain: Reflection and Attunement in the Cultivation of Well-being*. New York: W. W. Norton.

Siegel, K., D. Karus and V. H. Raveis. 1996. "Adjustment of children facing the death of a parent due to cancer." *Journal of American Academic Child and Adolescent Psychiatry*, 35, pp.442~450.

Siegel, K., F. P. Mesagno, D. Karus et al. 1992. "Psychosocial adjustment of children with a terminally ill parent." *Journal of the American Academic Child Adolescent Psychiatry*, 31, pp.327~333.

Silberg, J. 2003. *Guidelines for the Evaluation and Treatment of Dissociative Symptoms in Children and Adolescents*. Northbrook, IL: International Association for the Study of Dissociation.

Silva, E. and A. Cotgrove. 1999. "Youth suicide and bereavement." *Bereavement Care*, 18(1), pp.5~8.

Silverman, P. R. 2000. *Never Too Young to Know: Death in Children's Lives*. Oxford: Oxford University Press.

Silverman, P. R., S. Nickman and J. W. Worden. 1995. "Detachment revisited: the child's reconstruction of the dead parent." in L. A. DeSpelder and A. L. Strickland(eds.). *The Path Ahead: Reading in Death and Dying* (pp.231~241). *Mountain View*, CA: Mayfield.

Silverman, P. R., L. Range and J. Overholser. 1994-1995. "Bereavement from suicide as compared to other forms of bereavement." *Omega*, 30(1), pp.41~51.

Silverman, P. R. and J. W. Worden. 1992. "Children's reactions in the early months after the death of a parent." *American Journal of Orthopsychiatry*, 62(1), pp.93~104.

Simone, C. 2008. "Parental suicide: The long term impact on children and young people." *Bereavement Care*, 27(3), pp.43~46.

Sinclair, R. and T. Geraghty. 2002. *A Review of the Use of Secure Accommodation in Northern Ireland*. London: National Children's Bureau.

Sinclair, S., J. Pereira and S. Raffin. 2006. "A thematic review of the spirituality literature within palliative care." *Journal of Palliative Medicine*, 9, pp.464~479.

Sink, C. A.(ed.). 2005. *Contemporary School Counselling: Theory, Research and Practice*. Boston: Houghton Mifflin.

Sjoqvist, S. 2007. *Still Here with Me: Teenagers and Children on Losing a Parent*. translated by M. Myers. London: Jessica Kingsley.

Skylight. 2007. "Stressed out?" http://www.skylight.org.nz/young-people/stressed-out.aspx(검색일: 2010.5.19).

Smith, G. 2005. "Children's narratives of traumatic experiences." in A. Vetere and E. Dowling (eds.). *Narrative Therapies with Children and their Families: A Practitioner's Guide to Concepts and Approaches* (pp.61~74). Hove: Psychology.

Smith, S. and M. Pennells. 1995. *Interventions with Bereaved Children.* London: Jessica Kingsley.

Social Services Inspectorate Report. 1997. *When Leaving Home is also Leaving Care: An Inspection for Young People Leaving Care.* London: Department of Health.

Sori, C. F. and L. L. Hecker. 2003. *The Therapist's Notebook for Children and Adolescents: Homework, Handouts and Activities for Use in Psychotherapy.* New York: Howarth Press.

Steward, S. 2008. "'So what now?' Adolescents' formation of positive self-concept following parental death." *The Forum*, 34(3), pp.13~14.

Stewart, A. E. 1999. "Complicated bereavement and posttraumatic stress disorder following fatal car crashes: recommendations for death notification." *Death Studies*, 23, pp.289~321.

Stimming, M. and M. Stimming. 1999. "Perspectives on a common loss, uncommon grace and endings and beginnings." in M. Stimming and M. Stimming(eds.). *Before Their Time: Adult Children's Experiences of Parental Suicide* (pp.111~132). Philadelphia, PA: Temple University Press.

Stokes, J. 2004. *Then, Now and Always: Supporting Children as They Journey Through Grief.* Cheltenham: Winston's Wish.

_____. 2009a. "Resilience and bereaved children: helping a child to develop a resilient mind-set following the death of a parent." *Bereavement Care*, 28(1), pp.9~17.

_____. 2009b. "As big as it gets, Winston's wish." Presentation at a conference(2009.1.20).

Stokes, J. A., J. Pennington, B. Monroe, D. Papadatou and M. Relf. 1999. "Developing services for bereaved children: a discussion of the theoretical and practical issues involved." *Mortality*, 4, p.3.

Storr, A. 1989. *Solitude.* London: Flamingo Books.

Streeck-Fisher, A. and B. A. van der Kolk. 2000. "Down will come baby, cradle and all: diagnostic and therapeutic implications of chronic trauma on child development." *Australian and New Zealand Journal of Psychiatry*, 34, pp.903~918.

Stroebe, M. S. 2009. "From vulnerability to resilience: where should research priorities lie?" *Bereavement Care*, 28(2), pp.18~24.

Stroebe, M. S., M. M. Gergen, K. J. Gergen and W. Stroebe. 1995. "Broken hearts or broken bonds: love and death in historical perspective." in L. A. DeSpelder and A. L. Strickland (eds.). *The Path Ahead: Reading in Death and Dying* (pp.231~241). Mountain View,

CA: Mayfield.

Stroebe, M. S., R. Hanssonn and W. Stroebe et al. 2001. *Handbook of Bereavement Research: Consequences, Coping and Care.* Washington, DC: American Psychological Association.

Stroebe, M. S. and H. Schut. 1999. "The dual process model of coping with bereavement: rationale and description." *Death Studies*, 23(3), pp.197~224.

_____. 2008. "The dual process model of coping with bereavement: overview and update." *Grief Matters: The Australian Journal of Grief and Bereavement*, 11(1), pp.4~10.

Stroebe, M., H. Schut and W. Stroebe. 2007. "Health outcomes of bereavement." Lancet, 370, pp.1960~1973.

Stubbs, D., K. Ailovic, J. Stokes and K. Howells. 2008. *Family Assessment: Guidelines for Child Bereavement Practitioners.* Cheltenham: Winston's Wish.

Stuber, M. L., and H. V. Mesrkhani. 2001. "What do we tell the children? Understanding childhood grief." *West Journal Medicine*, 174(3), pp.187~191.

Summerhayes, L. 2007.10.17. "We rewrote the book on bereavement." *Edinburgh Evening News.* http://edinburghnews.scotsman.com/features/We-rewrote-the-book-on.3471523.jp (검색일: 2010.5.19).

Summers, S. J. and P. Witts. 2003. "Psychological intervention for people with learning disabilities who have experienced bereavement: a case study illustration." *British Journal of Learning Disabilities*, 31, pp.37~41.

Sunderland, M. 2000. *Using Story Telling as a Therapeutic Tool with Children.* Bicester, Oxon: Winslow Press.

Swinton, J. 2002. "Spirituality and the lives of people with learning disabilities." *The Tizard Learning Disability Review*, 7(4), pp.29~35.

Talbot, J. 2008. "Making sense of the situation: young offenders with learning disabilities and difficulties." *Healthier Inside*, Spring/Summer, 2(13), pp.13~14.

Tamm, M. 1996. "The meaning of death for children and adolescents." *Bereavement Care*, 15(3), pp.32~33.

Taylor, S. E. 2003. *The Tending Instinct: Women, Men and the Biology of our Relationships.* New York: Henry Bolt.

Taylor, S. E. 2004. "Between the idea and the reality: a study of the counselling experiences of bereaved people who sense a presence of the deceased." *Counselling and Psychotherapy Research*, 5(1), pp.53~61.

Therapy Today. 2009. "Doctors demand action on 'pro-ana' sites." *Therapy Today*, 20(8), p.4.

Thompson, B. 2003. "The expressive arts and experience of loss." *The Forum*, 26(2), p.16.

Thompson, F. and S. Payne. 2000. "Bereaved children's questions to a doctor." *Mortality*, 5(1), pp.74~96.

Todd, S. and S. Read. 2009. "Talking about death and what it means: the perspectives of people with intellectual disabilities." NNPCPLD(National Network of Palliative Care of People with Learning Difficulties), Death with a Difference Conference, Keele University.

Tomm, K. 1990. "Foreword." in M. White and D. Epston(eds.). *Narrative Means to Therapeutic Ends* (pp.5~8). New York: W. W. Norton.

Towers, A. 2008. "When only an eyelid moves." *Counselling Children and Young People*, June, pp.25~29.

Traylor, E. S., B. Hayslip, P. I. Zaminski and C. York. 2003. "Relationships between grief and family system characteristics: a cross lagged longitudinal analysis." *Death Studies*, 27, pp.575~601.

Tremblay, G. C. and A. C. Israel. 1998. "Children's adjustment to parental death." *Clinical Psychology*, 5, pp.424~438.

Trickey, D. 2005. "The impact of traumatic bereavement on families." Presentation at the 12th International Bereavement and Loss Conference, Manchester(2005.9.8).

Trimble, S. 2000.2.25. "Grace Christ examines how children deal with grief." *Columbia News*. http://www.columbia.edu/cu/news/00/02/graceChrist.html(검색일: 2010.5.19).

Trinder, A. 2008. "The art of the personal in grief therapy." *The Forum*, 2(3), pp.1~2.

Tufnell, G. 2005. "The effects of war on children: working with trauma and bereavement in refugees." Presentation at 7th International Conference on Grief and Bereavement. Kings College, London(2005.7.12).

Ulliana, L. 1998. "Bereavement and children with autistic spectrum disorder." *Keynotes Newsletter*, June. Autistic Association of NSW.

Valentine, C. 2008. *Bereavement Narratives*. London: Routledge.

_____. 2009. "Continuing bonds after bereavement: a cross-cultural perspective." *Bereavement Care*, 28(2), pp.6~11.

Van der Kolk, B. A., A. C. McFarline and L. Weisaeth. 2006. *Traumatic Stress: The Effects of Overwhelming Experience in Mind, Body and Society*. New York: Guilford Press.

Van Eerdewegh, M., P. Clayton and P. Van Eerdewegh. 1985. "The bereaved child: variables influencing early psychopathology." *British Journal of Psychiatry*, 147, pp.188~194.

Van Gulden, H. and L. M. Bartels-Rabb. 1999. *Real Parents, Real Children: Parenting the Adopted Child*. New York: Crossroad Publishing.

Vaswani, N. 2008. "Persistent offender profile: focus on bereavement." *Criminal Justice Social Work Briefing*, 13, pp.1~7. http://www.cjsw.ac.uk/cjsw/5172.html(검색일: 2010.5.19).

Vernberg, E. M., A. M. La Greca, W. K. Silverman and M. J. Prinstein. 1996. "Prediction of posttraumatic stress symptoms in children after hurricane Andrew." *Journal of Abnormal Psychology*, 105, pp.237~248.

Vickio, C. J. 1998. "Together in spirit: keeping our relationship alive when loved ones die." *Death Studies*, 21, pp.134~186.

Volkan, Vamik D. 1972. "The linking objects of pathological mourners." *Archives of General Psychiatry*, 27, pp.215~222.

Walsh, K., M. King, L. Jones, A. Tookman and R. Blizzard. 2002. "Spiritual beliefs may affect outcome of bereavement: prospective study." *British Medical Journal*, 324, pp.1551~1554.

Walter, T. 1996. "A new model of grief bereavement and biography." *Mortality*, 1(1), pp.7~25.

_____. 1999. *On Bereavement: The Culture of Grief.* Buckingham: Open University Press.

_____. 2003. "Historical and cultural variants on a good death." *British Journal of Medicine*, 26 July, pp.218~220.

_____. 2006. "Telling the dead man's tale: bridging the gap between the living and the dead." *Bereavement Care*, 25(2), pp.23~26.

_____. 2008. "Mourners and mediums." *Bereavement Care*, 27(3), pp.47~50.

Ward, H. 2003. "Solidarity helps a school grieve." *Times Educational Supplement*, 21 November, p.3.

Ward-Wimmer, D. and C. Napoli. 2000. "Counselling approaches with children and adolescents." in K. J. Doka(ed.). *Living with Grief: Children, Adolescents and Loss* (pp.109~122). Washington, DC: Hospice Foundation of America.

Waskett, D. A. 1995. "Chairing the child: a seat of bereavement." in S. C. Smith and M. Pennells(eds.). *Interventions with Bereaved Children.* London: Jessica Kingsley.

Watts, J. 1988. "Experts in the end." *The Observer*, 23 October, p.36

Way, P. 2008. "Michael in the clouds: talking to very young people about death." *Bereavement Care*, 27(1), pp.7~9.

Webb, N. B. 2002. "Assessment of the bereaved child." in N. B. Webb(ed.). *Helping Bereaved Children: A Handbook for Practitioners* (pp.19~42). New York: Guilford Press.

Weisler, J. 1993. *Photo Therapy Techniques: Exploring the Secrets of Personal Snapshots and Family Albums.* San Francisco, CA: Josey Bass.

Weller, E. B., R. A. Weller, M. A. Fristad and J. M, Bowes. 1991. "Depression in recently bereaved children." *American Journal of Psychiatry*, 148, pp.1536~1540.

Weller, R. A., E. B. Weller, M. A. Fristad, S. E. Cain and J. M. Bowes. 1988. "Should children attend their parent's funeral?" *Journal of American Academy Child Adolescent Psychiatry*, 27, pp.559~562.

Wells, R. 1988. *Helping Children Cope with Grief.* London: Sheldon Press.

Wertheimer, A. A. 2001. *A Special Scar: The Experiences of People Bereaved by Suicide*, 2nd ed. Hove: Brunner-Routledge.

Weymont, D. and T. Rae. 2006. *Supporting Young People Coping with Grief: Loss and Death*. London: Paul Chapman.

White, M. and D. Epston. 1990. *Narrative Means to Therapeutic Ends*. New York: W. W. Norton.

Wiener, H. 1989. "The dynamics of the organism: implications of recent biological thought for psychosomatic theory and research." *Psychosomatic Medicine*, 51, pp.608~635.

Wilder, T. 1967. *The bridge of St. Luis Rey*. London: Penguin Books.

Williams, A. L. and M. J. Merten. 2009. "Adolescents online social networking following the death of a peer." *Journal of Adolescent Research*, 24(1), pp.67~90.

Williams, E. 2004. "Dead serious." *Times Educational Supplement*, 14 May, pp.6~7

Williams, R. 2009.11.10. "Hoods down, looking up: with gang tensions simmering inside, how can colleges keep all the students safe?" *The Guardian*, education, p.5.

Willis, S. 2004. "Work with bereaved children." in B. Monroe and F. Kraus(eds.). *Brief Interventions with Bereaved Children* (pp.1~12). Oxford: Oxford University Press.

Wimpenny, P. 2007. "A literature review on bereavement and bereavement care: developing evident-based practice in Scotland." *Bereavement Care*, 26(1), pp.7~10.

Winston's Wish. 2002. *Every Thirty Minutes*. Gloucester: Winston's Wish.

_____. 2008. *Beyond the Rough Rock: Supporting a Child Who Has Been Bereaved by Suicide*. Gloucester: Winston's Wish.

Wolchik, S. A., J.-Y. Tein, I. N. Sandler and T. S. Ayers. 2006. "Stressors, quality of the child-caregiver relationship, and children's mental health problems after parental death: the mediating role of self-system beliefs." *Journal of Abnormal Child Psychology*, 34(2), pp.212~229.

Wolfe, B. 2008. "Experimental workshop: multicultural grief counselling." *The Forum*, 34(3), p.11.

Wolfelt, A. 1994. *Healing your Grieving Heart for Teens: 100 Practical Ideas*. Fort Collins, CO: Companion Press.

Wood, K., E. Chase and P. Aggleton. 2006. "'Telling the tmth is the best thing': teenage orphans' experiences of parental AIDS-related illness and bereavement in Zimbabwe." *Social Science and Medicine*, 63, pp.1923~1933.

Wood, M. J. M. 2008. *Mapping the Landscape: A Directory of Arts Therapist and Arts Practitioners Working in Supportive and Palliative Care Settings in the United Kingdom 2007*. London: Creative Response and Help the Hospices Network of Professional Associations.

Woodward, J. 2006. "Working therapeutically with lone twins." *Therapy Today*, 17(4), pp.335~372.

Worden, J. W. 1991. *Grief Counselling and Grief Therapy: A Handbook for the Mental Health Practitioner*, 2nd ed. London: Routledge.

_____. 1996. *Children and Grief When a Parent Dies*. New York: The Guilford Press.

_____. 2002. *Grief Counselling and Grief Therapy: A Handbook for the Mental Health Practitioner*. New York: Springer.

Worden, J. W., B. Davies and D. McCown. 1999. "Comparing parent loss with sibling loss." *Death Studies*, 23, pp.1~15.

Worden, J. W. and P. R. Silverman. 1996. "Parental death and the adjustment of schoolage children." *Omega*, 33, pp.91~102.

Wright, B. and I. Partridge. 1999. "Speaking ill of the dead: parental suicide as child abuse." *Clinical Child Psychology and Psychiatry*, 4(2), pp.225~231.

Wright, M. C. 2002. "The essence of spiritual care: a phenomenalogical enquiry." *Palliative Medicine*, 16, pp.125~132.

Yalom. I. D. 2000. "Religion and psychiatry." Speech on receiving the 2000 Oscar Pfister prize delivered at the American Psychiatric Association's annual meeting, New Orleans(2000. 5). http://www.yalom.com/lec/pfister(검색일: 2010.5.19).

_____. 2008. "The ripple effect." *Therapy Today*, May, pp.4~11.

Youth Justice Trust. 2001. *A Survey of Some of the General and Specific Health Issues for YOTS*. Manchester: Youth Justice Trust.

Yule, M. W. and A. Gold. 1993. *Wise Before the Event: Coping with Crises in Schools*. London: Calouste Glbenkian Foundation.

Yule, W. 1998. "Posttraumatic stress disorder in children and its treatment." in T. W. Miller (ed.). *Children of Trauma: Stressful Life Events and Their Effects on Children and Adolescents* (pp.219~253). Madison, CT: International Universities Press.

_____. 2000. "From pogroms to 'ethnic cleansing': meeting the needs of war-affected children." *Journal of Psychology and Psychiatry*, 41, pp.695~702.

Zambelli, G. C. and A. P. DeRosa. 1992. "Bereavement support groups for school-age children: theory, intervention and case example." *American Journal of Orthopsychiatry*, 62, pp. 484~493.

찾아보기

인명

ㄱ

골드먼, 린다(Linda Goldman) 136
굽타, 레일라 M.(Leila M. Gupta) 198

ㄴ

니마이어, 로버트(Robert Neimeyer) 12, 28
닉먼, 스티븐(Steven Nickman) 16, 24

ㄷ

뒤레그로브, 아틀레(Atle Dyregrov) 15, 36, 79, 239~240
뒤레그로브, 카리(Kari Dyregrov) 15, 36, 79
디 치아코, 재니스 A.(Janis A. Di Ciacco) 31

ㄹ

라파엘, 베벌리(Beverley Raphael) 59
랜도, 테레즈(Therese Rando) 22, 238
로저스, 칼(Carl Rogers) 77
로젠블랫, 폴(Paul Rosenblatt) 76

ㅁ

머친, 린다(Linda Machin) 20

ㅂ

배트맹겔리지, 카밀라(Camila Batmanghelidjh) 19, 205
바스와니, 니나(Nina Vaswani) 108
바크, 데이비드 E.(David E. Balk) 230
버클리, 켈리(Kelly Bulkeley) 205~206
베르트하이머, 앨리슨(Alison Wertheimer) 191
베틀하임, 브루노(Bruno Bettleheim) 145

벨로스, 조이스 E.(Joyce E. Bellous) 229
볼비, 존(John Bowlby) 15, 17~19, 21, 197
블랙, 도라(Dora Black) 100, 186, 196

ㅅ

슈어먼, 도나(Donna Schuurman) 35, 215
스토크스, 줄리(Julie Stokes) 29, 65, 85
스트로브, 마거릿(Margaret Stroebe) 16, 26~27
슈트, 헹크(Henk Schut) 16, 26~27
실버먼, 필리스(Phyllis Silverman) 16, 21~22, 24

ㅇ

아티그, 토머스(Thomas Attig) 29
얄롬, 어빈(Irvin Yalom) 38, 247
에덜먼, 호프(Hope Edelmen) 67
오슬러, 윌리엄(Sir William Osler) 44
워든, 윌리엄(William Worden) 13, 15, 21~22, 45, 69, 91, 235, 245
워스킷, 데이비드(David Waskett) 66
월시, 키리(Kiri Walsh) 229
월터, 토니(Tony Walter) 28, 228
융, 카를(Carl Jung) 30, 205

ㅋ

카타나크, 앤(Ann Cattanach) 144
콜스, 로버트(Robert Coles) 231
퀴블러 로스, 엘리자베스(Elizabeth Kübler-Ross) 15, 20~21, 114, 224
크래머, 베티 J.(Betty J. Kramer) 59
크런웰, 브라이언(Brian Cranwell) 84
크리스트, 그레이스(Grace Christ) 185

클라스, 데니스(Dennis Klass) 16, 24

ㅌ
테일러, 셸리(Shelly Taylor) 84

ㅍ
파크스, 콜린 머리(Colin Murray Parkes) 15, 19, 21, 23, 180
퍼, 수전(Susan Furr) 227
프랑크, 안네(Anne Frank) 139~140, 255
프로이트, 지그문트(Sigmund Freud) 15~16, 22, 25, 204
피츠제럴드, 헬렌(Helen Fitzgerald) 92
필리포빅, 즐라타(Zlata Filipovic) 139~140

ㅎ
해링턴, 리처드(Richard Harrington) 32
헤이스팅스, 도나(Donna Hastings) 57
호건, 낸시(Nancy Hogan) 26, 71
후이먼, 낸시 R.(Nancy R. Hooyman) 59

용어

ㄱ
가정 폭력 186, 196, 201
가정된 세상 23
가족 체계 42, 91
감정 기복 61~62, 72
강렬한 감정 44, 47, 60~61, 254
강점 기반 접근법 32
갱 10, 109
거울신경세포 78
결속감 29, 42
경청 13, 58, 74~75, 78~79, 82, 89~90, 115, 122, 129, 220, 234
계속되는 결속 22~26, 29
고립감 48, 86, 187
공감 19, 34, 56, 60, 75, 77~78, 97, 122, 227

공포 영화 236, 243
과제 모델 21~22
교통사고 53, 58, 60, 156, 165, 179, 185, 195, 217, 240, 255
구류 107~109

ㄴ
내장된 상담 12

ㄷ
다브다 21
동화 145, 147, 170
또래 집단 60, 116, 119, 126

ㄹ
리치먼드의 희망 57, 173

ㅁ
마술적 사고 50, 52, 55
모든 아이가 중요하다 109
문화의 전통 25
문화적 다양성 88, 135
문화적 배경 50, 76
문화적 신념 28, 66, 80
미디어 124, 185, 200

ㅂ
박탈당한 애도 100
발달 과정 97, 181
발달 장애 97~98, 103
범죄행위 108, 188
보호 감찰 107, 109, 176
회복탄력성 10, 13, 19~20, 29, 32~37, 66~ 67, 77, 84, 86, 94, 144, 146, 150, 157, 187, 204, 229
부정 19~20, 44, 48, 56, 66, 121, 188
비디오 44, 149, 200, 236, 243

ㅅ

사멸성 40, 56, 61, 70, 208, 231

사후세계 42, 224, 233~237

살해 131, 185, 196, 198, 202, 209

상실감 19, 44, 54, 63, 106, 117, 128, 214, 250, 254

생존자 119, 184, 191, 195, 197, 200

선의의 배제 100

성별 차이 41, 236

수치심 55, 71, 188

슈퍼비전 94, 191

스트레스 17, 27, 31, 33~35, 43~44, 47, 50, 65, 67, 84, 97, 120, 165, 173, 181, 198, 200~201, 205, 208, 215~216

시한부 20~21, 65~66, 205, 234~236

신경심리 31, 181

신원 조회 88

신체화 43, 216

심리사회적 전환 23

십 대 59~60, 62~63, 170~171, 175, 215, 233, 253, 255, 257

쌍둥이 71~72

ㅇ

아동·청소년을 위한 일반 평가 체계 97

아동 사별 연구 85, 235

악몽 50, 58, 182, 191, 199~200, 205, 210, 216~219

안전한 안식처 127

애도 과정 10, 19, 36, 57, 75, 100~101, 117, 140, 166, 181, 183, 185~186, 191, 203~204, 222

애도 상담 75, 93

애도함 27, 47, 64, 67, 69, 71, 78, 84, 90, 100~110, 188, 224, 258

애착 17~20, 22, 25~27, 31, 34~35, 59, 66, 76, 85, 100, 105

애착 관계 19, 34, 36

애착이론 15, 17

약물 남용 61, 193

연결시키는 물건 159

영성 10, 228~229, 231, 233~234, 258

영적 신념 229, 233, 248

예상하는 애도 64~65

옥시토신 84

외상 후 스트레스 장애 119~120, 179, 196, 198

우울증 11, 45, 61, 70, 119, 144, 190, 194, 198~199

윈스턴의 소망 29, 65, 67, 85, 111, 132, 146, 153~154, 177, 230, 241

유대감 70, 166, 224, 232, 239, 250

음주 61, 195

이야기 바퀴 143

이야기 상담 144

이야기 치유 29

이인증 43, 49, 186

이중 과정 모델 16, 24, 26, 47

일본 문화 25, 244

ㅈ

자기 존중감 45

자기중심적 53, 56, 60

자살 10~11, 58, 61, 64, 70, 88, 107, 108, 118, 172~173, 179, 185, 187~194, 209

자폐 증상 103~104

자해 61, 96, 107, 183, 192~193, 210

잔물결 퍼지기 247

장례 의식 24, 242

장례식 8, 61, 64, 69, 95, 100~101, 108~109, 112, 124, 166, 185, 202, 210, 212, 236, 240~243, 252

재구성 23, 28, 34

재난 119, 185~187

재적응 22

저질러버리는 46, 61

전이 59, 85

전쟁 37, 60, 139~140, 197~199, 232, 257

조약돌 기법 160

종교 228, 231, 233, 258

종교적 신념 66, 80, 166, 228~229, 231, 233, 248

죄책감 46, 48, 54, 65, 71, 108, 157, 159, 174, 182, 191, 193, 195, 200, 202~203, 219

지적장애 98, 100~101, 104, 229

지지 그룹 86~87

지지망 11, 94

진동 모델 27

ㅊ

창조 기법 134~135

창조 활동 134~136, 149

창조적 접근 102

천국 52, 54, 72, 207, 211, 223, 227, 235~237

청소년 범죄 106~107, 109

체계이론 16

총기 60, 179, 192, 200

추모 24, 112, 132, 136, 138, 156, 166, 171, 175~176, 240~241, 243

출발 문구 137

취약함 20, 81, 86, 93, 186, 205

침묵 79, 92, 150, 191

ㅌ

테러 185, 198, 200

통과의례 241, 243~244

통제력 34, 46

통제의 자리 45, 99

통증 완화 치료 173, 233~234

트라우마 10, 33, 70, 88, 98, 100, 109, 119~120, 124, 179 181, 185~187, 189, 192~195, 198~201, 209, 215~217, 219

ㅍ

포크스의 모델 86

ㅎ

하버드 사별 연구 11, 22, 61

하버드 아동 사별 연구 13, 21, 24, 68

학습 장애 10, 96, 98~99, 101~102, 107, 167, 184

헬렌의 집 246

호스피스 94, 234~235, 246

저서

『그때, 지금, 그리고 영원히(Then, Now and Always)』 29

『나무에 계신 우리 아버지(Our Father Who Art in A Tree)』 146

『말로 하지 않는 책(Books Beyond Words)』 104

『회복탄력성(Resilience)』 37

『비밀의 정원(The secret garden)』 146

『샬롯의 거미줄(Charlotte's Web)』 146, 253

『슬픈 심장: 죽음 그리고 잊히지 않는 사랑 찾기(The Heart of Grief: Death and the Search for Lasting Love)』 30

『슬픔의 책(Sad Book)』 152, 258

『아동과 애도: 부모 한 명이 죽었을 때(Children and Grief: When a Parent Dies)』 22, 235

『아빠 울지 마세요(Ways To Live Forever)』 141, 257

『아주 특별한 누군가가 죽을 때(When Someone Very Special Dies)』 102

『안네의 일기(The Diary of Anne Frank)』 255

『애도하는 자녀 돕기(Helping Children Cope with Grief)』 74

『자아를 찾아가는 딥스(Dibs in Search of Self)』 148

『죽어서 자유로워진다면(Dying to Be Free)』 192

『죽음과 죽어감에 관하여(On Death and Dying)』 20

『피터 팬(Peter Pan)』 144

『항상 그리고 영원히(Always and Forever)』 54

지은이

브렌다 맬런(Brenda Mallon)

개인 상담실을 운영하는 상담사. 『죽음과 애도(Dying, Death and Grief)』(2008)의 저자

옮긴이

안병은 정신건강의학과전문의. 수원시자살예방센터장, 행복한우리동네의원장
서청희 정신보건사회복지사. 수원시자살예방센터 상임팀장
백민정 정신보건사회복지사. 수원시자살예방센터 팀장
김미숙 정신보건간호사. 용인시정신건강증진센터 자살예방팀장
문현호 음악치료사. 우리동네정신건강연구소 연구원

한울아카데미 1929

사별을 경험한 아동 · 청소년 상담하기

지은이 **브렌다 맬런** ┃ 옮긴이 **안병은 · 서청희 · 백민정 · 김미숙 · 문현호** ┃ 기획 **수원시자살예방센터**
펴낸이 **김종수** ┃ 펴낸곳 **한울엠플러스(주)** ┃ 편집책임 **최진희** ┃ 편집 **정경윤**

초판 1쇄 인쇄 **2016년 11월 15일** ┃ 초판 1쇄 발행 **2016년 11월 29일**

주소 **10881 경기도 파주시 광인사길 153 한울시소빌딩 3층**
전화 **031-955-0655** ┃ 팩스 **031-955-0656** ┃ 홈페이지 **www.hanulmplus.kr** ┃ 등록번호 **제406-2015-000143호**

Printed in Korea.
ISBN 978-89-460-5929-0 93370(양장)
　　　 978-89-460-6240-5 93370(학생판)

* 책값은 겉표지에 표시되어 있습니다.
* 이 책은 강의를 위한 학생용 교재를 따로 준비했습니다. 강의 교재로 사용하실 때는 본사로 연락해주시기 바랍니다.